Beatriz en de hemellichamen

Lucía Etxebarria

Beatriz en de hemellichamen

EEN ROZE ROMAN

Vertaald door Tineke Hillegers-Zijlmans en
Felicitas van Wijk-Gertenaar

ARENA

Oorspronkelijke titel: *Beatriz y los cuerpos celestes*

Omslagontwerp: Mariska Cock, Amsterdam
Foto voorzijde omslag: Fotostock
Foto achterzijde omslag: © Jerry Bauer
Typografie en zetwerk: CeevanWee, Amsterdam
ISBN 90 6974 430 9
NUGI 301

Dit boek is

voor Beatriz Santos
voor Pilar Mateos
en voor mijn familie

Dring er niet langer op aan dat ik je verlaat en terugkeer, zo ver van je weg.
Waar jij ook gaat, ga ik, waar jij blijft, blijf ik.
Jouw volk is mijn volk, jouw God mijn God.
Waar jij sterft zal ik sterven en daar zal ik ook begraven worden.

Ruth tot Naomi, RUTH 1:16-17

Waaraan heb ik het verdiend dat je zo goed voor me bent?
Ik ben toch maar een vreemdeling.

RUTH 2:10

Ik heb de zuiverheid aanvaard als de ergste van de perversies.

MARGUERITE YOURCENAR

Een vrouw weet niet dat ze de hoofdpersoon van een gruwelverhaal gaat worden tot ze het is.

NAOMI WOLF

1 Kerkhofbaan

Yet come to me in my dreams, that I may live
My very life again though cold and death;
Come back to me in my dreams, that I may give
Pulse for pulse, breath for breath:
Speak low, lean low
As long ago, my love, how long ago.

CHRISTINA GEORGINA ROSETTI, *Echo*

‘Ik begrijp niet waarom je die onzin leest,’ zei ik geïrriteerd, niet om af te geven op wat ze graag las, maar omdat ik haar aandacht wilde. Het was op een van die vele middagen dat ik bij haar thuis was, wat zo vaak gebeurde dat Monica zich niet meer verplicht voelde aandacht aan mij te besteden. Haar kamer was ook van mij, dat wist ik en ik kon er doen waar ik zin in had. Maar Monica vond het niet nodig om met mij te kletsen.

Ze keek op, zette de bril op het puntje van haar neus als een schooljuffrouw en keek me schalks en vanuit de hoogte aan.

‘Ga nou niet de culturele fasciste uithangen, hè. Wat wil je? Dat ik de hele dag Dostojevski of zoiets ga zitten lezen? Toe nou, laat me even met rust alsjeblieft,’ zei mijn lichtend voorbeeld, dat stralende donkerharige meisje met een bijna kosmische intelligentie, en ze dook weer met haar neus in haar boek.

Ik zat met opgetrokken benen in een hoekje van haar bed met mijn hoofd op mijn knieën te niksen en ging te veel op in mijn eigen verveling om daar ook maar iets aan te willen doen. De muziek op de achtergrond, meen ik me te herinneren, kon The Cure of zoiets dergelijks zijn geweest. Vast iets duisters, een triest lied in zwart-wit, uitgevoerd door een jongeman die van top tot teen in de rouw was, het soort plaat waar Monica tijdens die eindeloze middagen graag naar luisterde.

Als ik aan Monica denk en aan haar hemellichaam zie ik enorme telescopen die ver verwijderde sterren naderbij brengen, melkwegen die zich tot in het oneindige uitstrekken, lichtende materie, licht- en stralingsbronnen, schitterende supernova’s en eeuwig gloeiende asteroïden die enorme nucleaire ovens in zich bergen.

Er is lichtende materie in het heelal, ja, die sterren die licht en warmte geven, rode reuzen en gele dwergen; maar er is ook donkere materie, zwarte gaten, afgekoelde planeten, dwaalsterren, bruine dwergen, verlaten manen en kerkhofbanen.

Als Monica in haar kamer was, hield ze de gordijnen dicht en de schaduwen die op de meubels werden geprojecteerd trilden in het flikkerende licht van het lampje op haar nachtkastje, alsof ze vreemdsoortige dansen improviseerden op het ritme van die naargeestige muziek. Het territorium van Monica, ver weg in tijd en ruimte dankzij een heel speciale relativiteitstunnel die zij met haar wilskracht voor zichzelf had gebouwd, stond los van de dagelijkse gang van zaken in de rest van het huis. Hier drongen het eeuwige geklaag van haar moeder, het eindeloze neuriën van de werkster of de kinderlijke ruzies van haar broertjes niet door.

'"Op 36 000 kilometer afstand van de Aarde,"' las ze, '"bevindt zich een geostationaire baan op een vaste plaats in de atmosfeer omdat die zich met dezelfde snelheid voortbeweegt als de Aarde: de zogenaamde Kerkhofbaan waar afgedankte satellieten naartoe gestuurd worden. Alle satellieten beschikken over reserve-energie zodat dit laatste restje brandstof in geval van nood gebruikt kan worden om ze in die baan te brengen, waar ze definitief in de ruimte blijven zonder dat er een motor nodig is die ze op hun plaats houdt." Dus, voor alle duidelijkheid, die arme satellieten zijn net olifanten die naar een gemeenschappelijke necropolis gaan om er te sterven. Dat heeft wel iets poëtisch als je erover nadenkt. Stel je voor, Bea: enorme ondingen die als belangrijkste taak communicatie hadden, stom, voor altijd geïsoleerd, omgeven door een leger van soortgelijk schroot dat ook nooit meer kan communiceren. Griezelig hè?'

Denk daar nu maar eens aan, Bea, zoveel jaar later. Je hebt Monica nu vier jaar niet gezien. Denk eens aan de eenzaamheid van de satellieten, de eenzaamheid van die baan. In de steek gelaten door degenen die er eens gebruik van hebben gemaakt. Vergeten en koud. Omgeven door de meest kale en absolute leegte, in de ijzige stilte van het bevroren heelal, bedekt met een laagje ijzel dat niet glinstert, dat zelfs geen licht meer heeft om te weerkaatsen. Onbeweeglijk en waardig in hun glaciale teruggetrokkenheid, dode satellieten, levenloze kadavers van ijskoud schroot, antieke gevallen die monsters van ijzer en staal waren, die eens data, gegevens en cijfers doorgaven die van cruciaal belang waren. Data, gegevens en cijfers die niemand zich nu meer herinnert. Zelfs het krachtige staal ontkomt niet aan verval. Die nu roestige en communicatieloze titanen hebben hun macht verloren, zijn veroordeeld tot een eeuwig en geoxideerd stilzwijgen en vormen een desolate puinsector. De kabels en moeren zullen geleidelijk aan uiteenvallen, hoewel daar misschien wel eeuwen overheen gaan. Bedenk in ieder geval dat tijd in een blind landschap onbelangrijk is, dat iedere minuut gelijk is aan de volgende, dat na iedere seconde een volgende seconde komt. Identiek, onveranderlijk, een seconde opgebrand voor een vluchtige tijd. Kerkhofbaan. Baan van eenzaamheid.

Soms denk ik, Monica, waar je ook bent, dat mij hetzelfde is overkomen. Dat ik naar de wereld ben gestuurd met een missie: communiceren met andere mensen, gegevens uitwisselen, overbrengen. En toch ben ik alleen gebleven, te midden van anderen die gedesoriënteerd om mij heen zweven in deze ijle atmosfeer van onverschilligheid, ongevoeligheid of louter onhandigheid, waar niemand verwacht dat er naar hem wordt geluisterd en nog minder dat hij wordt begrepen. Om ons heen draait een heel universum, sterren, zonnen, manen, melkwegen, meteoorstenen, grote constellaties, wolken van gas en stof, planetaire systemen, interstellaire materie. Zelfs ruimteafval. Maar vooral een onmetelijke stilte die alles absorbeert. Een enorme zwarte leegte, een onbeschrijfelijke rust.

En ook al weet ik dat het niet zo zou moeten zijn, toch voel ik me lichtjaren verwijderd van enig teken van leven om mij heen, als dat er al is. Ik heb het gevoel dat ik in de Kerkhofbaan zweef.

2 Ruïnes van de stad

Liefde behoort aan zichzelf, doof voor smeekbeden, onwrikbaar voor geweld. Over liefde valt niet te onderhandelen. Alleen liefde is sterker dan verlangen, de enige goede reden om de verleiding te weerstaan.

JEANETTE WINTERSON, *Op het lichaam geschreven*

Probeer je verdriet niet te begraven: het breidt zich ondergronds uit, onder je voeten; het komt in het water dat je moet drinken en vergiftigt je bloed. De wonden helen, maar er blijven altijd min of meer zichtbare littekens achter die irriteren bij weersveranderingen en je via je huid aan hun bestaan herinneren en daarmee aan de klap die er de oorzaak van was. En de herinnering aan die klap zal van invloed zijn op toekomstige beslissingen, onnodige angst veroorzaken en verdriet dat je meedraagt, en jij zult opgroeien als een futloos en bang wezen. Waarom proberen te vluchten en de stad waar je struikelde de rug toekeren? In de ijdele hoop dat je littekens ergens anders, in een milder klimaat, geen pijn meer doen en dat het drinkwater schoner zal zijn? Om je heen zullen dezelfde mislukkingen in je leven opdoemen, want waar je ook gaat, de stad reist met je mee. Er bestaat geen nieuw land of nieuwe zee, het leven dat je hebt verprutst blijft verprutst waar ook ter wereld. Ik ben tweeëntwintig en praat alleen maar anderen na.

Deze woorden die ik herhaal heb ik in boeken gelezen. Sommige zijn duizend jaar geleden geschreven, andere twee jaar geleden gepubliceerd. Want alles wat er wordt geschreven is tenslotte uiteindelijk een voetnoot van iets wat al eerder is geschreven. Er bestaat maar één onderwerp, het leven, en het leven is altijd hetzelfde: eenzelfde straling doordringt het hele universum en is niet verbonden met enig voorwerp in het bijzonder. Al onze handelingen, al onze liefdes zijn herhalingen van andere die al eerder hebben plaatsgevonden en daarom zullen we in een boek altijd het antwoord op een van onze vragen vinden. Het probleem is dat we het geschrevene niet begrijpen zolang we het niet zelf op een of andere manier hebben meegemaakt en ik geloof dat ik nu en alleen pas nu zinnen ga begrijpen die ik lang geleden heb gelezen.

Nu pas begrijp ik dat de stad me volgt, dat ik altijd door dezelfde straten loop en dat ik mijn angst moet opgraven opdat die niet onder mijn voeten wegrot. Daarom verlaat ik de ene stad en keer ik terug naar de andere, omdat ik weet dat ik eigenlijk altijd in dezelfde woon. Ik dacht mijn leed achter mij gelaten te hebben, maar ik heb begrepen dat ik het bij mij draag en nu keer ik terug naar dezelfde stad die ik zo haatte.

Ik ben tweeëntwintig. Ik verliet Madrid op mijn achttiende op aanraden van mijn vader. Omdat ik niet goed wist wat ik wilde met mijn leven en omdat de spanningen tussen mijn moeder en mij onhoudbaar begonnen te worden, zou ik er dan geen zin in hebben om er een jaartje tussenuit te gaan om Engels te studeren? Voor deze ene keer was ik het met hem eens, omdat ik zelf ook weg wilde, weg uit huis en eindelijk weg bij mijn vader en mijn moeder. Dat had ik al jaren gewild en ik zou me deze kans die ik nu op een presenteerblaadje kreeg aangeboden niet laten ontgaan.

Er waren andere redenen waar mijn vader zelfs geen vermoeden van had en die me ertoe aanzetten de benen te nemen. De stad kwam me voor als een gevangenis en de jaren dat ik er woonde leken mislukt. Er was een heleboel wat mijn vader niet wist van het leven dat ik daar had geleid.

Dat gesprek versnelde de intensieve zoektocht naar een plek om mij onder te brengen. Iedere buitenlandse universiteit waar ze me wilden hebben was goed en de keuze bleek op die van Edinburgh te vallen, het had evengoed een andere kunnen zijn. Na talloze internationale telefoongesprekken en heel wat tripjes van ambassade naar ambassade voor informatie, kwamen we erachter dat het de enige was waar ze op dat moment nog plaats in een studentenhuis hadden. We hadden eerder al geprobeerd op diverse andere plaatsen een plekje voor mij te vinden, maar overal kregen we te horen dat we veel te laat belden.

Zodat ik bij toeval in Edinburgh terechtkwam. Het was nooit bij me opgekomen om in Schotland te gaan studeren. Maar zo gaat het altijd bij mij... Soms denk ik dat ik de belangrijkste beslissingen altijd heb genomen zonder dat ik me daarvan bewust was.

Ik arriveerde in Edinburgh met de gedachte dat nu ik meerderjarig was mijn leven meer vaart zou krijgen, dat het steeds rijker en intenser zou worden. Ik kon niet vermoeden dat ik dicht bij een dood punt was aangekomen.

Een week nadat ik hier was geland drong het tot me door wat ik allemaal wel niet was kwijtgeraakt en ik geloof dat ik net zoveel huilde als er wolken waren in de stad waar ik was terechtgekomen. Een harmonieuze stad van middeleeuws ontwerp, met zwijgende stenen en gotische daken, houten balken, steunberen op de daken en lantaarns in de straten waar weinig te doen was. Een stad die rond haar kern is uitgebreid, terwijl het oude gedeelte is opgenomen door de nieuwe stad, die zich rustig aan de al bestaande heeft aangepast.

Mijn eerste maanden komen in mijn herinnering naar boven als een wazige vlek, een warboel van vochtige en grijze uren die elkaar opvolgden; een rozenkrans van dagen vol heimwee, de ene na de andere, alleen onderscheiden door de naam die de kalender de dagen toekende. Na vrijdag de derde kwam zaterdag de vierde, daarna zondag de vijfde, dat kon niet missen. De angst, een spookschip, ging langzaam onder in het moeras van de tijd; die angst voor wat uitgewist, verloren is die zich in mij nestelde als een inwendige regen. In een poging die het zwijgen op te leggen dwong ik me tot een Spartaans studieprogramma en mijn dagelijkse sleur speelde zich af tussen een universiteit met stenen muren vol mos en een ijskoude naargeestige kamer, met m'n hoofd in de boeken en schriften, want ik wilde mijn geest vullen, volstoppen met feiten, de uitvalswegen blokkeren met pas geleerde woorden en herinneringen begraven onder gerundia en deelwoorden en citaten van Shakespeare om maar niet te hoeven denken aan wat ik had achtergelaten. Ik haatte dat studentenhuis, ik haatte die gemeenschappelijke badkamer met zijn afgebladderde muren en ik haatte vooral mijn kamer, waar alleen een bed in stond dat herinnerde aan de vreselijke bedden die altijd in wintersportverblijven staan en een tafel waar nog de met een mes ingekerfde initialen in stonden van mijn voorganger en zijn voorganger en wie weet hoeveel voorvoorvoorgangers nog meer. Ik voelde me zielig en arm. Het ontbrak me aan ruimte, licht, rust en aan een sfeer van intimiteit, ik miste alles wat iemands huis tot een thuis maakt.

Maar ik wilde met alle geweld die gelofte van afzondering volhouden: ik wist dat ik alleen maar in Edinburgh kon blijven als ik de cursus Engels voor buitenlanders die ik volgde met goede cijfers afsloot. Dan zou ik een beurs krijgen, zoals uiteindelijk ook gebeurde, en onder het mom van studeren zou ik nog drie jaar in die mistige stad kunnen blijven, beschermd door dat indrukwekkende kasteel dat voortdurend gehuld was in melkwitte mistflarden, en dan hoefde ik niet terug naar het stralende Madrid dat ik zo miste. Ik had heimwee naar die stad maar wilde, of liever gezegd kon, niet terug. Ik dwong mezelf tot aanpassing en accepteerde het heimwee met dezelfde koppigheid als waarmee ik op veertienjarige leeftijd de helft van de maaltijd op mijn bord liet staan, ook al deed mijn maag pijn van de honger.

Het is zeven uur 's morgens als ik de deur uitga. Cat ligt nog te slapen. Gisteren heeft ze veel gedronken en gehuild. Ik ben stilletjes opgestaan om haar niet wakker te maken. Ik loop op mijn tenen. Het geluid van mijn bewegingen dringt door tot het roerloze slapende lichaam dat even beweegt maar niet wakker wordt. Ik werp een laatste blik op haar poezenneusje op het kussen. Ik weet dat ze woest wordt als ze dit laatste verraad ontdekt: dat ik ben vertrokken zonder haar te wekken. Maar ik wil het afscheid niet rekken zoals iemand het lijden van een stervende in het ziekenhuis met machines rekt. Aan een kant van het bed ligt op z'n groenkleurige buik de fles die Cat onder smeekbeden en verwijten heeft leeggedronken, de flessenhals wijst beschuldigend naar mij zoals in het waarheidsspel dat mijn nichtjes en ik altijd speelden toen we klein waren. Die benadrukt Cats eeuwige vraag die ze wel duizend keer op verschillende manieren heeft gesteld: Zeg eens eerlijk... hou je van me? Alleen de waarheid. Maar de waarheid is geen definieerbaar en onveranderlijk iets. De waarheid zit in je hoofd. Die is niet afhankelijk van gegevens of data. Ik loop snel met kleine geruisloze pasjes door de gang en sluit de deur zachtjes achter me. Het station is vlakbij, ik hoef alleen Lothian Road over te steken.

Alle winkels zijn op dit uur van de ochtend gesloten. De bewolkte lucht verbergt in de regen de donkere contouren van de huizen. In de ruiten van de nog slaperige etalages – Boots, C&A, Marks and Spencer, Dolcis, The Body Shop – weerspiegelt zich het beeld van een lang, slank meisje dat ik leuk zou kunnen vinden als ik niet wist dat ik het zelf was. Ik moet er steeds aan denken dat toen Cat en ik elkaar pas kenden het een van onze geliefde bezigheden was om door deze zelfde straat te lopen en af en toe bij een van deze winkels te stoppen om prulletjes voor elkaar te kopen. We liepen hand in hand en alle voorbijgangers keken stiekem naar ons. Deels omdat ze de aanblik van twee meisjes die zo innig liepen choquerend vonden. Deels omdat we allebei jong, knap en het aankijken waard waren. Dat wist ik, daar was ik trots op en zo blij als een meisje dat voor de eerste keer met een waterpistool loopt dat ze voor haar verjaardag heeft gekregen. Ik steek Lothian Road over en laat de oude huizen van rood baksteen dat zwart is geworden door de rook met hun grijze leistenen daken achter me. De straat lijkt langer bij mist en mijn ogen zoeken een horizon die er niet is. Terwijl ik mijn koffer met wieltjes voortsleep die als een trouw hondje mijn voeten volgt, maken duizenden kleine druppeltjes mijn neus en haar nat en lukt het me niet het beeld van een slapende Cat uit mijn hoofd te zetten. Maar mijn koffer weegt meer dan mijn spijt.

Er is niemand op het station. Niemand neemt vandaag de eerste trein naar Londen. De krantenkiosk en de broodjeszaak zijn nog niet open. Op het pas ontwaakte perron staan drie andere figuren op mijn trein te wachten, wazig door de damp van mijn stokkende ademhaling. Er gaan een paar minuten voorbij die een eeuwigheid lijken. Een onbekende steekt een sigaret op en zijn aansteker veroorzaakt een plotselinge schittering die een seconde lang de aanblik van het perron verlicht; een ander doet de kraag van zijn jasje omhoog in een poging de ochtendkou te bestrijden; een meisje loopt met kleine pasjes vol ingehouden ongeduld over het perron, vijf heen, vijf terug, een onnodige dans die nergens toe leidt. Ook al staan we gezamenlijk gespannen te wachten op eenzelfde trein die niet komt, we wisselen geen blik, geen gebaar van verbondenheid of sympathie. Eindelijk komt de trein, net als ik denk dat mijn handen zullen bevriezen. Ik zet mijn koffer in de bagageruimte en ga ergens in een hoekje zitten. Gespannen en ongemakkelijk bereid ik me lichamelijk en geestelijk voor op de urenlange reis die ik voor de boeg heb.

De trein zet zich in beweging met een fluitsignaal dat door de vochtige lucht van Edinburgh snijdt en de contouren van het station verdwijnen meer en meer naarmate de locomotief sneller gaat. Door het raampje volgen verschillende variaties van hetzelfde koude landschap elkaar op. Grote uitgestrekte velden komen langs met hier en daar wat kleur: kleine huisjes, broeikassen, omheiningen die tuinen scheiden. Mosgroen, smaragdgroen, grasgroen... groen, groen, groen, alle schakeringen van donkergroen trekken aan mijn ogen voorbij onder een lucht van waterdruppels en flarden vuil katoen. Groen als de parken in Edinburgh, groen als de ogen van Cat. Je associeert de dingen waarvan je houdt met die waarvan je hebt gehouden en de spontane verwantschap is gebaseerd op herinneringen: mijn geheugen bevestigt dat ik altijd zal vallen voor de kleur groen.

Het monotone geratel maakt slaperig en de vormen vervagen tot een effen groen scherm waarop ik in gedachten het beeld van Cat teken: spleetogen bekroond met een paar bijna onzichtbare blonde wenkbrauwen die samenkomen boven een klein wipneusje dat zich vrijpostig richt op iedere gesprekspartner; daarnaast bijna te perfecte hoge jukbeenderen en onder de neus een rechte en volle mond. Koperkleurige lokken als strohalmen omlijsten het volmaakte ovale gezicht; een koel blank melkkleurig ovaal dat nooit een bruin augustuskleurtje heeft gehad. Cat, het kattenmeisje, zou een van die vele meisjes kunnen zijn die reclame maken voor hydraterende crèmes in tijdschriften: Je huid heeft bescherming nodig. En jij hebt liefde nodig, denk je dat ik dat niet weet?

Voordat ik haar leerde kennen keek ik nooit naar blonde meisjes. Ik denk dat het beeld van Monica zo in mijn hoofd zat dat ik onmogelijk belangstelling kon hebben voor iemand die niet op haar leek. Toch viel Cat me bij de eerste aanblik meteen al op.

Ik leerde haar drieënhalf jaar geleden kennen, toen ik al een half jaar in de stad woonde, in een club met donkere muren en onharmonische muziek die uitsluitend toegankelijk was voor vrouwen; via een advertentie in *The List* was ik achter het adres gekomen. Ik ging er alleen naartoe op een avond dat ik genoeg had van mijn kluizenaarsbestaan en mijn rebelse geest schreeuwde om bier en rook.

Mijn moeder zei altijd dat een vrouw niet alleen naar een bar moest gaan. Iedereen weet donders goed wat vrouwen alleen in een bar zoeken. Voor een keer moet ik mijn moeder bij wijze van uitzondering gelijk geven. Met weerzin denk ik terug aan het debacle van de laatste avond dat ik in Madrid uitging, toen ik alleen naar La Metralleta ging op zoek naar Monica en ontdekte dat mannen inderdaad niet veel veranderd waren sinds de tijd van mijn moeder. Daarom besloot ik op de eerste avond dat ik de moed had in Edinburgh uit te gaan, om iets te drinken in een bar waar geen mannen kwamen, ver van hun onvermijdelijke toenaderingen en de problemen die ik alleen al door mijn aanwezigheid zou oproepen. Ik was niet op zoek naar een meisje, ik ging daar niet naartoe omdat ik lesbisch was. Ik wilde alleen een biertje drinken en wat muziek horen.

Bij binnenkomst dacht ik dat ik me misschien had vergist. Horden meisjes zwermden over de dansvloer en botsten tegen elkaar aan zoals hemellichamen – asteroïden, sterren, planeten – soms in de ruimte met elkaar in botsing komen. Hun schimmen versmolten onder de lichtflitsen die silhouetten en gedaanten onthulden. De meeste meisjes hadden kort haar en droegen een lange broek, maar er waren er ook die verkleed waren als *femme*, in kokerrok en met losse lokken. Als je goed keek zag je dat er een subtiele scheidslijn was. De radicalen bezetten de linkerflank, droegen allemaal zogenaamde mannenkleding, rookten sigaretten als bootwerkers en zaten stuurs te kijken, met het ene been over het andere, enkels over de knie in een verondersteldе mannelijke houding. Op de vloer dansten jonge meer zorgeloze meisjes die in een heterodiscotheek totaal niet zouden opvallen. Een nogal in het oog springend blond meisje had zelfs een lange jurk aangetrokken en stond te flirten met een roodharige die verrukt naar haar keek, terwijl ze stond te praten met haar vriendin en voortdurend zenuwachtig en gemaakt lachte.

Schuchter bleef ik aan de bar zitten, gegeneerd door het beklemmende gevoel van dat teveel aan oestrogenen. Ik zal daar ongeveer een uurtje hebben gezeten toen ik een lang slank blond meisje zag binnenkomen dat achter een groepje aan liep. Ik weet nog dat ze een zwartleren jack droeg. Ze viel op omdat ze lang was, en knap, en rustig liep als een kat die weet dat hij gracieus is. Ze deed me meteen aan Nastasja Kinski denken. Ik weet zeker dat ze dat wel vaker heeft gehoord.

Het groepje dat bij haar was ging rond de dansvloer zitten, terwijl het blonde meisje de spits afbeet en mijn kant op kwam voor een drankje. Een paar meter bij mij vandaan, allebei geleund op de halflege bar, stonden we tegenover elkaar, nauwelijks gescheiden door de dikke rook van honderden sigaretten die in zaal hing. Ze bestelde een whisky bij de barkeeper en keek me aan. Ze lachte. Ik lachte terug. Toen de barkeeper haar whisky inschonk keek ze opnieuw naar me zoals een slang naar een muis zou kijken. Ik geloof dat ze me hypnotiseerde. Ik wist dat ze probeerde uit te vinden of ze mij kon benaderen. Ze lachte opnieuw. Ze begreep dat ik er wel voor in was en met vier arrogante flinke stappen stond ze naast me, alsof iedere vloertegel waarover ze liep van haar was. Ik kon mijn blijdschap nauwelijks op.

'Jij komt niet hiervandaan, hè?' zei ze.

'Nee.'

'Ik vroeg me af toen ik zo naar je keek waar je vandaan kwam...'

'Raad maar.'

'Ik weet het niet... Uit de hemel?'

Een week later vertrok zij naar Londen om met een paar vrienden kerst te vieren. Ik ging naar Frankrijk. We spraken af elkaar kaarten te sturen. Mijn vader moest voor zaken naar Parijs en had die gelegenheid aangegrepen om mijn moeder mee te nemen en voor ons drieën een soort reünie te organiseren. Een kerst in familiekring zullen we maar zeggen. Niemand stelde ook maar even voor dat in Madrid te doen. Daar waren duidelijke en begrijpelijke redenen voor: op neutraal terrein zouden we geen ruzie maken. Ik had mijn ouders maanden niet gezien en vond ze oud en moe, gebukt onder het gewicht van de jaren en de herinneringen. In nauwelijks een jaar was mijn vader niet langer de middelbare verleider met zilverkleurige slapen maar een eerbiedwaardig oud heertje met een sneeuwwit hoofd, terwijl mijn moeder de categorie elegante vrouw achter zich had gelaten en bijna die van statige dame had bereikt. Het vroegere zenuwachtige geklik van haar hakjes had plaatsgemaakt voor een trage reeks slepende stappen.

Wij aten gerechten met onuitspreekbare namen in een heel chic restaurant in de Rue Maréchal Font gezeten achter een hele batterij bestek en glazen van diverse afmetingen. Wij hadden elkaar niets te vertellen en na een half uur waren alle onderwerpen behandeld. Van dat diner herinner ik me alleen nog het getik van het bestek op het porselein en de tranen die in de ogen van mijn moeder verschenen. De kaarsen gaven haar Franse kapsel een witte glans en dat blonde aureool deed me denken aan Cat. Op dat moment voelde ik weer de zware druk van veeleisende genegenheid bovendrijven. In ieders leven komen bijna altijd twee echte tragedies voor die ik al heb meegemaakt: het gebrek aan liefde of het teveel aan liefde.

Tijdens die drie dagen ging ik met mijn moeder winkelen in exclusieve winkels waarin ik denk ik nooit een voet gezet zou hebben als ik daar alleen was geweest, en ik vond het goed dat ze een blauwe trui voor me kocht waarvan de prijs overeenkwam met een maand kamerhuur en waarvan ik wist dat ik hem nooit zou aantrekken. Iedere avond zat mijn vader, ongevoelig voor de lofzangen op winkels en warenhuizen, in het hotel op ons te wachten terwijl hij kranten in diverse talen las.

Ik had geen zin Cat een kaart te sturen met de Eiffeltoren, de Seine of de Notre Dame. Vroeg of laat krijgt iedereen weleens een kaart uit Parijs in de bus van een vriend, een geliefde of gewoon een bekende en ik wilde dat de mijne op geen enkele andere zou lijken die Cat ooit had of zou ontvangen uit Parijs. De laatste dag van mijn verblijf daar stopte ik onderweg naar het hotel bij een smoezelig piepklein stripwinkeltje dat heel erg leek op Metropolis, de lievelingswinkel van Monica. Cat zou een kaart krijgen van het ruimteschip Enterprise die me acht franc kostte. Toen ik terugkwam in Edinburgh vond ik in mijn brievenbus de kaart die Cat me had beloofd: een portret van dr. Spock. Toen wist ik dat wij gedoemd waren onze affaire een kans te geven.

Twee weken nadat ik haar had leren kennen kwam ik tot een bijna griezelige ontdekking. Ik was alleen in Cats huis en was in bed in slaap gevallen nadat wij een middag lang gevrijd hadden en toen ik bibberend van de kou mijn ogen opendeed, ontdekte ik dat Cat naar het restaurant was gegaan. Een briefje op tafel vertelde waarom, toen ze me zo vredig had zien slapen had ze me niet wakker durven maken. Het was al donker geworden en de duisternis had de contouren van de huizen opgeslokt. Ik deed Cats kasten open op zoek naar een trui om mijn verkleumde botten mee te bedekken en zag dat er drie laden in zaten. In de eerste lagen ondergoed en sokken; in de tweede truien en in de derde paperassen. Tussen de truien vond ik een envelop die omdat hij nog zo wit was verraadde dat hij nog maar kort in de la lag. Ik kon mijn nieuwsgierigheid niet bedwingen: deed hem open en zag mezelf.

Het waren foto's die zo te zien vanuit een auto waren genomen. Het soort foto's dat een detective aan zijn klant laat zien, foto's die worden genomen zonder dat de geportretteerde het in de gaten heeft. Iemand die je beeld stilletjes steelt, zoals hij je portefeuille zou kunnen stelen. Je zag me uit het studentenhuis komen, bij de halte van de autobus staan, erin stappen toen hij aankwam, voor de universiteit uitstappen, met grote passen door het park van de campus lopen, een vage afbeelding van mijzelf als een zwarte vlek op het groen van het gras.

Ik zei niets. Ik heb nooit iets gezegd, toen niet en later niet. Ik vroeg niets en eiste geen opheldering. Ik wilde niet weten of ze geobsedeerd was door mij, of ze mijn foto's wilde hebben om te proberen met mijn beeltenis een of andere liefdesgod te bezweren of dat ze verwachtte achter de aanwezigheid van een rivaal te komen. Ik zweeg omdat ik bang was voor een rechtstreekse confrontatie of misschien wel omdat ik niet wilde weten hoe groot haar affectie voor mij precies was. Ik zei niets en twee weken later trok ik bij Cat in, vanaf dat moment beseffend dat zij meer van mij zou houden dan ik van haar.

Ik legde mijn ouders uit dat het delen van een flat goedkoper was en dat die centraler lag dan het studentenhuis, en dat was nog waar ook. Ze maakten geen bezwaar.

Als ik op een andere manier bij Cat was gekomen, als een onbeschreven blad, als een onbeschilderd doek, als ik niet bijna twintig jaar van schade en schande had meegedragen, was het tussen ons misschien wel wat geworden. Als ik geblinddoekt naar haar toe was gegaan vanaf het beginpunt had zij misschien mijn lippen kunnen openen en mijn wonden genezen. Maar Monica was al geen wond meer, zij was een litteken geworden en daarom niet uit te wissen, ik kon niet van haar loskomen. Ik heb in die drie jaar vele avonden doorgebracht me tegen de kou beschermend in de veilige angorawol van mijn vriendin, die zuchtend tegen mij aan gevlijd voor de open haard zich wellustig bij het vuur zat uit te rekken als de kat die zij was; en ik heb daar nooit echt van kunnen genieten omdat ik het niet kon laten de rust van Cat te vergelijken met de onstuimigheid van Monica, de zachtheid van de eerste met de durf van de tweede, de gevoeligheid van de een met de wilskracht van de ander.

En dat komt doordat je van de liefde, net als van het leven, altijd meer verwacht en nooit tevreden bent. En mijn tevredenheid beperkt zich tot specifieke momenten, waarschijnlijk uitvergroot in het geheugen, die in mijn herinnering bijna altijd in het duister plaatsvonden. De dagen zullen verstrijken en ik zal langzaam ten onder gaan in die drang naar het oneindige, in die onlesbare dorst naar het absolute waarbij niets genoeg is. Als het aan mij lag zou ik de hele dag vrijen en niet alleen omdat ik dat fijn vind maar omdat de dingen dan tot het uiterste lijken te gaan; omdat ik dan, al is het maar voor drie seconden, vlucht, buiten mijzelf treed, zwelg in licht en mij open, gelukkig en zonder herinneringen, geboeid door lippen die prachtig kunnen misleiden. En dan zeg ik tegen mezelf dat het wel degelijk zin heeft om door te gaan, ondanks de zekerheid dat ik altijd alleen zal zijn.

In de afgelopen drie jaar heb ik Monica verschillende keren geschreven. Er kwam nooit antwoord. Ik weet niet eens of ze de brieven heeft ontvangen. Mijn moeder vertelde me door de telefoon dat de relatie tussen onze families was verbroken, zodat ze me niet kon helpen weer contact op te nemen. En zelfs als ze had gekund zou ze het niet hebben gedaan, benadrukte ze. Ik probeerde Monica thuis te bellen, maar er werd nooit opgenomen. Bij Inlichtingen kreeg ik te horen dat de desbetreffende abonnee een ander nummer had aangevraagd en dat zij, op uitdrukkelijk verzoek van die abonnee, niet gemachtigd waren mij het nieuwe nummer door te geven.

Een week geleden hoorde ik dat ik met uitstekende cijfers was afgestudeerd. Voor mijn familie had ik geen excuus meer om langer in Edinburgh te blijven. Waarom zou ik als Spaanse nog langer in Schotland blijven? Hoewel, het kon wel. Het zou niet moeilijk zijn. Ik kon werk zoeken of aan de universiteit blijven om te promoveren. Maar het was duidelijk dat als ik besloot te blijven, dat om Cat was. Alleen om Cat.

Maar niet bij haar. Tenminste niet zonder dat er eerst helderheid kwam over dat zwarte gat dat zich vier jaar geleden plotseling in mijn geheugen had voorgedaan toen ik vertrokken was uit Madrid. Ik wilde niet dat 's nachts, als Cat mijn hals verwarmde met haar rustige ademhaling, andere lichamen, andere gezichten me in mijn dromen kwamen bezoeken. Tot nu toe kon ons samenleven als een voorlopige oplossing worden beschouwd. Het was tenslotte van het begin af aan duidelijk dat ik daar tijdelijk was. Mijn boeken, mijn platen, mijn familie, mijn herinneringen bleven in die vier jaar bij mij thuis in Madrid, waar ze in afwachting van mijn terugkeer onder het stof kwamen te liggen. Als ik besloot te blijven zou ik een gelegenheidsovereenkomst omzetten in een huwelijk. En ik wil me niet binden zonder zeker te zijn van wat ik voel, want ik vrees dat het slechtste van mijzelf ten slotte boven zou komen in die ruimte waar de individuele cirkels van eenzaamheid van ieder van ons elkaar overlappen. En er is geen ergere eenzaamheid dan gedeelde eenzaamheid.

Zes uur in de trein tot het Victoria Station. Daar aansluiting op de Gatwick Express die me naar het vliegveld brengt. Ik heb maar één koffer bij me, want alles wat ik in die vier jaar heb verzameld (kleren, boeken, platen...) is in het huis van Cat achtergebleven. Misschien ga ik in september weer terug, al is het maar om mijn spullen in te pakken en naar Madrid te sturen. Maar daar wil ik nu niet aan denken: aan de overdreven wijd opengesperde ogen waarmee Cat me aankeek toen ik haar probeerde uit te leggen hoe ik naar huis verlangde, aan het stilzwijgend protest dat daarin te lezen was, aan mijn eigen schuldgevoel dat ik haar niet in mijn plannen betrok, dat ik zelfs niet voorstelde om samen – niet ik alleen – naar Madrid te verhuizen. Geef me tijd, zei ik. Laat me een paar maanden naar huis teruggaan, dan kan ik daarna beslissen.

Een uur wachten op Gatwick, dat ik doorbreng met het bekijken van aanbiedingen in de Body Shop in de belastingvrije zone. Ik blijf staan voor een flesje Activist, het geurtje dat Caitlin gebruikte, een mannenluchtje dat Antaneus van Chanel imiteert. Ik spuit een vleugje parfum op de rug van mijn hand en plotseling komt het beeld boven van het elastische lichaam van Caitlin die achter me ligt met haar armen om me heen, haar gladde soepele huid tegen de mijne. In een sentimentele opwelling koop ik een flesje (zeven Engelse ponden) en de gedachte overvalt me dat ik niet één foto van Caitlin in mijn portemonnee heb, en dat ik me haar in de komende twee maanden, of wie weet hoe lang, alleen maar kan herinneren door een geur.

In het vliegtuig kom ik naast een vreselijk stel terecht. Zij, coupe soleil en een broek van Fiorucci. Hij, een bril van Ray-Ban en een gestreept hemd. Hand in hand. Ze hebben een idyllisch weekendje doorgebracht met het kopen van merkkleding en het maken van foto's van de Big Ben. Ik heb me altijd afgevraagd waarom dit soort mensen foto's wil maken van monumenten als er ook ansichtkaarten bestaan? Waarom willen ze gebouwen vereeuwigen die hen waarschijnlijk zullen overleven?

Iemand zou de luchtvaartmaatschappijen eens het idee aan de hand moeten doen van verenigbaarheid van zitplaatsen. Bij reservering van het ticket zou je een formulier moeten invullen dat je gelijk met je instapkaart afgeeft. Leeftijd, voorkeursgezelschap, welke krant je leest. Drie dingen die je mee zou nemen naar een onbewoond eiland. Reist u alleen? Gelooft u in collectieve kunst? Bent u vegetariër? Hebt u kinderen? Zou u ze graag willen hebben? Hebt u aan groepsseks gedaan? Wat vindt u van: Charles van Engeland, Cindy Crawford, k.d. lang. Lievelingsontwerper, parfum en conceptueel kunstenaar? Zou u alles opgeven voor de liefde? De antwoorden zouden in een computerprogramma vergeleken moeten worden met die van de andere passagiers en zo zou de plaatsing van de reizigers geregeld kunnen worden.

Als zo'n formulier verplicht was had de luchtvaartmaatschappij een ongetrouwde lerares Engels naast dit stel gezet en mij naast een homopaar of naast een knappe vent die naar Madrid ging om zijn vriendin te vergeten en Engels te gaan geven op een taleninstituut. Het geleuter van die twee wordt onverdraaglijk, het dringt zich op hoe ik ook probeer me op mijn lectuur te concentreren. Hij geniet ervan haar dingen over Londen te vertellen die hij vast uit een Anaya-reisgids heeft. Haar commentaar doet vermoeden dat ze nog nooit van haar leven een boek heeft gelezen, zelfs geen reisgids van Anaya. Ik buig me over mijn boek en kijk niet meer op, behalve tijdens het kwartiertje dat ik zonder enig enthousiasme besteed aan het nemen van een paar hapjes van de plastic maaltijd die de stewardess op een bordje van hetzelfde materiaal voor me neerzet.

Aankomst op het vliegveld. Zodra ik de glazen deuren uitkom die het reizigersgedeelte scheiden van de openbare ruimte, zie ik het silhouet van mijn moeder, van top tot teen in het zwart. Haar korte blonde haar en haar mantelpakje van onberispelijke snit geven haar vanuit de verte de allure van Marlene Dietrich. Maar als ik dichterbij kom wordt die indruk tenietgedaan. Haar rimpels verraden dat ze niet meer de leeftijd heeft van een femme fatale, ook al heeft ze met haar bijna zestig jaar nog steeds een uitstekend figuur. Als ze me ziet omhelst ze me zo hartelijk dat ik verstijf, want ik weet niet hoe ik daarop moet reageren. Ik weet niet eens waarom ik me zo vreemd voel. Waarschijnlijk is het net als bij een ijsberg: het grootste deel ervan zit onder water.

We nemen een taxi. Zij geeft het adres op aan de taxichauffeur, bekijkt zichzelf in de achteruitkijkspiegel en frunnikt koket aan haar haar. Dan draait ze zich naar mij toe. Haar geur, dezelfde die ze al jaren gebruikt – mijn ongedurige moeder, die elk jaar haar garderobe vernieuwt en eens in de drie jaar haar stoelen opnieuw overtrekt, is alleen maar trouw aan haar echtgenoot, haar godsdienst en haar parfum – hult me in een vertrouwde sfeer en ik voel onwillekeurig dat een golf van tederheid met gedachten aan vroeger me vanbinnen overspoelt. Ze vertelt, hoewel ik er niet naar heb gevraagd, dat mijn vader niet meegekomen is omdat hij zich helemaal niet goed voelt. En ze vertelt fluisterend, vermoedelijk omdat zo'n privé-gesprek de taxichauffeur – wie het waarschijnlijk een zorg zal zijn – niets aangaat, dat mijn vader de laatste tijd niet meer dezelfde is als vroeger. Ik heb het je door de telefoon niet willen zeggen, en ook niet per brief, zegt ze, maar hij zal binnenkort wel geopereerd moeten worden. De artsen denken dat hij een bypass nodig heeft. Ik zeg niets. Ik heb eigenlijk geen flauw idee wat een bypass is.

Onmiddellijk daarna stappen we over op het gespreksonderwerp dat al jaren favoriet is: mijn uiterlijk. In feite verbaast het me nog dat het zo lang heeft geduurd voor ze er weer over begint. Ik ben te mager vindt ze, en het haar zo kort staat me niet. Waarom moet ik me met alle geweld zo millimeteren? En is het nodig dat ik altijd die putjesschepperslaarzen draag, zo weinig vrouwelijk? In mezelf herhaal ik de magische woorden: *Jij bent niet verantwoordelijk voor mijn leven. Ik ben niet verantwoordelijk voor dat van jou*, en ik probeer mezelf te overtuigen van de doelmatigheid van deze toverspreuk om me niet weer te laten meeslepen door de pijnlijke mix van frustratie en hopeloos medelijden die me jarenlang in een wurggreep heeft gehouden. Ik geloof in de magie, in de kracht van woorden, van reddende mantra's. Anders zou ik niet lezen. Ik probeer dus het bekende gezeur aan te horen zonder me er iets van aan te trekken en kijk door het raampje naar het landschap waar ik in terechtkom. Vreselijke blokken beton en cement volgen elkaar op, het ene na het andere, als palen in een gele en kurkdroge bodem gespietst. De hemel is niet blauw maar wit. Het is waar dat de stralende zon alles verlicht, het landschap en het gemoed, maar deze horizon, in tegenstelling tot mijn herinnering aan Edinburgh – de elegante stenen gebouwen, de vochtige lucht en de begroeiing van muren en parken – lijkt me arm en dor, niet veelbelovend, een slecht voorteken.

Naarmate we verder de stad inkomen wordt dit gevoel sterker. Plotseling ontdek ik dat Madrid een vuile stad is, grijs, slecht gepland, zonder persoonlijkheid. In geen enkel gebouw zie ik de hand van een architect, geen enkele straat lijkt een geschiedenis te hebben die het vertellen waard is. Wat is er met me aan de hand? Is dit soms niet dezelfde stad waar ik in de afgelopen vier jaar zo hevig naar heb verlangd?

De taxi stopt voor de ingang van mijn huis. Tot op de dag van vandaag had ik er nooit op gelet hoe lelijk dit vuile, plechtstatige en slecht verlichte gebouw is. De gammele lift, die verwijst naar betere tijden waarin deze door katrollen aangedreven cabine het laatste snufje van technisch vernuft moet zijn geweest, heeft iets van Russische roulette gekregen en het gepiep onderweg duidt op allerlei dreigend onheil.

Mijn huis is nog net zo als toen ik het verliet, alleen ligt er meer stof. De salon lijkt ingericht in de vorige eeuw. Betengelde wanden, notenhouten stoelen bekleed met fluweel, bronzen lampen met tulpvormige glazen kappen, een enorme kast met een modernistische spiegelruit. Toen ik hier woonde is het me nooit opgevallen dat deze meubels echt antiquarische stukken zijn. Het licht dat door de zware fluwelen gordijnen gefilterd naar binnen komt speelt met de schaduwen van de randen van het meubilair en maakt het vertrek geheimzinniger dan het in werkelijkheid is. Ik loop naar mijn slaapkamer, mijn koffer achter me aan zeulend alsof het een lijk is, en raap ongemerkt de kruimeltjes op uit mijn kindertijd, verspreid in alle hoeken van mijn oude huis.

Mijn slaapkamer, dat merk ik nu voor het eerst, is ook te vol. Alle meubels zijn van massief notenhout en versierd met ornamenten. Het hoofdeinde van de bedden is hetzelfde afgewerkt als de toilettafel en het middenpaneel van de kast. Vroeger, toen ik hier nog woonde, kon ik de degelijkheid van die meubels niet waarderen, de glans van ouderdom op het hout, het eigen karakter, de heldere schoonheid en de waarde ervan. Nu bewonder ik ze, na de afgelopen jaren op een goedkope matras met een vulling van grove wol te hebben geslapen, zonder veren, op een schamel houten skelet dat door Cat zelf in elkaar was gezet. Maar het feit dat ik de schoonheid van de meubels nu naar waarde weet te schatten wil nog niet zeggen dat ik het een gezellige kamer vind, in de verste verte niet. Het bed is piekfijn opgemaakt en mijn moeder heeft er een witte sprei op gelegd, superschoon. Aan de kloosterachtige sfeer van de kamer merk ik dat hier al lang niemand meer heeft geslapen. Mijn boeken staan nog netjes naast elkaar op de planken, maar verder zijn alle sporen van mijn aanwezigheid uitgewist. Toen ik hier woonde lagen er altijd papieren op tafel, waren er foto's met punaises aan de muur geprikt en hingen er posters. Nu heeft iemand de kale muren weer wit geschilderd, ontdaan van mijn stempel, onpersoonlijk en leeg.

Mijn vader ligt te slapen, zegt mijn moeder. Ik zie hem wel als we gaan eten. Ik kan nu het beste een douche nemen, vindt ze, en me gaan omkleden. Je zult wel doodmoe zijn na zo'n reis, liefje. Ik ben inderdaad bekaf.

De luxe van mijn huis verbaast me, al die wonderbaarlijke dingen waar ik tot nu toe nooit bij stil had gestaan. De douche bijvoorbeeld. Het water blijft constant op temperatuur, het wordt niet opeens koud, zodat je in een ijspegel verandert of onverwacht gloeiend heet. De straal spuit krachtig en er komt een stortvloed van water over me heen. Dit lijkt in niets op het rachitische straaltje bij Cat in huis, die klungelige douche die we hadden aangelegd door een rubber slangetje met twee aftakkingen, een soort stethoscoop, aan te sluiten op de warme en de koude kraan, want die oude huizen in Schotland hebben een bad, maar geen douche.

Ik kom onder de douche vandaan en wikkel me in een enorme zachte handdoek van Amerikaanse badstof, die fris en naar Mimosín ruikt. Ik ga voor de beslagen spiegel staan tegenover de wazige schaduw van mijn beeltenis. Met de achterkant van mijn pols veeg ik de condensdruppels van het glas en verschijn zelf helder in beeld. Ik ben mager, dun zou mijn moeder zeggen. Mijn heupbeenderen steken zo uit dat ik me mijn skelet moeiteloos voor kan stellen. Ik bedek mijn borsten met mijn handen en zet het ene been kruiselings voor het andere. Ik ben blij te zien dat mijn lichaam heel goed dat van een puber zou kunnen zijn, een van de modellen van Calvin Klein.

Ik herinner me een avond in Edinburgh, op de dansvloer van Cream. Dansend tussen de bewegende schaduwen van de lichamen om me heen viel mijn oog op een verschijning, plotseling onthuld door het licht van een spotje. Een mager meisje, heel mager, dat haar hoofd heen en weer bewoog op het ritme van de muziek. Het korte haar viel als een gouden gordijn voor haar ogen. Ze droeg een heel strak T-shirt dat haar navel met piercing vrij liet, het gemarkeerde epicentrum van een buik zo glad als het blad van een wasbord. Op haar T-shirt stond op borsthoogte de tekst: *Monogamy is unnatural.* Dat meisje was er op de een of andere wonderbaarlijke manier in geslaagd dat ongrijpbare moment waarin het kind en de puber samenvloeien in haar lichaam te bevriezen. Ze bevond zich in een onbeweeglijk heden, in haar eigen territorium, onaangetast door het langzame wegvloeien van de minuten en van het onvermijdelijke verval dat dat met zich meebrengt. Het leek me het meest erotische beeld dat ik ooit van mijn leven had gezien. Ik bekijk mezelf nu in de spiegel en zie hoeveel dat onbekende meisje en ik op elkaar lijken, eeuwige jongeren, androgyne lichamen, verblijfsvergunning in het land van Nooit Meer, visum zonder vervaldatum.

Ik weet niet of ik altijd zo zal blijven, maar ik weet wel dat er een tijd was, in mijn vroege jeugd, waarin ik mezelf aan een vrijwillige hongerkuur onderwierp, een tijd waarin ik nauwelijks at. Ik voelde een kwaadaardige weerzin tegen eten en vond het heerlijk dat af te wijzen. Mijn ribben waren klerenhangers, mijn rug een bergketen en mijn honger een pantser, het enige waarop ik kon rekenen in de strijd tegen lichtzinnigheden die zich als bloedzuigers aan mijn lichaam zouden hechten als ik ook maar even een stap in de verkeerde richting van de vrouwenwereld zette. Het vasten was een langdurig verzet tegen de verandering, het enige middel dat ik kon bedenken om mijn waardigheid als meisje te behouden en die ik als vrouw zou verliezen. Ik wilde geen vrouw worden. Ik koos ervoor mijn toekomstige beslissingen niet te beperken tot futiliteiten en niet toe te laten dat anderen voor mij zouden beslissen in belangrijke zaken. Ik koos ervoor niet te gaan behoren tot een bataljon berustende vrouwelijke tweederangs burgers. Ik koos ervoor niet te worden als mijn moeder. Dit vermagerde lichaam hier voor me is het resultaat van een bewuste beslissing, van een absurde krachtsinspanning.

Ik heb nauwelijks tijd meer om me aan te kleden als mijn moeder me waarschuwt dat het eten klaar is. En in de eetkamer zie ik eindelijk mijn vader, die met slepende stappen over het vloerkleed naar me toe komt om me te begroeten. Ik schrik van zijn uiterlijk. Hij lijkt twintig jaar ouder dan de laatste keer dat ik hem zag. Hij is sterk vermagerd, zijn witte haar wordt dun aan de slapen en een heleboel fijne rimpeltjes doorgroeven zijn voorhoofd. Het lijkt wel een schilderij van Munch. Ik herken bijna niet de rijpere heer die hij indertijd was, een zestiger die er goed uitzag. Van zijn oude aantrekkingskracht heeft hij alleen nog zijn vlekkeloos blauwe ogen, die nog steeds hun eigen uitstraling hebben. We omhelzen elkaar op een simpele, ingehouden manier voor we aan tafel gaan. Hij vraagt hoe het met me gaat en ik merk een verandering op in zijn stem, waarin de zware ondertonen zijn verdwenen en de registers zijn beperkt tot een lichte heesheid en een monotone keelklank.

De maaltijd verloopt met een reeks standaardvragen – heb ik een goede reis gehad? ben ik moe? heb ik er al over nagedacht wat ik ga doen nu ik afgestudeerd ben? – terwijl het middaglicht, dat door de rolgordijnen komt, die neergelaten zijn om de warmte tegen te houden, vreemde schaduwen op de muren werpt. Het gewicht van de herinneringen hier in huis dreigt me aan tafel te verpletteren. Ik weet niet of ik erg blij ben teruggekomen te zijn.

Mijn vriendin, het meisje dat op me wacht in Edinburgh (spreek uit Edímbora) is een juweel, een hart van goud, een ruwe diamant. Dat vindt tenminste iedereen die haar kent.

Ze werd geboren en groeide op in een boerderij vlak bij Stirling, een klein Schots plaatsje waar het water in de kruiken bevroor, en dat later treurig genoeg bekend werd toen een woeste gek op de school verscheen, dezelfde school waar Caitlin had leren lezen, en bijna twintig kinderen schietend voor zich uit dreef. Als je Stirling kende zou je je nergens over verbazen, zei Cat. Het is daar een hel. Als je daar woont moet je wel gek worden.

Ze vertelde me een paar dingen uit haar jeugd: een eeuwig chagrijnige moeder, 's winters altijd winterhanden, het varkenshok donker, vochtig en koud, de zware en zoetige geur van de stallen. De dag dat haar vader haar voor het eerst mee op jacht nam en haar leerde schieten met een geweer. Een winternacht waarin haar moeder haar dwong naar buiten te gaan om in de stallen te kijken of alles in orde was met de koeien, hoe het kind Caitlin uitgleed op de beijzelde grond en een snee in haar wenkbrauw kreeg en hoe het leek of het haar moeder niets kon schelen dat het pijn deed. De ambulance die haar vader kwam halen toen Caitlin nog geen elf jaar was. Hij kwam niet meer terug uit het ziekenhuis en haar moeder hertrouwde binnen het jaar, want er is een man nodig om een boerderij te runnen. Van toen af kon het niet slechter gaan. De spanningen met haar moeder werden erger en haar oudste zus, de enige aan wie ze wat had, kondigde aan dat ze ging trouwen met een boerenknecht met rode handen en een bierbuik, wiens enige verdienste schijnbaar was dat hij in de toekomst in staat zou zijn de leiding over de boerderij op zich te nemen. Maar hij leek er meer in geïnteresseerd de gunst van de moeder te winnen dan de problemen van het kleine meisje op te lossen.

Dus ging Caitlin er op achttienjarige leeftijd vandoor naar Edinburgh. Na drie dagen op het station geslapen te hebben leerde ze Barry kennen, de Vergilius die haar door de opeenvolgende cirkels van de hel leidde, waar het in de kelders van de stad van krioelde. Tussen de bezoeken aan het loket voor een werkloosheidsuitkering door probeerde Cat alle drugs uit die ze in handen kreeg. Ze sjacherde met XTC, lichtte toeristen op, sliep in *squats* en studentenflats en ging ten slotte werken in een peepshow. Aan dat werk hield ze de zekerheid over dat ze nooit met een man naar bed zou gaan, evenals de bijnaam waarmee ze bij de ingang van de goktent werd aangekondigd en die deze *Pussycat Girl*, oftewel stripteasedanseres, aan haar katachtige bewegingen dankte: Cat. Kat. Dat was lang voor ik haar leerde kennen. Nu heeft ze al lang een stabiel bestaan, een vast onderkomen en betaald werk waar ze iedere namiddag wordt verwacht.

Die zo suggestieve bijnaam en dat vermoedelijk mistige verleden hadden wel iets grappigs, want in werkelijkheid was Caitlin, zo op het oog tenminste, geen sexy vrouw. Ze liep niet met haar lichaam te koop, ze droeg nooit kleren waardoor haar spieren en rondingen goed uitkwamen, ze maakte zich niet op, deed niets met haar haar, had geen tatoeages en zelfs geen oorbellen, laat staan piercings. Kortom, ze probeerde nooit de aandacht te vestigen op enig deel van haar anatomie. Haar schoonheid – haar ogen, haar huid, haar haar, haar charme – was vanzelfsprekend en haar seksuele aantrekkingskracht beperkte zich niet tot bepaalde delen van haar lichaam, maar was eerder een soort aura die haar omgaf, een vitaliteit die ze uitstraalde. Het was voor haar niet nodig op te vallen met haar lichaam, te laten merken dat ze iemand wilde versieren of versierd wilde worden. Die eigenschap nam me onmiddellijk voor haar in.

Een aardig detail dat ik in een boek las: In het oude Rome hadden ze het liefst danseressen van Lesbos om de banketten op te vrolijken, en een heleboel van die meisjes vonden, alleen al omdat ze van dat eiland afkomstig waren, dat ze een hoger tarief konden vragen dan de andere verkoopsters van betaalde liefde. De erotische faam van de meisjes van Lesbos had echter niets te maken met hun acrobatische toeren maar met een andere specialiteit: de orale seks die volgens de Grieken op het eiland was uitgevonden. Een vaardigheid die lesbiennes elkaar leerden.

Iedere vrouw – of man – met een beetje gezond verstand zou zich gelukkig geprezen hebben met een gezellin als Cat naast zich. Niet alleen vanwege haar schoonheid, maar omdat ze zo innemend was, met een sympathie die voortkwam uit haar aard en niet uit inspanning en die haar onweerstaanbaar maakte.

Toen ik haar leerde kennen werkte ze als chef in een 'homobar', iets tussen een pub, restaurant en ontmoetingspunt, die pretendeerde heel sophisticated en continentaal te zijn. Cat had het voor elkaar gekregen dat ze haar in vaste dienst namen nadat ze een handboek van de Franse *nouvelle cuisine* uit haar hoofd had geleerd, hoewel ze meer kon bogen op haar schoonheid en haar contacten dan op haar gastronomische vaardigheden. De klanten waren voornamelijk gay en je kon daar eten bij de muziek van Orbital, The Shamen, The Prodigy, The Orb... Ik kende de namen van die groepen omdat Cat af en toe bandjes mee naar huis nam. Onrustbarende sferen opgeroepen door computers, ritmes aangepast aan de hartslag. Hormonale sferen, cyberchic-sequenties. De vaste klanten begroetten elkaar luidruchtig en gaven overdreven klapzoenen in de lucht om hun predikaat vrolijk eer aan te doen, een zoenritueel dat me aan Madrid deed denken, want in Edinburgh, net als overal in Groot-Brittannië, zoen je elkaar niet bij een begroeting. Maar de klanten van die bar hadden de continentale gewoonte overgenomen om blijk te geven van hun mondaine houding en hun air van samen sterk tegen de buitenwereld.

In het begin zocht ik haar op in het café. Ik ging op een kruk zitten en genoot ervan haar achter de bar heen en weer te zien rennen, altijd met een glimlach en met de katachtige gratie waardoor het niet opviel dat ze het druk had. Maar van lieverlee ging ik niet meer omdat ik me verveelde. Ik begreep dat stel hysterische en zwaar opgemaakte nichten niet dat gierend als schoolmeisjes onzin uitkraamde. Voor mij kropen in dat café de minuten voorbij en het leek een eeuwigheid te duren voor ik naar huis kon om te lezen of te genieten van mijn rust. Maar toen ik tegen Cat zei dat ik niet meer tegen die overdreven lichtzinnige sfeer in dat café kon werd ze kwaad alsof het commentaar rechtstreeks op haar sloeg. Er is niets mis met lichtzinnigheid, zei ze. Het is zelfs een essentieel kenmerk van de gaycultuur, en dat is ook goed want het is de beste manier om leed te verbergen, of te sublimeren. Het verbaasde mij zo'n vurig en heftig verweer uit haar mond te horen omdat zij helemaal geen lichtzinnig type was, maar blijkbaar had ze wel veel verdriet gehad. Ik weet niet waaraan je dat merkte. Misschien wel aan die wanhopige behoefte mensen om zich heen te hebben, of omdat ze niet alleen kon zijn, alsof ze niet met zichzelf overweg kon of bang was voor zichzelf.

Toen vertelde ze me lachend dat een groepje meiden die trouwe bezoeksters van het café waren een Catfanclub hadden opgericht. Dat verbaasde me niets. Ik vond haar zo leuk dat ik van mening was dat de hele stad even euforisch moest zijn als ik, hetzelfde gevoel moest hebben dat ik voor Cat had en het stond voor mij vast dat iedereen van haar moest houden zoals ik van haar hield.

Eerst was het alsof ik vanbinnen voelde wat ik met haar deed. Het was een onbekend en overweldigend gevoel, soms verpletterend: ik wist precies wat haar lichaam nodig had, ik voelde me ondergedompeld in haar stroom. Daarna, toen ik vanbinnen voelde hoe zij ook van mij hield, schrok ik. Ik werd bang toen ik merkte dat Cat, in tegenstelling tot Monica indertijd, iets van mij verwachtte. Ik raakte in paniek omdat ik mijzelf niet wilde verliezen. Ik vond onze intimiteit een kostbaar iets, maar ik kreeg het gevoel dat de prijs te hoog was. Ik denk dat Cat me te veel aan mijn moeder deed denken, dus begon ik afstand te nemen en al het mogelijke te doen om niet van haar te houden, en soms vraag ik me af of ik wel echt van haar hield toen ik bij haar woonde. Maar ik weet nog dat ik van haar hield, of bijna van haar hield, als dat tenminste iets betekent, in de eerste dagen voor die foto's. Als Cat slim was geweest had ze van dat moment geprofiteerd. Ze had dat eerste moment moeten uitbuiten toen ik aan haar genade was overgeleverd, toen had ze mijn hart moeten winnen, de verleidingstechnieken moeten toepassen waarmee geliefden spelen, jaloezie, onzekerheid, koele reacties en tot slot een overdosis wilde seks. Maar dat deed ze niet. Daar was ze niet op gekomen. Daar was ze te goed voor. En ze raakte me kwijt.

Ik moet wel zeggen dat we ons samenwonen eigenlijk nooit als iets definitiefs zagen, maar op dat moment leek het een verstandige keuze, de redelijkste gezien de omstandigheden, omdat de flat van Cat groot genoeg was voor twee personen, en zoals ik al zei vond ik het studentenhuis waar ik woonde vreselijk. Caitlin kwam als een geschenk uit de hemel.

Ik mocht dat zachte vriendelijke meisje dat op mijn weg kwam toen ik me verloren voelde en snakte naar gezelschap. Kwam het woord liefde in mij op toen ik mijn twee koffers verhuisde? Hoe ongelooflijk dat ook klinkt, ik weet het niet eens meer. De emotie van die eerste ogenblikken was al voorbij, ik had al een muur van reserves opgetrokken, ik voelde me veilig voor de dreiging van afhankelijkheid. Zij leek verrukt bij de gedachte dat mijn plaats in haar bed was gegarandeerd, maar die blijdschap stelde ook weer niet zoveel voor als je bedenkt dat Cat had samengewoond met een heleboel collega's, vrienden, geliefden of niet nader aan te duiden relaties en dat op het moment dat ik Cat leerde kennen de laatste huurster, Shelli, eigenlijk net het huis uit was om een reis naar Thailand te gaan maken, een avontuur waar ze alle fooien in had geïnvesteerd die ze met haar werk als serveerster een jaar lang had opgespaard en waarop ze haar laatste hoop had gevestigd om zichzelf te vinden, zoals Cat me met een vleugje ironie in haar stem vertelde. Ik heb nooit durven vragen of die Shelli nu wel of niet haar vriendin was. In ieder geval had mijn verblijf daar in huis vanaf het begin een soort tijdelijk karakter: het huis was van Cat, zij betaalde de hypotheek, bovendien kwam ik niet uit de stad. Ik was daar om te studeren. Punt uit.

Cat had evenveel behoefte aan mensen om zich heen als anderen alcohol, drugs of boeken nodig hebben. Zij kon niet leven zonder menselijk contact. Ze kon niet tegen alleenzijn en dat was ze eigenlijk ook nooit. Als ze thuis was moest er altijd iemand in de buurt zijn, ik natuurlijk, of een van haar vrienden. In de bar werd ze omringd door een horde bekenden en bewonderaarsters. Omdat ze niets deed waarbij afzondering nodig was (ze schreef niet, luisterde niet naar muziek om die te begrijpen, studeerde niet en had geen taak die concentratie of alleenzijn vereiste) had ze daar geen behoefte aan. Sterker nog, ze was er bang voor. Als ik niet thuis was of me in mijn kamer had teruggetrokken om te lezen, zoals ik vaak deed, vloog ze naar de telefoon om iemand te vragen haar gezelschap te komen houden. Ze haatte het om alleen te zijn. Vaak zei ze dat ze bang was alleen te sterven en dat kon ik niet begrijpen. Waar kwam die obsessie voor de dood vandaan? De dood hoort bij de menselijke soort, er is geen mens die daar onderuit komt; dat moet je accepteren. Ik ben er nooit bang voor geweest. Ik heb er zelfs naar verlangd. Het idee van de dood leek me een grenzeloze belofte van rust, een warme leegte waar de dagelijkse zorgen niet bestaan. En ik ben ook niet bang voor eenzaamheid, dat vind ik evenals de dood een toestand van geborgenheid.

'Rustig nadenken over de dood heeft alleen zin als we dat in afzondering doen,' probeerde ik haar eens uit te leggen. 'Dood in gezelschap is geen dood, zelfs niet voor ongelovigen, omdat niet het achterlaten van het leven het meest pijn doet, maar het verlaten van wat het leven zin geeft.'

'Nee, ik geloof niet dat ik het zo voel. Zo heb ik er nooit over gedacht. Het is iets dierlijkers, primitiever: een basale instinctieve angst,' gaf ze als antwoord.

Natuurlijk begreep ze niet wat ik zei. Ze wist zelfs niet dat ik citeerde, dat ik die woorden uit mijn hoofd had geleerd toen ik zeventien was. Hoe moest zij dat weten, die nooit las? Nee, ze begreep me niet, en ik haar niet. Misschien had ze wel gelijk en leidden haar benen, die stevig op de grond stonden, haar door veiliger gebieden dan die ik kende. Misschien was ik wel een pretentieuze trut die voortdurend haar hoofd zou stoten, een betweter die haar niet kon begrijpen; en erger was nog dat ik geloof dat ik haar stiekem, diep in mijn hart, aan de ene kant minachtte, hoewel ik haar aan de andere kant nodig had.

Cat trok mensen aan zoals licht motten aantrekt; dat wil zeggen: zij had hetzelfde effect op mensen als Monica, maar om een andere reden. Cat kreeg sympathie omdat ze eropuit was, omdat ze zo om gezelschap verlegen zat dat ze er veel voor terug deed; ze was altijd bereid alle ellende van anderen aan te horen, ze deed wat ze kon om het verdriet van een vriend te verlichten of zijn probleem op te lossen. Mensen vonden dat Cat het goed bedoelde. Monica daarentegen was niet bijzonder geïnteresseerd in anderen en toch wisten maar weinig mensen de bijna maanachtige invloed te weerstaan die zij door haar zelfvertrouwen uitstraalde: Monica leek in staat stenen te verpulveren met haar handen als je haar dat vroeg. Als Cat geliefd was vanwege haar goedheid, werd Monica geadoreerd ondanks haar ogenschijnlijke slechtheid. Cat was passief en Monica actief. Cat was in theorie een beter persoon. Monica was veel interessanter.

Ons huis zat altijd vol vrienden en vriendinnen, de meesten gay, die hun problemen aan Cat kwijt konden. Zij straalde een soort rust uit waardoor ze mensen om zich heen verzamelde. Ze werd hun vertrouwenspersoon, hun biechtmoeder, hun zuster. Ze vertelde nooit een geheim door dat haar was toevertrouwd, zelfs niet aan mij, wat haar dankbaarheid en onvoorwaardelijke toewijding van haar clubje aanhangers opleverde. En ik zeg *haar* omdat haar vrienden altijd haar vrienden waren en niet de mijne, want ik ben nooit echt bevriend geweest met een van hen. Ze accepteerden me in hun kringetje, dat wel, maar ik geloof niet dat ze me ooit bekeken hadden als ik niet de vriendin van Cat was geweest. Ik denk dat het op de een of andere manier wel heel duidelijk was dat ik me niet op mijn gemak voelde tussen dat stelletje nietsnutten en manwijven die macrobiotisch voedsel aten en verantwoorde drankjes dronken, die gemillimeterd en met peroxide gebleekt haar hadden, die korte T-shirtjes, velours jacks en Bulgaarse voetbalschoenen droegen, die vol piercings zaten, die overdreven pogingen deden om origineel en anders te zijn terwijl ze in feite allemaal op elkaar leken. Misschien zagen ze zichzelf als een legereenheid, koplopers van chic en trendy en liepen ze daarom in uniform.

Twee van hen vormden de kern van deze broederschap, het elitekorps, het brein van het leger. Het waren Cats beste vrienden: Aylsa en Barry.

Aylsa was een klein slank meisje, niet erg aantrekkelijk, met een kaalgeschoren hoofd boven een breed voorhoofd waar niets van af viel te lezen. Haar blauwe ogen waren uitdrukkingsloos en flets, een spoor van sproeten liep over haar wipneus en haar mond was alleen maar een dun streepje en voltooide dat sombere alledaagse gezicht dat deed denken aan het portaal van het gebouw waar ik in Madrid had gewoond: groot, leeg en nauwelijks verlicht, overschaduwd door troosteloosheid en waar ellende en vroegtijdige verlating uit spraken. Ze zei niet veel en over het algemeen onderstreepte ze bij ieder gesprek alleen maar wat Cat zei met een *um* of een *mmm* of een ander irrelevant eenlettergrepig woord terwijl ze met open mond van pure bewondering naar *mijn* kat keek. Ze gedroeg zich alsof ze een stuk klei was dat Cat zelf had gekneed en dat ze daarna met haar adem leven had ingeblazen; ik geloof dat Cat haar niet meer dan een onbetekenend vliegje vond dat om haar heen gonsde. Af en toe draaide Aylsa platen in een of andere club – ik moet toegeven dat ze smaak had en een uitstekend oog voor nieuwigheden – maar ik vermoed dat het grootste gedeelte van haar inkomen van de werkloosheidsuitkering kwam. Ik geloof dat ze me haatte en tegelijkertijd bang voor me was. Als we elkaar ergens tegenkwamen keek ze me niet aan bij het groeten en lachte opgelaten naar haar schoenen, maar vervolgens bleef ze altijd de hele avond stiekem vanuit haar ooghoeken naar me kijken. Ik vond het de moeite niet waard en was niet eens jaloers; hoewel ik wist dat ze verliefd was op Cat en eropuit was haar eens te krijgen.

En dan had je Barry, de leverancier. Leverancier van drugs voor iedereen, leverancier van rust voor Cat. Hij werkte als dj in Negotians, een club voor rijkeluiskinderen tegenover de universiteit, maar wij wisten allemaal dat dealen zijn belangrijkste bron van inkomsten was.

Hij was een gewiekste jongen met een Schots gevoel voor humor, sarcastisch en scherp. Onmiskenbaar aantrekkelijk, hoewel dat op het eerste gezicht niet zo opviel door zijn gewoonlijk onverzorgde uiterlijk. Hij was erg lang, zo lang dat hij wel op moest vallen. Zijn gestalte rees verticaal en imponerend uit boven de mensenmassa op de dansvloer in Negotians en op zijn brede schouders viel een enorme bos dreadlocks als rossig ijzerdraad, dat door de barlichten verschillende kleuren kreeg. Zijn fijne en strakke mond liet als hij lachte twee kleine rijen gelige puntige tandjes zien en er tekende zich bijna altijd een flauw en arrogant lachje op af, dat een indruk gaf van een soort minachting op zijn gelijkmatig gewelfde lippen. Boven dat lachje had hij een sproeterig mopsneusje tussen een paar kleine levendige, glimmende muizenoogjes, waarin stralende smaragdkleurige vonken oplichtten die sympathiek aandeden of aan een drugsgebruiker deden denken. Zijn gelaatstrekken leken scherp omdat hij zo mager was, iets wat hij niet kon verbergen zelfs niet door altijd T-shirts en truien over elkaar aan te trekken. Omdat hij zo extreem mager was en ook nog eens buitengewoon lang maakte hij een slungelige en enigszins kreupele indruk, omdat zijn ledematen bij het lopen leken weg te glijden en te slingeren alsof ze een vreemdsoortige asyncopische dans uitvoerden op een ritme dat alleen Barry kende.

Barry had een tandartstitel en daarom kon hij legaal aan novocaïne komen dat hij gebruikte om die ellendige coke die hij verkocht te versnijden. Ik wantrouwde hem als de pest. Maar zijn XTC was uitstekend, dat wel. De beste van Edinburgh. Barry was niet achterlijk, dat heb ik al gezegd. Hij keek heel goed uit met wat hij deed. Hij verkocht aan heel weinig mensen, een select groepje; nooit aan onbekenden. Hij had geen telefoon, hij was alleen te bereiken als je een berichtje achterliet in Negotians, de club waar hij dealde en die als dekmantel voor zijn handel diende. Nooit mocht je in zijn bijzijn het woord drug (of iets dergelijks) gebruiken en al helemaal niet in de briefjes die je achterliet op zijn werkplek. Als je dat toch deed, sprak hij nooit meer met je; daar was hij streng in. Cat liet altijd briefjes voor hem achter met: Barry, weet jij waar ik oude platen van Harold Lewis kan vinden? Een doodnormale vraag omdat hij dj was. Dan belde hij ons en maakte een afspraak. Als hij wist wat we wilden hebben kwam hij het de volgende dag bij ons thuisbrengen. Hij kon overal aan komen, alles wat je maar wilde hebben, binnen vierentwintig uur, of het nu XTC, coke, hasj of benzedrine was. Wat dan ook. Hij was heel professioneel. Maar je moest wel contant betalen en hij leverde nooit buitensporige hoeveelheden. Hij wilde niets bij zich hebben waardoor ze hem echt zouden kunnen oppakken.

Maar er ontbrak iets aan zijn imago van harde jongen. Hij probeerde zelfbewust over te komen, maar zijn voortdurende nervositeit verraadde een geringe eigendunk: hij rookte de ene sigaret na de andere, struikelde over zijn eigen woorden en keek nooit langer dan vijf seconden naar een bepaald punt. Zijn schichtige blik sprak de verpletterende zelfverzekerdheid tegen die hij zo graag had uitgestraald.

Cat aanbad hem, op een heel andere manier dan dat ze van anderen hield. Ze had een diepe bewondering voor hem; ze respecteerde zijn mening, zijn ideeën en wat hij deed en ze had het altijd over hem met een goedkeuring grenzend aan eerbied. Barry had haar opgevangen toen ze naar de stad kwam, hij had gezorgd voor haar eerste baantje als serveerster in Negotians, had haar voorgesteld aan de meeste mensen die uiteindelijk haar vrienden werden. Ik had een merkwaardig gevoel voor Barry. Ik bewonderde hem, respecteerde hem, was bang voor hem, vermeed hem... Als ik een rivaal had gehad, was dat Barry geweest. Maar ik kon rekenen op iets wat in mijn voordeel was: dat Cat niet met mannen naar bed ging. Ze was lesbienne, daar liet ze geen twijfel over bestaan. Ze was niet biseksueel en wilde absoluut geen contact met biseksuele vrouwen.

Dat is absurd, zei ik tegen haar. Zo drastisch kun je niet zijn.

Ik ken dat soort mensen, gaf ze dan altijd als antwoord. Ze vervelen zich bij hun vriendjes en willen wat anders proberen, maar in wezen willen ze toch een man, het liefst eentje die hen onderhoudt. Ze kunnen maar niet uit hun hoofd zetten wat hun mammies ze hebben geleerd, en hoe vreemd het ook lijkt, ze kijken net zo naar vrouwen als mannen naar ons kijken: als seksuele speeltjes. Ze kunnen ermee naar bed gaan, maar zullen nooit van hen houden.

Zijzelf, zei ze, had altijd van jongs af aan geweten dat ze een vrouw wilde. Nooit, echt nooit in haar leven had ze zich door een man laten kussen. Ik vond dat resolute hermetische pantser een beetje vreemd, het liet geen spoor van twijfel toe in het binnenste van Cat; een opvatting die des te verrassender was voor een mooie vrouw die ongetwijfeld heel wat mannen om zich heen zou hebben gehad. Nee, bevestigde ze toen ik bedenkelijk reageerde, nooit. Ik heb nooit een man gewild. En geloof het of niet, daar ben ik niet trots op. Integendeel, ik ben me ervan bewust dat het een beperking is; sterker nog, toen ik jonger was vond ik het een soort vloek die iemand over me had uitgesproken, omdat ik een of andere tamelijk rijke aanbidder had die mij een prettig leven had kunnen bieden en aan wiens wensen ik zou kunnen voldoen zonder al te veel afkeer te ondervinden. En wanneer een van mijn vriendinnen me vertelde dat ze met mannen naar bed was geweest voelde ik inwendig een ontzettende woede die ik niet goed kon verklaren, want soms begreep ik niet goed of het jaloezie was of afgunst. Ik hou er absoluut niet van om met biseksuele vrouwen naar bed te gaan, herhaalde ze.

Cat had veel vriendinnen gehad, heel veel, en ieder gesprek van haar, wat het onderwerp ook was – gastronomie, mode, tuinieren, technomuziek – was altijd doorspekt met een verwijzing naar een van hen: *by the way, I once had a girlfriend that...* Ik had een keer een vriendin die sommelier was, of model, of specialiste in het kweken van rozen, of serveerster in een acidclub in Londen. Geen van hen had een naam en als Cat het over hen had waren het alleen maar verwijzingen naar een duister en zwervend verleden waar ik nooit veel over te weten kwam, wat ik ook niet wilde, naar die zes jaar tussen haar aankomst in Edinburgh en de dag dat ze mij tegenkwam, een ode aan drugs en vriendinnen waar alleen Cat of misschien zelfs Cat niet een juist overzicht van had.

Maar er was er een uit die dagen die aanwezig was, met naam en achternaam en zelfs als fysiek persoon: Katriona Mac Cabe, een stevige blonde meid met enorme blauwe ogen en een pruilmondje, als een menselijke en vrouwelijke versie van het vogeltje Tweety, die een programma presenteerde op de Schotse televisie en die vroeger de vriendin was van Cat, waar ze me iedere keer dat het meisje op het scherm verscheen weer aan herinnerde. Katriona Mac Cabe was spectaculair en haar imponerende kathodische verschijning – die enorme lange benen, dat onwezenlijke gevoel van macht dat er van haar uitging – maakte dat ik me in vergelijking met haar grof en onbeschaafd voelde. Soms als ik niet kon slapen stelde ik me die twee voor met hun superwitte huid in elkaar verstrengeld en ik geloof dat ik dan hetzelfde voelde als wat Cat vanbinnen pijn deed wanneer die meisjes het over hun vriendjes hadden: dat universele gevoel, goedkoop en ellendig, van jaloezie; en ook al wist ik dat het een kwaal van veel mensen was, ik vond daar toch geen troost bij, omdat ik misschien niet gek ben.

Katriona was net zoals Cat, ze ging niet met mannen naar bed. Nou, als Cat zeker wist dat ze dat soort monochrome vrouwen zocht, dan ging ze haar gang maar. Wie was ik om haar ideeën aan te vechten of te proberen de mogelijke oorzaken van haar verbittering te achterhalen. Maar ondanks het feit dat ik evenmin met mannen naar bed was geweest – meer door gebrek aan ervaring dan vanwege een diepe overtuiging over mijn voorkeuren – had ik te vaak het gevoel dat ik op de verkeerde plek was terechtgekomen. Ik had bijvoorbeeld graag af en toe willen rondhangen in normale barretjes en clubs waar fans van Manchester om serveerstertjes met een blonde champagnekleurige spoeling hingen, waar aids en roze driehoekjes niet alle gesprekken overheersten en soms had ik de indruk dat we als drop-outs in ons eigen getto leefden, dat we hadden afgezien van een uitwisseling die we niet kenden en die ons misschien wel had verrijkt. Wij bewogen ons in een beperkt universum, in onze eigen constellatie van homoclubs, en de mensen die wij kenden hadden over het algemeen ook niet naar andere melkwegen gereisd. Wij gingen bijna niet om met heteroseksuelen, met uitzondering misschien van Barry, die nooit duidelijk voor zijn voorkeur uitkwam. Onze vrienden en vriendinnen deden alle mogelijke moeite om makkelijk herkenbaar te zijn: ze hadden ringen om hun duimen, tatoeages op hun onderarmen, kleine petjes met roze driehoekjes en kettingen in alle kleuren van de regenboog. De meesten hadden heel kort haar, vooral de mannen, die het bovendien bleekten of van voren een kuifje hadden. Alle jongens hadden op zijn minst een plaat van Barbra Streisand; en de meisjes een van k.d. lang. Iedere insider zou ieder van hen bij de eerste blik hebben kunnen herkennen als een lid van hun minderheid. Zij leefden volgens hun eigen regels; als een paar bijvoorbeeld hun relatie een officiële status wilde geven was het normaal dat ze samen een test gingen doen (om de aanwezigheid van HIV uit te sluiten) en daarna zetten ze op hun antwoordapparaat een boodschap met hun beider naam en een duidelijke verwijzing naar hun samenleven. Dan beschouwde iedereen hen als een koppel.

Maar ik kreeg geen enkele vorm van relatie met ook maar één vriend van Cat. Mijn problemen, mijn twijfels, mijn zorgen hield ik voor mijzelf. Voor dat gemêleerde groepje dat van ons huis hun ontmoetingspunt had gemaakt was ik alleen maar De Vriendin Van Cat, een exotisch en betrekkelijk interessant element. Knap, slim en onsympathiek. Zonder er iets voor te doen was ik de helft van een eenheid geworden, van een paar; of zo begonnen ze ons tenminste te zien: Caitlin en Bea. Ik vond het een beangstigend idee en wilde dat er een hele lange rij gedachtepuntjes tussen onze namen zou komen te staan, dat ze zouden zeggen: Caitlin....................
.... en Bea.

Onvermijdelijk, of je moest zo'n sterke persoonlijkheid hebben als Monica, die in staat zou zijn die van haar vriendin helemaal uit te schakelen, gaan ze je beoordelen via de ander. Wanneer je een paar gaat vormen met iemand, gaat die persoon, en in ruimere zin de anderen, denken dat je er altijd *moet* zijn.

En die situatie werd, ik denk eenzijdig, al vanaf het begin van onze relatie bepaald. Inderdaad begon Caitlin toen ze met mij naar bed ging het woord *ons* te gebruiken en dat klonk mij belachelijk in de oren want wij waren geen *ons*: zij was Cat en ik was Bea. En ik wilde niet de helft van een paar zijn.

Feit is dat ik haar voortdurend vergeleek met Monica en bij al die vergelijkingen was Cat de mindere, hoewel iedereen zou aanvoeren, en terecht, dat het niet moeilijk is er ongunstig uit te komen als de rivale het geïdealiseerde beeld is van iemand die je niet meer ziet, en dat het makkelijk is die persoon vanuit je herinnering deugden toe te schrijven en haar tekortkomingen te vergeten. Ik vond Cat te afhankelijk, maar het kan zijn dat ik haar toewijding alleen onderwaardeerde. Ik miste het gevoel van humor, de scherpzinnigheid en de verbale snelheid van Monica. Daarmee vergeleken vond ik Cat plechtstatig en sloom. En zwak. Soms, wanneer ze het kindstemmetje opzette dat ze graag gebruikte als ze aanhalig werd, kreeg ik zin haar door elkaar te schudden. Het kwam zelfs zover dat ik haar niet eens meer knap vond. Ik wist dat ze het was omdat mensen dat steeds zeiden, maar dan begon ik meteen gebreken te zien: ik vond haar zo mager dat ik dacht dat als ze op een dag tegen een muur op zou botsen, ze de eerste klap tegen haar heupbeen zou krijgen. Op andere momenten kwam ik in verschrikkelijke gewetensnood en voelde ik me schuldig dat ik niet van haar hield op de manier die zij verdiende, vooral door haar enorme overgave en toewijding.

Ik wist niet precies wat ik wilde met mijn leven, maar ik wilde graag iets bijzonders doen: reizen, mensen leren kennen, schrijven, weet ik veel. De jaren die ik in Edinburgh moest doorbrengen leken me een sombere onderbreking van nietsdoen. Vaak dacht ik dat het leven dat ik daar leidde alleen maar een intermezzo was, een verplicht vagevuur op weg naar iets fantastisch, iets definitiefs of zelfs conventioneels dat uiteindelijk zou gebeuren. Wat we deden was geen vervulling voor me. Een video huren op een doordeweekse dag, bezoek krijgen van vrienden en op zaterdag trancedansen in een of andere trendy disco. Was dat alles? Ik dacht dat ik me Caitlin niet kon voorstellen als de ideale gezellin voor de rest van mijn leven en het eindigde er onvermijdelijk mee dat ik haar met Monica vergeleek. Want er zijn grote sterren en kleine sterren die naast elkaar bestaan in dezelfde melkwegstelsels. In onze Melkweg bijvoorbeeld is er een zo groot dat ze de hele baan van de Aarde om de Zon zou vullen. Ze heet Pistola en zendt evenveel energie uit als een miljard zonnen, met uitbarstingen waarvan de gaswolken vier lichtjaren beslaan. Het probleem van die mammoetster zit hem in haar eigen kracht: de opeenvolgende uitbarstingen hebben er gas- en stofwolken omheen gevormd die de atmosfeer hebben vergiftigd. Monica is vanzelfsprekend mijn Pistola geweest.

Cat, dacht ik, zou een belemmering zijn. Monica daarentegen een motor. Want Monica inspireerde, kwam met voorstellen, handelde, terwijl Cat ging zitten om het leven aan zich voorbij te laten gaan en leefde door plaatsvervangende ervaringen: via de anderen. Daarom, dacht ik, zat ze de hele dag naar problemen en zorgen van anderen te luisteren, daarom wilde ze dolgraag weten wat ik op de universiteit had gedaan, omdat ze niet de moed had zelf te leven, omdat ze ons allemaal, en ook mij, gebruikte als hefboom om gewicht te geven aan haar eigen bestaan. Ik weet niet of ik me vergiste door zo over haar te oordelen. Misschien was ik zo bang om het conflict met mijn moeder nog eens over te doen dat ik de ruimhartigheid van Cat verwarde met een soort neurotische afhankelijkheid.

Ik was niet verliefd, zouden sommigen zeggen bij het lezen van het voorgaande. Dat is mogelijk. Ik bewonderde Cat niet, ik dacht niet voortdurend aan haar, ik stelde me geen gezamenlijke toekomst voor. Maar het is wel zo dat ik drie jaar met haar heb samengeleefd, zodat iedereen zou denken, en ikzelf denk dat ook, dat er iets moet zijn wat ons bindt. En dat is ook zo. Er bestaat een chemische band, een onvermijdelijk huidcontact dat me naar Cat toe trekt en mijn twijfels en vooroordelen onbelangrijk maakt. Want 's nachts naast Cat deed het er niet toe of Cat al dan niet slim was, al dan niet sterk. Deed het er niet toe dat ze Monica niet was.

Op de achtergrond hoorde je zachte muziek, misschien een bandje dat Aylsa voor ons had opgenomen, waar zo nu en dan het gedempte kraken van het houten bedskelet doorheen klonk. Door het raam scheen vanaf de straat het gelige licht van de straatlantaarns, dat door de kamer dwaalde. Zeeën van schaduw trilden hier en daar in het donker en kwamen als onmetelijke golven op ons af waarin we onderdoken en ons aarzelend lieten gaan. Door de nachtelijke kou werden onze omhelzingen vuriger, zuchten werden gesmoord in het dekbed en voor mij werden die bijna onzichtbare ogen nog groter. Haar neus wreef tegen de mijne. Te midden van de stilte fluisterden we elkaar ongelooflijke beloftes toe, onnozele absurditeiten, dingen zo vaak gezegd dat het clichés waren geworden in alle toonaarden. En de tijd verstreek met het opmaken en weer doorwoelen van het bed. Ik deed het haar eens voor, nadat ik een stel lakens had ontdekt die ze van Joost mag weten wie had geërfd en ik legde haar uit wat een omslag was, iets onbekends in dat land waar ze zo hielden van dekbedden. Ze vond het net een envelop, een envelop om schatten in te bewaren. Ik was een schat, vermoed ik, naakt en zuiver als een pasgeboren baby, gevangen in de kou en in het wit van de lakens, in een baarmoeder van stof, en zij deelde die schuilplaats met me, terwijl ze over de gladde ijsvlakte van het beddengoed dat ik had strakgetrokken naar me toe schaatste. Glijdend op zoek naar mij, botste ze in het donker plotseling tegen me op en ik voelde haar huid tegen de mijne. Elektrische vonken sloegen over. Zij fluisterde zoete woordjes met haar zwoele stem en zei wat ze met me ging doen. Ik moest erom lachen en mijn gegiechel kaatste terug in het gewelf van stof waar ik helemaal onder lag. En toen voelde ik hoe zij in me kwam, een lumineuze aanval die de lakens in vuur en vlam zette. Ik zocht met mijn tong het spoor van haar tong, verborgen in mijn speeksel. Het spoor van haar tong dat ik op mijn beurt weer bij haar achterliet, tussen haar liezen. Het was alsof ik een microcamera in mijn vingertoppen had, waardoor ik in haar kon kijken. Ik ging verder, dwars over haar heen, waadde door meren, omzeilde bochten tot ik bij een klein glinsterend bolletje kwam dat opzwol bij het contact met mijn vingertop en vervolgens voelde ik hoe zij helemaal uitzette alsof haar tunnel zich verwijdde en weer samentrok en mijn vinger en mij gevangennam. Ik was in haar en zij in mij. Ik hield van haar omdat zij anders was, omdat ze niets met mij te maken had, omdat ik haar niet kon begrijpen. Dat hele omhulsel van gevouwen en ingestopt beddengoed dat ik had gemaakt stortte binnen een paar seconden in elkaar en alles werd weer de warboel die het was geweest voor ik mijn huishoudelijke kwaliteiten probeerde te bewijzen. De dekens gleden slordig naar beneden, vielen van het bed op de grond en een stukje laken bleef opgerold tussen haar benen zitten. En ik wilde me niet afvragen, en dat doe ik nog steeds niet, wat de redenen van die extase waren. Ik was gelukkig, ik behoorde dat bed en die ruimte toe, zoals ik ook toebehoorde aan degene van wie het huis was. En juist op die momenten, ik wist niet waarom en hoefde het ook niet te weten, maar elke keer dat zij iets zei en me aanraakte en me in haar veilige en warme armen nam, wist ik dat ik daar was omdat ik daar moest zijn, omdat dat de plaats, het bed, de ruimte en de tijd was waar ik hoorde te zijn. Als ik er niet was bleef ik toch daar. Ik sloot mijn ogen en was er weer. Mijn lichaam, mijn fysieke deel, alles wat irrationeel en onbegrijpelijk aan mij is, alles wat niet vraagt naar reden, toekomst of verplichting behoorde haar toe. Naar haar keerde ik terug in mijn dromen en slapeloze nachten, naar een onaantastbare en vermeend irreële plaats, in een niet in coördinaten te omvatten tijd en ruimte, in mijn hoofd, in het diepst van mijn wezen. Ik reisde van mij naar mezelf, naar binnen, en ontmoette haar. Dat deel van mij was van haar, behoorde haar toe. Zij was een geschenk in een omhulsel van lakens en dekens, zo werd ze uitgepakt. Ik kon gebruik van haar maken of haar naar de achtergrond schuiven, haar misschien in een lade stoppen, haar vergeten, zoals kinderen hun speelgoed vergeten, maar daarom bleef ze nog wel van mij, want ze was een geschenk, speciaal ontworpen voor mij, en zoals gebeurt met geschenken, ik kon haar niet teruggeven. Niet op dat moment.

Ik ben al vijf dagen in Madrid en ik moet toegeven dat ik nog niet veel heb uitgevoerd. Ik heb mijn koffer uitgepakt, drie wassen gedraaid, mijn kleren op de waslijn gehangen en toen ze droog waren heb ik ze gestreken en opgevouwen en ze – broeken, T-shirts, jasjes en blouses – op klerenhangers gedaan die als duifjes in mijn lege kast bungelden. En mijn slap neerhangende kleren vormen een rijtje schimmen van mij in de duisternis van het hout.

Ik heb naar het eindeloze gezeur van mijn moeder geluisterd over mijn uiterlijk en de noodzaak om rokken te kopen en mijn haar te laten groeien en over de medische onderzoeken van mijn vader en over alle dochters van al haar vriendinnen die gelukkig getrouwd zijn. Ze noemt namen die me niets zeggen, maar waarbij ik doe alsof ik weet over wie ze het heeft om haar niet in de rede te vallen. Terwijl zij maar doorgaat met haar verhaal over hoe gewéééldig dingetje van die en die eruitzag op haar trouwdag, en over de zo gewéééldige jurk van ruwe zijde ontworpen door Marilí Coll die ze aanhad, probeer ik aan iets anders te denken en me niet te laten beïnvloeden door haar geklets, niet te bezwijken voor de neiging me weer opnieuw aartslelijk en een nitwit te voelen, en mislukt zoals ik me altijd voel als zij over die dingen praat en een gevoel van teleurstelling laat doorschemeren dat ze heeft als ze mij ziet. En ik heb gemerkt, ik weet niet of ik er teleurgesteld of opgelucht over moet zijn, dat ze er gelukkiger uitziet, dat mijn afwezigheid haar goed heeft gedaan.

De dagen in Madrid gaan voorbij en ik kan maar niet wennen. Ik heb geen vrienden meer in Madrid. Niet één. Niemand om op te bellen in een stad van zes miljoen inwoners. Ik maak lange wandelingen, lees, schrijf af en toe. Niet veel meer. Eenzaamheid kan geen kwaad, zeg ik bij mezelf. Door de eenzaamheid heb ik beslissingen leren nemen over dingen die mijzelf betreffen, heb ik leren nadenken over wat ik doe en de redenen waarom ik dat doe leren ontleden met de steriele precisie van een lijkschouwer. In het donker kan ik aan de muren van mijn geest kleurige doeken ophangen, in de eenzaamheid kan ik zien wie ik onderhuids ben.

Ik ga naar beneden om brood en kranten te kopen, loop naar het Brits Instituut om te kijken of mijn papieren in orde zijn en wat ik moet doen om voor een beurs voor mijn promotie in aanmerking te komen. En ik merk, op de trottoirs van het bijna gesmolten asfalt, in de slingerende bus met airconditioning, in de kantoren vol zweetlucht, dat mannen naar me kijken en op een speciale manier naar me lachen. In tegenstelling tot mijn moeder lijken noch mijn korte haar, noch mijn laarzen, noch mijn broeken, hun iets te kunnen schelen.

Caitlin beroemde zich erop een lesbienne te herkennen zodra ze haar zag. Ik herinner me dat ze een keer verkondigde dat een tvpresentatrice van MTV het was en ik lachte haar uit omdat het volgens mij in de eerste plaats totaal onmogelijk was dat zij iemands voorkeur kon bepalen zonder haar ook maar te kennen en ten tweede omdat dat zo opgemaakte meisje, vol siliconen en met zo'n verzorgd uiterlijk, er absoluut niet lesbisch uitzag. Maar goed, jaren later toen die vrouw haar hele privé-leven openbaar maakte tijdens een *outing*-campagne moest ik mijn woorden intrekken. Cat schreef dat soort helderziendheid toe aan een kennersblik die zij in de loop der jaren had ontwikkeld en waardoor ze kleine non-verbale details in de communicatie kon herkennen die onzichtbaar waren voor mensen die er niet naar op zoek waren. Onbewuste gebaren die in de ogen van Cat iemands voorkeuren verraadden. Ze observeerde scherp, onthield nauwkeurig: en in stilte trok ze dan haar conclusies. Ze lette op de verschillende manieren van kijken naar mannen en vrouwen, hoe iemand zijn benen neerzet als hij gaat zitten, naar de verandering in uitdrukking naarmate een gesprek vordert. Een toevallig of onvoorzichtig woord, een onverschillige of verlangende blik: verwarring, aarzeling, heftigheid, onrust... Ieder klein detail droeg bij tot haar schijnbaar intuïtieve waarneming en was een aanwijzing over iemands verlangen. Caitlin was als een kansspeelster, en het verleidingsspel als een potje kaarten. Binnen een paar minuten nadat ze iemand had leren kennen speelde Caitlin met al haar gebaren alsof het kaarten waren en die bracht ze met eenzelfde nauwkeurigheid en zekerheid in het spel als waarmee een speelster haar kaarten op tafel zou hebben gelegd die precies wist welke kaarten iedere andere speler bij haar aan tafel in zijn hand hield.

Ik heb lang gedacht dat een meisje met zo'n slordig uiterlijk als ik stilzwijgend de boodschap uitzond: macho's, houd afstand. Maar al die mannen die naar me kijken schijnen dat niet te hebben begrepen en ik denk dat ik misschien toch niet zo weinig *vrouwelijk* ben als mijn moeder beweert. Misschien moet die term opnieuw gedefinieerd worden.

Iedere man die naar me kijkt en lacht verbergt een gladde penis in zijn broek, een platte borst, brede schouders, een *mannenli-*

chaam, en hij zou me in zijn armen kunnen nemen en mijn handen op het kussen kunnen drukken. Die bittere eenzaamheid benauwt me op een bijna fysieke manier en ik vraag me weleens af wat er zou gebeuren als ik op een van die knappe jongens in de bus zou toestappen en zeggen: Hier ben ik, doe met mij wat je wilt. Doet een vrouw dat? Of doen ze dat alleen in vrouwencafés? Die cafés waarin ze zich kunnen gedragen *als een man* en rechtstreeks hun lustobject kunnen aanspreken en zelfs kunnen uitnodigen voor een drankje als ze er zin hebben, net zoals Cat mij aansprak op de eerste avond dat ze me zag.

Ik tik op een toetsenbord, een tweedehands laptop die ik kort voor mijn vertrek in Edinburgh heb gekocht. De meer dan twintig letters van het alfabet omarmen elkaar om woorden te vormen. Ze bieden elkaar liefdevol de warmte die mij ontbreekt. Alles wat ik ben, wat mij goed of slecht definieert en me overeind houdt, komt terug op het moment dat ik schrijf. Ik kan alleen maar eerlijk zijn achter een toetsenbord. Ik mis het leven dat ik in Edinburgh had, net zoals ik daar naar Madrid verlangde. Maar dat kan een leugen zijn. Het kan herinnering, godsdienst of kunst zijn. Als ik 's nachts mijn ogen dichtdoe stel ik me de blauwgroene ogen van Cat voor, ieder moment in staat een realiteit te verzinnen. Een tweekleurige realiteit zoals die ogen, een ruimte en een tijd die beter bij mij passen. Die pupillen waar het daglicht doorheen ging maar die van binnenuit een ander licht uitstraalden. De realiteit waar ik over schrijf gaat over een andere tijd, een ander landschap, andere dagen en is ver weg van deze plakkerige zomer, voert me door uren waarin we elkaar kusten, labyrinten doorkruisten die vol bochten zaten en waarin de echo van haar stem weerklonk. Ik loop door gangen, sla hoeken om en kom uit bij het verborgen centrum van haar afwezigheid. Ik daal af naar diepere en nog zwartere zones, waar mijn weggaan nog eindelozer wordt en waar ik haar achterblijven nog dieper voel. De grond wasemt een zoetig aroma uit.

Aan de overkant van de zee, op groene en vochtige bodem, fris van dauw en smegma, blijft Cat op me wachten en ergens op dit zonovergoten schiereiland leeft Monica, die volgens mij totaal niet meer denkt aan de kussen die ze mij zoveel jaren geleden heeft gegeven. De inschrijving voor mijn promotie, voor het geval ik weer naar Edinburgh terug wil, kan wel tot september wachten. Ik heb nog tijd om daarover te beslissen. Te beslissen of ik hier wil blijven en Cat wil achterlaten. Cat zou dan een fase zijn die voorbij is, een afgesloten hoofdstuk, een noodzakelijke voorbereiding op een vollediger leven dat nog voor me ligt. Edinburgh zou dan alleen maar een tijdelijke schuilplaats zijn geweest, vreemd aan mijn werkelijke aard.

In die afgelopen vier jaar heb ik geen contact met Monica gehad. En niet omdat ik het niet geprobeerd zou hebben. Zij was het die zich afzijdig hield, wie weet waarom. Maar toch is zij al die tijd niet uit mijn gedachten geweest. Ze zat in mijn hoofd als de obsessie die ze altijd is geweest. Ik heb steeds gedacht dat ik hoe dan ook zou proberen haar weer te zien als ik terugkwam.

Toen ik pas in Edinburgh was achtervolgde het beeld van Monica me, onverbiddelijk, waar ik ook ging. Op een wonderbaarlijke manier leken alle meisjes op straat op haar en de trekken van Monica werden opgelegd aan die onbekende trekken, waardoor elk meisje veranderde in Monica, de caissière van de supermarkt, het winkelmeisje van Boots, dat donkere meisje dat naast me zat in de bibliotheek. Ik deed niet of ik alles van die wonderbaarlijke alomtegenwoordigheid van het voorwerp van mijn liefde begreep. Ik wist heel goed dat het een van de duidelijkste symptomen van heimwee was. Maar ik wilde haar niet voortdurend aan mijn zijde hebben omdat ik daar speciaal heen was gegaan om haar te vergeten. Ik deed dus heel erg mijn best (tevergeefs) om haar uit mijn gedachten te zetten.

Het vreemde is dat er dagen, weken en maanden voorbijgingen zonder dat zij op de meest ongelegen momenten als een miraculeuze maagd verscheen en toen begon ik haar te missen en me erop te concentreren haar weer terug te laten komen. Als ik een meisje zag dat me aan haar herinnerde probeerde ik niet snel aan iets anders te denken, maar deed ik bewust mijn best om de gelijkenis in mijn verbeelding te intensiveren. Ik haalde me haar trekken voor de geest met een zuurzoete mengeling van heimwee en verbittering en kon het niet laten ontroerd te raken als ik er ten slotte in slaagde het exacte profiel van haar gezicht voor me te zien.

Maar het werd steeds moeilijker me haar in herinnering te brengen. Ik had haar uiteindelijk twee jaar niet gezien en niets van haar gehoord. Mijn hersenruimte was gevuld met andere, dringender aangelegenheden die Monica's beeld terzijde schoven, verloren in een warboel van nutteloze herinneringen die ordeloos ergens in mijn achterhoofd lagen opgeslagen.

Soms als Caitlin naar haar werk ging en ik alleen in Cats huis was, concentreerde ik me erop om Monica een eigen ruimte te geven in mijn geheugen. Ik ging op bed liggen, sloot mijn ogen en probeerde mijn geest leeg te maken, af te schermen van alles wat niet aan haar herinnerde. Ik probeerde me in gedachten met haar te verenigen op de enige manier die ik kende, door met haar te vrijen op de enige wijze waarop ik dat kon. In mijn verbeelding. En ik probeerde opnieuw een beeld van haar te vormen. Eerst probeerde ik me de losse onderdelen voor te stellen (de zwarte ogen, de weerbarstige krullen, de lach die zelfs een sfinx met de ogen zou laten knipperen), om die vervolgens weer te groeperen. Maar er ontbrak iets. Het beeld dat opdoemde was niet precies dat van haar. Wat ik samenstelde was niet meer dan een vage schets van iemand die Monica niet was, die zelfs niet op haar leek. Ik deed mijn uiterste best, maar gaf me uiteindelijk gewonnen. Hoewel ik me haar wezenlijke trekken op een abstracte manier wel herinnerde en ze met woorden kon beschrijven, kon ik ze niet *zien*, kon ik ze niet tekenen in mijn hoofd. In mij vond ik niet het volmaakte portret dat verscheen, dat nog steeds af en toe in mijn dromen verschijnt, hetzelfde portret dat me achtervolgde toen ik pas in Edinburgh aankwam, dat ik nog niet zo lang geleden zo moeiteloos opriep...

En toch, op een willekeurige dag, onverwacht, of erger nog, als ik aan iets zat te denken wat niets met haar te maken had, werd ze bezworen door een schaduw op de muur, een vleugje parfum van een of ander blond depressief meisje van de universiteit dat in de bus naast me ging zitten, de akkoorden van een of andere plaat waar we samen naar luisterden. En dan verscheen Monica voor mijn ogen, plotseling als een pistoolschot, volmaakt, helemaal en totaal Monica, terwijl ik haar niet had opgeroepen. Haar beeld was voor mij even zichtbaar als een hologram.

Ik verloor de macht over hoe en wanneer ik haar kon bezweren.

Toen werd ik me bewust van de ramp van het verglijden van de tijd en de kwetsbaarheid van het verlangen, dat fragiele bootje bedreigd door schipbreuk te midden van de golven van de tijd.

Allereerst, zeg ik bij mezelf, moet ik Monica zien te vinden. Ik draai haar oude nummer, van haar oude adres, en krijg een antwoordapparaat. Maar het is niet haar stem die ik hoor en ook niet die van haar moeder of stiefvader. Ik denk dat ze verhuisd zijn, want Charo had het altijd al over verhuizen naar het platteland. Ik probeer het nummer van Javier, maar krijg geen antwoord. Ook dat verbaast me niets. Vier jaar geleden woonde hij in een huurappartement en het zou me verbazen als hij dat zo lang had aangehouden. Ik heb vier jaar niets meer van Monica gehoord, ik weet niet eens zeker of ze met hem is getrouwd. Misschien is ze wel gaan studeren. Wiskunde, natuurkunde, sterrenkunde?

Dan bel ik naar de redactie van het tijdschrift waar Charo de leiding had en daar krijg ik te horen dat Charo Bonet er niet meer werkt. Ik begin de hoop te verliezen. En dan komt het bij me op dat Charo hoe dan ook bij een ander modetijdschrift moet werken. Dat is haar vak, haar specialiteit. Al meer dan twintig jaar gaat ze twee keer per jaar naar Parijs. Ze kan op het eerste gezicht een model van Montana van een van Prada onderscheiden en ze kan precies voorspellen welk type broek over twee jaar gedragen wordt. Ze is een deskundige op het gebied van snit en vormen, kleuren en materialen, stoffen en weefsels. Ze zou over niets anders kunnen schrijven. Dus moet ze wel voor een damesblad schrijven. Maar welk?

Ik ga naar beneden naar de kiosk en voorzie mezelf van de *Elle*, de *Vogue*, de *Marie Claire*, de *Dunia*, de *Telva* en de *Cosmopolitan*. Ik kan niet wachten tot ik weer thuis ben en ga snel even op een bankje zitten om al die glossy tijdschriften door te bladeren op zoek naar de namen van de redactieleden. En eindelijk vind ik haar, Charo Bonet, onderdirecteur. Het telefoonnummer van de redactie staat iets verderop.

Nee, ik bel haar niet meteen. Voor ik Charo bel moet ik eerst kracht verzamelen, als een vermoeide zwemmer die zijn terugkeer naar het strand voorbereidt, wetend dat hij als hij even niet oplet door de stroom meegesleurd kan worden. Ik wil niet meegesleurd worden door Charo, ik wil niet dat ze over me heen walst met dat superieure toontje van haar, dat ze doet alsof ze me niet herkent, dat ze zich niet verwaardigt aan de telefoon te komen, dat ze de verbinding verbreekt met een van haar kille opmerkingen, dat ze me eraan herinnert dat ze me nooit heeft gemogen, dat ze nooit heeft begrepen waarom haar dochter zo'n sloom meisje met zo weinig smaak als vriendin had gekozen en dat ze niet probeert te verbergen dat ik volgens haar een slechte invloed op haar dochter had. Ik ben dus meer dan een uur bezig me mentaal op te laden om de goede toon te vinden waarmee ik me tot haar wil richten, de zekerheid die ik in mijn woorden wil leggen, de rust waarmee ik haar stem wil trotseren.

En eindelijk ben ik zover en bel haar nummer. Charo Bonet is in vergadering en kan niet aan de telefoon komen, wordt me gezegd. Geeft niets, zeg ik, ik bel nog wel een keer. En dat doe ik de hele dag door: precies elk half uur, natuurlijk rekening houdend met de pauze die Charo neemt om te gaan lunchen. Telkens als ik bel dring ik er bij het meisje dat de telefoon opneemt op aan dat ze mijn naam noteert. En ten slotte, om half negen 's avonds, als ik de hoop al bijna heb opgegeven, word ik doorverbonden met Charo Bonet in hoogsteigen persoon.

'Bea...! Ik kan het niet geloven, wat een verrassing...' haar stem heeft een perfecte intonatie zonder enige emotie. Ze klinkt net als een willekeurige presentator van een willekeurig actualiteitenprogramma op de televisie. 'We hebben al jaren niets meer van je gehoord.'

Let op de pluralis majestatis.

'Vier jaar, om precies te zijn. Ik ben namelijk in het buitenland geweest, ik heb in Engeland gestudeerd.'

'Echt waar? Zo lang? Het lijkt pas gisteren bij wijze van spreken dat je nog bij ons thuis kwam... En wat klinkt dat interessant, Engeland. Wat heb je eigenlijk gestudeerd?'

'Ik heb mijn doctoraal moderne Engelse literatuur gehaald.'

'Wat goed van je. Zoiets kun je altijd het beste in het land zelf doen. Je zult intussen wel vloeiend Engels spreken.'

'Ik kan me redden.'

Als ze de ironie al heeft begrepen, weet ze dat heel goed te verbergen. De klank in haar stem is geen steek veranderd.

'En je moeder. Hoe gaat het met haar?'

Mijn moeder, die vrouw die je niet kon uitstaan en die je bij het minste of geringste belachelijk maakte.

'Goed, dank je. Ze maken het allebei goed.'

'Fantastisch. Daar ben ik blij om.' Ik betwijfel of ze er blij om is. 'En Bea, vertel eens, bel je met een speciale reden?'

Voor de dag ermee, bedoelt ze. Het is duidelijk dat ze genoeg heeft van deze ongemakkelijke plichtplegingen.

'Ja. Eigenlijk... bel ik voor Monica. Ik wil graag weten waar ze is. Wij zijn elkaar uit het oog verloren door de afstand, je weet hoe dat gaat, en nu ik terug ben wil ik graag weten hoe het met haar is.'

Een ijzige stilte aan de andere kant die een paar seconden duurt, die als bommen op de stilte van de lijn vallen.

'Charo?' vraag ik in het niets.

'Ja, ja... ik ben er nog. Neem me niet kwalijk... Bea... hoe lang heb je niets van Monica gehoord?'

'Lang, bijna sinds ik vertrok. Dus vier jaar. Ik heb haar een paar keer geschreven, maar ze heeft niet teruggeschreven.'

'Ik begrijp het.'

Ik bespeur een spoortje angst in haar stem. Ik vrees het ergste. Er moet iets naars met Monica zijn gebeurd, zeg ik bij mezelf.

'Charo... zeg eens eerlijk: is er iets gebeurd? Is alles goed met Monica?'

'Luister Bea. Heb je zin om morgen hiernaartoe te komen? Ik

heb het nu heel erg druk, ik heb ontzettend veel te doen, maar ik kan wel even tijd voor je vrijmaken. Zou je hier morgen een kopje koffie kunnen komen drinken? Zullen we zeggen tien uur… als dat je uitkomt natuurlijk.'

'Tien uur? Ja. Ja natuurlijk. Maar je hebt me geen antwoord gegeven. Gaat het goed met Monica?'

Een diepe zucht aan de andere kant van de lijn.

'Goed? Ik zal je zeggen… Nou ja, ik geloof dat het goed gaat. Hoewel het ervan afhangt wat je onder goed verstaat.'

Haar stem sloeg over bij de laatste zin.

'Wat bedoel je? Is er iets met haar gebeurd?'

'Luister, het is beter dat je morgen langskomt, dan praten we verder, oké? Morgen om tien uur.'

Om vijf voor tien meld ik me bij de redactie van het tijdschrift. De receptioniste vraagt me even te wachten en ik blader door een paar oude nummers van het tijdschrift waar Charo aan meewerkt; zo lees ik, verdiept in onbenulligheden op hoogglanspapier, dat dit seizoen asymmetrische modellen en vormen in zijn en dat wit weer een van de modekleuren is, als tegenhanger van zwart, grijs en bruin. Even later staat er een jong meisje voor mij met een pagekopje en een swingend loopje, dat verdacht veel lijkt op de meisjes die me vanaf de foto's aankijken en ze vraagt me of ik voor Charo Bonet kom. Ik merk dat het meisje me van top tot teen opneemt en ik kom er niet achter of ik haar beval, of ik haar verras of dat ze me afkeurt. En dat terwijl ik, om het vertrouwen van Charo te winnen, deze keer een eenvoudig grijs pakje heb aangetrokken dat ik voor speciale gelegenheden bewaar. Ik heb zelfs mijn ogen opgemaakt om het afschrikwekkende effect van mijn gemillimeterde haar te verzachten, hoewel ik de indruk heb dat mijn superkorte haar in deze omgeving niet als een uitdaging wordt geïnterpreteerd, maar meer als een ultramodern en chic detail. Als ik knik verzoekt het meisje me beleefd om haar te volgen en ze brengt me naar Charo's kantoor, waar ik een minder spectaculaire entree maak dan ik had gewild, met kleine schuchtere pasjes.

Charo komt vanachter haar bureau overeind om de deur dicht te doen en ik ga in een draaistoel zitten. Zij draagt een heel mannelijk chocoladekleurig mantelpak waarvan de soberheid wordt opgefleurd door een zachtroze das die ongedwongen om haar open kraag is geknoopt. Ze loopt terug, gaat tegenover me in haar met blauw beklede draaistoel zitten en vraagt of ik iets wil drinken, koffie misschien. Ik knik. Een bureau vol paperassen scheidt ons. Charo pakt de telefoon en vraagt of ze ons twee koffie brengen.

Ze is niet veel veranderd. Ze heeft nog steeds kort haar, maar een andere coupe. Ze heeft nu een artistieke nonchalante *look*, type rattenkop, alsof het haar geknipt is met de keukenschaar, die geloof ik door een Amerikaanse actrice in de mode is gekomen.

Charo doet niet aan beleefdheidsformules en komt meteen ter zake.

'Bea lieverd, neem me mijn impertinentie niet kwalijk en je zult wel zeggen dat ik me niet met jouw leven moet bemoeien... maar vertel eens: is het waar dat je Monica vier jaar niet hebt gezien?'

'Nou... volgens mij heb ik je dat al door de telefoon gezegd. Nee, ik heb haar niet gezien omdat ik al die tijd in het buitenland ben geweest.'

Ze pakt een pakje lichte sigaretten en houdt het mij voor. Ik schud van nee. Ze steekt een sigaret op met een gouden Dupont en licht bevende handen. Vanzelfsprekend is ze onberispelijk opgemaakt en haar gezicht heeft een onnatuurlijke, tijdloze uitdrukking. Er is geen rimpeltje te zien, maar haar strakke huid heeft niet de gladheid en vitaliteit van de jeugd die zij graag zou willen uitstralen.

'Wat vreemd... is het niet raar dat je in die vier jaar niet één keer terug bent geweest in Madrid, met vakantie, of kerst, of om je ouders op te zoeken...?'

'Nou ja... Mijn ouders zijn een paar keer naar Londen gekomen en daar heb ik hen gezien, bovendien gaan we niet zo geweldig goed met elkaar om, zoals je weet. Ja, ik veronderstel dat het vreemd lijkt, nu je het zo zegt, maar toen ik daar zat was ik niet van plan tussendoor terug te komen. De universiteit is heel intensief, weet je... Daar moet je hard werken,' lieg ik 'en nou ja, ik heb mezelf nogal opgesloten.'

Maar ik durf te beweren dat, als dat herbouwde gezicht nog emoties kan uitdrukken, ik een licht melancholische blik zie, bijna onzichtbaar, die er vier jaar geleden nog niet was en die bezorgdheid verraadt door een paar minuscule rimpeltjes die rond haar mondhoeken verschijnen als ze praat en die door de plastische chirurgie niet zijn weggewerkt.

'Dus... dat wil zeggen, als ik me niet vergis,' zegt ze, 'dat je niets, absoluut niets van Monica hebt gehoord in al die tijd.'

'Nee,' zeg ik nogal geïrriteerd.

'En waar komt dan, als ik zo vrij mag zijn natuurlijk, die belangstelling vandaan om haar nu op te zoeken?'

'Nou, ik geloof niet dat dat zo vreemd is, Charo. Wij waren vriendinnen vanaf de middelbare school, dat weet je. Wat wel een beetje vreemd is, is al die geheimzinnigheid rond Monica.'

Charo trommelt zenuwachtig met haar vingers op het bureau. Haar nagels zijn perfect gevijld en gelakt in dezelfde koraalrode kleur als haar lippen.

'Ja, ik snap dat je dat vreemd vindt. Maar je moet begrijpen dat ik Monica's moeder ben en me zorgen om haar maak. Ze maakt een moeilijke periode door, weet je, en we moeten bij-zon-der voorzichtig zijn wat de mensen betreft met wie ze omgaat.'

Ze zegt dus eigenlijk tegen me dat ze mij geen geschikt gezelschap vindt. Mijn verlangen is sterker dan de belediging. Ik houd me in en probeer niet op dezelfde toon antwoord te geven om geen verbale strijd aan te gaan.

'Wat is er met haar gebeurd?' vraag ik hoewel ik me dat heel goed kan voorstellen en weet waarmee dat te maken heeft.

Charo zet haar ellebogen op het bureau en gaat met haar hoofd in haar handen zitten als een biddend beeld, daarna wrijft ze met een vermoeid gebaar langs haar slapen.

'Ik weet niet waar ik moet beginnen, Bea... Je kunt je niet voorstellen wat voor een lijdensweg ik de afgelopen twee jaar heb doorgemaakt. Je leest het voortdurend in de kranten, maar het komt nooit bij je op dat het jou ook kan gebeuren...'

Ze spreekt nu langzamer en haar stem klinkt mat en fluisterend alsof ieder woord haar gigantisch veel moeite kost om uit te spreken. Beetje bij beetje draait ze een monotoon betoog af en de woorden vallen als een last op haar bureau. Het hele verhaal is volkomen voorspelbaar.

'Alles ging zo goed... Ze studeerde natuurkunde, je weet wel dat ze altijd zei dat ze astronome wilde worden... en ze nam haar studie best serieus... bovendien ging ze met een leuke knappe jongen...'

'Javier,' raad ik.

'Ja precies, Javier,' bevestigt ze. 'Een heel sympathieke jongen. Ze vormden een ideaal paar, maar ik denk dat er een heleboel aanwijzingen waren die ik niet heb onderkend, ik weet niet... ze viel opeens ontzettend af, ze zat altijd in geldnood, ondanks het feit dat ik haar genoeg toestopte en dat het leven met Javier niet echt duur kon zijn... En toen begonnen er dingen te verdwijnen in huis, kleine dingetjes van waarde, zilveren asbakken, juwelen, weet ik veel... prullaria. En opeens, van de ene dag op de andere, ging het in stroomversnelling. Op een nacht word ik wakker van de telefoon en ik schrik me dood. Ik dacht dat het een van die hijgers was die bellen om te laten horen hoe ze klaarkomen, want sinds ik op televisie kom, kind, heb ik twee of drie hardnekkige idioten die het leuk vinden mij obscene brieven op de redactie te sturen...'

'O wat erg... ik wist het niet, dat van de tv...'

'Nee, dat was het niet, het was iets veel ergers. Ze belden me om te vertellen dat mijn dochter was opgenomen in het Primero de Octubre-ziekenhuis. Een overdosis. En zo kom ik er plotseling achter dat ze heroïneverslaafd is. En daarna, de laatste twee jaar, alles wat je je maar kunt bedenken: ze steelt, liegt, verdwijnt maandenlang... Thuis heeft ze allerlei scènes gemaakt. Afschuwelijk, kind, wat moet ik zeggen... Ze heeft op een keer in een hysterische bui Manuel met een mes bedreigd...'

Ze neemt weer een zenuwachtige trek van haar sigaret. De rook bederft de lucht. Sinds gisteren had ik kunnen weten wat Charo me ging vertellen. Ik merk dat de koffie al koud is zonder dat wij er een slok van hebben genomen. Hoe kon ik zo stom zijn... te denken dat het onvermijdelijke niet zou gebeuren. Ook al was zij Monica, zij had geen beschermengel om speciaal op haar te letten.

'Vreselijk... Stel je de situatie voor en dan ook nog eens met twee kleine kinderen in huis... Ze is nu opgenomen in een ontwenningskliniek. Ze mag bezoek ontvangen en, onder ons gezegd, geloof ik dat het haar goed zou doen. De artsen dringen erop aan dat ze breekt met haar vroegere omgeving. Wat zal ik zeggen, Bea, om eerlijk te zijn had ik in het begin mijn bedenkingen toen je belde. Maar het is duidelijk dat je je afzijdig hebt gehouden van dit hele gedoe. Ik weet niet... misschien heeft Monica er wel wat aan als ze je ziet. Ik weet dat ze zich heel erg eenzaam voelt. Maar je begrijpt wel wat ik bedoel, ik moest met je praten voordat ik besloot je dit allemaal te vertellen om me ervan te overtuigen...'

'Dat ik hier inderdaad buiten sta,' maak ik de zin af. 'Dat ik niet verslaafd ben zoals zij. Nee, dat ben ik niet.'

'Precies. Ja, ik kon wel vermoeden dat je er niets mee te maken had, omdat ik weet dat jullie elkaar al die tijd niet hebben gezien. Jij belde niet meer, zij had het niet meer over je, weet je... Eerlijk gezegd, verbaasde het me nogal om zo plotseling iets van je te horen.'

'Dat begrijp ik. Als je me vertelt waar ze is opgenomen, kan ik haar misschien opzoeken.'

'Ja, natuurlijk.' Ze krabbelt een adres op een papiertje, vouwt het dan voorzichtig dubbel en geeft het me. 'Je moet hen eerst even bellen. Je moet eerst een afspraak maken.'

'Dank je.'

'Het spijt me maar ik moet je nu vragen weg te gaan. We hebben vandaag een heleboel te doen. Ik vond het fijn je weer eens te zien, echt waar.'

We staan tegelijk op. Ze steekt haar hand uit die ik op een typisch Engelse manier schud. Wij houden allebei niet van sympathiebetuigingen en zijn niet zo hypocriet dat we elkaar zoenen.

'Trouwens, ik heb je nog niet gezegd dat je er leuk uitziet. Dat korte haar staat je uitstekend. En hoor eens schat, als je haar gaat opzoeken wil je me dan bellen? Je houdt me op de hoogte… hè?'

Ze is zo beleefd om me – voor het eerst in dit gesprek – een enorme paardenlach te schenken, die parelt dankzij de laserbehandeling.

'Maak je geen zorgen. Dat doe ik. Dankjewel, Charo.'

Het papiertje dat ze me net heeft gegeven is het document dat een wapenstilstand bezegelt. Jarenlang hebben we elkaar niet uit kunnen staan. Voor haar was ik de halfgekke vriendin van haar niet minder gekke dochter. Voor mij was zij de onuitstaanbare moeder van mijn beste vriendin. Maar nu ben ik gegroeid en ik merk dat zij me niet langer als een kind kan behandelen en wat mij betreft is het de eerste keer dat ik iets menselijks onder dat siliconenmasker en die dure make-up heb ontdekt. Ik heb Monica vier jaar niet gezien. Vanaf die week dat alles uit de hand liep. Elke minuut van die tien dagen staat in mijn herinnering gegrift. Tien dagen die ik steeds weer beleef met de intensiteit van een nachtmerrie.

3 Op de plaats van de angst

Daar waar het verlangen begint, op de plaats van de angst, waar niets een naam heeft en niets is, alleen maar schijn.

CRISTINA PERI ROSSI, *Intieme catastrofen*

Iedereen die haar die ochtend de hal had zien binnengaan met haar kauwgumroze jurkje en haar parelmoeren bril, met één arm haar met babyfoto's beplakte map tegen zich aan gedrukt en haar boodschappentas aan de andere, zou hebben gedacht: wat een leuk meisje gaat daar. Die zou hebben gedacht dat ze maagd was of dat ze misschien een keer naar bed was geweest met haar vriendje, haar officiële vriendje natuurlijk, met dat vriendje met wie ze al langer dan een jaar ging en die haar een ring had gegeven en een Valentijnskaart had gestuurd. Die zou waarschijnlijk hebben gedacht dat ze op een avond toen haar ouders naar hun chalet in de bergen waren haar maagdelijkheid had verloren in haar eigen slaapkamer, alles liefdevol en teder, zonder perversiteiten of rare standjes, met veel strelingen en kussen, zowel daarvoor als daarna.

En dat zouden de twee buren denken die haar zagen binnenkomen en haar groetten zoals ze elke dag deden wanneer zij het poedeltje gingen uitlaten en zij terugkwam uit school. Elke morgen op dezelfde tijd wensten ze elkaar vriendelijk lachend goedemorgen. Hun lach was kunst, die van haar perfect: een jeugdige lach gevormd door een symmetrische rij parelwitte tanden die een particulier verzekerde tandartsbehandeling verraadde en een opleiding op een particuliere school, waar ze had geleerd drie keer per dag vijf minuten en na elke maaltijd haar tanden te poetsen. De buurvrouw zou naar haar ouders en broertjes vragen. Die had ze al een hele tijd niet gezien. Waren ze in Madrid? En zij zou vertellen, zoals ze aan het begin van de zomer aan alle buren vertelde die het vroegen, dat ze met vakantie naar Mallorca waren, maar dat zij in Madrid moest blijven om haar tentamens in september voor te bereiden, want ze moest twee vakken overdoen en op Mallorca zou ze toch maar de hele dag op het strand of op een boot zitten en kwam er niets van studeren.

'Arm kind...' de buurvrouw had medelijden met haar, 'wat naar om alleen te zitten... en met deze hitte!'

'Je went aan alles,' zou zij lachend als altijd antwoorden.

En wanneer ze verdwenen was in de lift zou de buurvrouw zachtjes tegen haar man zeggen: 'Wat een enig meisje, hè? Zo zijn er niet veel meer.'

En ze zou de laan uitlopen aan de arm van haar man, met haar poedel, haar mantelpak, haar gouden kettingen en haar spataderen.

Want dat was wat alle buren dachten: dat ze een leuk meisje was. En knap bovendien. En ze had helemaal geen verbeelding, o nee. Monica Ruiz Bonet was een vréééselijk verantwoordelijk meisje... Monica Ruiz Bonet bracht 's morgens haar broertjes naar school. Monica lachte altijd, was zo natuurlijk en zo vriendelijk; Monica Ruiz Bonet vergat nooit te groeten als je haar tegenkwam op de trap of in de hal. Niet zoals de andere jongens en meisjes, zoals het meisje van de vierde verdieping bijvoorbeeld dat alleen maar iets gromde en soms zelfs dat niet eens.

Geen van de buren vond het vreemd dat de gordijnen van haar huis altijd dicht waren, dat is natuurlijk voor de warmte, om het koel te houden in huis. Als het iemand anders was geweest – het meisje van de vierde bijvoorbeeld, dat gelukkig op vakantie was – hadden er allerlei speculaties de ronde gedaan. Maar niemand had er de minste twijfel over hoe het er binnen uitzag. Een onberispelijke, leuk ingerichte woonkamer, want je weet dat de moeder veel smaak heeft en het meisje, zal ik je zeggen, als dat een beetje op haar moeder lijkt, houdt het natuurlijk kraakhelder. Wij zijn er met de laatste burenbijeenkomst geweest en hebben natuurlijk niet het hele huis gezien, het was niet de bedoeling dat we in de slaapkamers kwamen, maar de keuken, de toiletten en de woonkamer waren prachtig, wat ik al zei. Nou, je hoeft maar te zien hoe de moeder zich kleedt, hoe ze met haar kinderen omgaat, die zien eruit om op te vreten, zulke schattige kleertjes...

Maar de woonkamer zag er in die dagen helemaal niet brandschoon uit. Overal lagen tijdschriften en stripboeken: *El Víbora, Rock de Lux, Espiral, Hustler, Fantastic, 2.000 Maníacos, Route 66*... alle tijdschriften die Coco verslond als zij niet thuis was. Pizzadozen met vastgekoekte resten uitgedroogde pasta en uitgelopen kaas op de Ricardo Chiara-tafel. Onderbroeken en slipjes en een versleten spijkerbroek slingerden op de Armeense kelim. T-shirts hingen over de arm van de Roche Bobois-stoel. Lege bier- en colablikjes, cellofaanpapier met restjes chocoladecake, stukjes aluminiumfolie die gebruikt waren voor chineesjes, plastic zakken, dat was allemaal op de grond gegooid en blijven liggen.

'Jezus, wat een troep. Wat een ontzettende puinhoop,' zei ze wel twintig keer per dag. 'Het stinkt hier.'

'Nou, doe de ramen dan open en lucht een beetje,' zei Coco vanuit zijn stoel. 'Maar ja, omdat je er hier zo graag een kerker van maakt kunnen we niet eens een raam openzetten.'

Terwijl Coco sprak was hij bezig buitenaardse wormpjes met twintig of dertig per minuut om zeep te helpen. Coco hoefde alleen maar op de knop van de joystick te drukken om de buitenaardse ruimteschepen uiteen te laten vallen omgeven door een violette wolk, terwijl een metaalachtige stem zonder enige emotie voortdurend herhaalde *Fire, Fire, Fire*, om hem te laten weten hoeveel wormpjes hij had gescoord.

'En jij,' zei ze dan altijd, 'wanneer hou jij nou eens op met dat rotding, je lijkt wel een kind van vijf, de hele dag in de weer met je marsmannetjes.'

'Kijk, dit apparaatje is echt het einde. Je broertjes beseffen niet hoe bevoorrecht ze zijn met jouw ouwelui die hun geld uitgeven aan dit soort speeltjes.' Coco bleef al pratend naar het televisiescherm kijken. 'Mijn moeder kocht niet eens een verdomd waterpistool voor me toen ik klein was. Bovendien ontspannen deze marsmannetjes me. En omdat ik niet heb kunnen slapen... ik weet niet, het zal wel door de coke van gisteren komen.'

En dan kreeg zij een van die hyperactieve huishoudelijke aanvallen die haar nu en dan overvielen en die waarschijnlijk te maken hadden met de lijntjes coke die ze snoof om na een nacht stappen helder naar school te kunnen gaan en dan begon ze driftig de cellofaantjes van de chocoladecake, de pizzadozen, de lege blikjes en de papiertjes van de chineesjes op te rapen en in een plastic zak te doen.

Op een ochtend net als zoveel andere ochtenden waarop zij het huis aan het opruimen was, en hij kosmische wurmen aan het verdelgen was net als zoveel andere ochtenden, werd er voor de verandering hardnekkig op de deurbel gedrukt.

'Wie belt er verdomme zo idioot?' vermoed ik dat zij schreeuwde. Dat zei ze altijd als ik belde. Na een vriendschap van bijna zeven jaar was ze nog steeds niet gewend aan mijn irritante manier van bellen.

Met een sprong zou ze op de vloerbedekking staan, een van haar T-shirts aantrekken en als een gek naar de deur rennen om open te doen. Ze was voortdurend op haar hoede en ieder onverwacht belletje bracht haar in paniek.

Ik merkte hoe ze het oogje van de deurspion opzijschoof en ik stak groetend mijn hand op.

'Rustig maar, het is Bea,' hoorde ik haar naar Coco schreeuwen.

'Wat moet die hier zo vroeg en waarom maakt ze zo'n kabaal?' riep hij terug vanuit zijn stoel.

Ze deed de deur open en ik ging naar binnen, trillend en over m'n toeren. Ik viel Monica snikkend om haar hals, daarna volgde wat krampachtig gesnotter. Monica kuste me op mijn slapen en begon over mijn haar te strelen met de vermoeide onverschilligheid van iemand die wel gewend was aan dit soort scènes, tot het gejammer minder werd en ik na een paar minuten nog maar een zwak en bijna onhoorbaar gezucht uitbracht. Daarna sloeg ze een arm om mijn schouder en leidde me naar een stoel; toen ik eenmaal zat deed ik net of ik nu pas merkte dat Coco er was.

'Wat doet hij hier?' vroeg ik zachtjes.

'Hij heet Coco, weet je nog,' zei hij.

'Je weet wel,' kwam zij tussenbeide, 'een overeenkomst zoals elke andere. Ik geef hem onderdak en hij mij drugs.'

'Monica, elke keer dat ik hier kom zit er een vent in die stoel en elke keer is het een ander,' zei ik pesterig.

Het was Coco niet helemaal duidelijk of dit misschien een privé-grapje was tussen ons. Monica gebaarde met haar hoofd in de richting van de gang ten teken dat hij ons alleen moest laten en meteen daarna stond Coco met tegenzin op uit zijn stoel en verdween uit de kamer.

Ik hoefde haar niets uit te leggen. Monica had al jaren mijn aanvallen meegemaakt, vanaf de eerste keer dat ze me in het toilet op school vond, toen ik met een scheermesje mijn aderen probeerde door te snijden, zonder enig geluid te maken of een spier van mijn gezicht te vertrekken, maar met de tranen over mijn wangen. Het bloed dat eruit druppelde had een rode plas gevormd die afstak tegen de witte tegels. Ik wist toen niet (en ik schrijf het als waarschuwing voor diegenen die met de gedachte aan zelfmoord spelen) dat de enige effectieve manier om je aderen door te snijden een diepe verticale snee in de pols is; ík had dus als een idioot een bundel horizontale krassen gemaakt die een bijna onzichtbaar litteken zouden achterlaten. Een heel spektakel, dat wel, maar zinloos. Alle andere meisjes waren op de binnenplaats aan het gymmen en het zou normaal zijn geweest als ze snel een lerares was gaan waarschuwen, me naar een medicijnkastje had gebracht om te voorkomen dat de wond geïnfecteerd raakte of me had gevraagd wat me in godsnaam bezielde om zoiets stoms te doen. Maar in plaats daarvan bleef ze stokstijf staan, midden in die enorme toiletruimte die naar ontsmettingsmiddel rook, misschien gefascineerd door het indrukwekkende van het schouwspel, of misschien geïntimideerd door wat zij voor moed versleet. Zo moeten we daar allebei zeker een paar minuten onbeweeglijk hebben gestaan tot Monica verlegen voorstelde dat we misschien het beste de boel konden schoonmaken en daar weggaan.

'Ik kan er niet meer tegen, ik zweer het je,' zei ik gezeten op de Roche Bobois-bank en met mijn hoofd tegen Monica's schouder. Ik zat niet langer te snikken en voelde me weer wat rustiger. 'Die vrouw maakt mij geestelijk nog eens kapot. Sinds we geen school meer hebben is ze alleen al door het feit dat ik thuis ben geïrriteerd. Al drie dagen loopt ze de hele dag te schreeuwen en te klagen over van alles en nog wat. Dat ik niet vroeg opsta, dat ik niet help in huis, dat ik naar het zwembad ga... En vanmorgen begon ze te kankeren omdat het haar niet beviel hoe ik mijn bed had opgemaakt, dat het niet glad was getrokken en weet ik wat nog meer en toen steeg het bloed me plotseling naar mijn hoofd en ben ik tegen haar uitgebarsten. Ik ben dingen tegen de muur gaan smijten, alles wat ik in de kamer te pakken kreeg. Je weet hoe ik ben: ik houd het een dag of drie uit, maar op de derde dag word ik witheet en dan barst ik uit mijn vel van woede, maar dan ook goed. Ik wil dood, serieus. Ik kan niet meer tegen dit leven, ik kan niet meer tegen haar, ik kan niet eens meer tegen mezelf.'

Natuurlijk wist zij hoe ik was. Iedereen op school vond mij een beetje raar. Heel aardig, vonden de moeders, dat wel, maar niet het soort meisje dat ze graag als hartsvriendin voor hun dochters zagen, begrijp je wat ik bedoel? Ze loopt blijkbaar bij de psycholoog en zo. Maar Monica vond dat juist leuk, mijn heldhaftige besluit om hoe dan ook de strijd aan te gaan door steeds weer in woede en driftbuien uit te barsten, dat verbijsterende vermogen van die zachte en verlegen Bea om in een schrikwekkende Medusa te veranderen als niemand het verwachtte, die bron van ingehouden woede die ik in me had, in staat allerlei overstromingen te veroorzaken als de maat vol was. Jarenlang was Monica's familie, en Monica zelf, als scheidsrechter opgetreden bij de eindeloze conflicten bij mij thuis. Bea's moeder, dat zul je moeten toegeven, zei Monica's moeder, is een geval apart. Het is niet vreemd met zo'n moeder dat het meisje geworden is zoals ze is. Dan valt het nog mee. Als mijn moeder Charo opbelde zat iedereen bij Monica thuis te sidderen. Mijn moeder was in staat uren, letterlijk uren, aan de telefoon te hangen, boordevol zelfmedelijden en verveling. Wat die vrouw echt nodig heeft, zei Charo, is iets om handen hebben. Als ze in plaats van de hele dag thuis met de armen over elkaar te zitten iets nuttigs zou doen, weet ik zeker dat haar problemen over waren.

'Maak je niet druk,' zei Monica, mijn tranen drogend. 'Wat je moeder nodig heeft is een goede wip. Ik wed dat ze die niet meer heeft gehad sinds jij bent verwekt.'

'Natuurlijk, als het van mijn vader afhangt vast niet. En ik zie het mijn moeder niet met een ander doen.'

'Dan is ze stapelgek. Kom op, blijf er maar niet over piekeren. Het beste wat je nu kunt doen is hier blijven. Morgen bellen we je moeder op en dan zien we wel wat we doen. En kijk verdomme wat vrolijker. Ik ga deze varkensstal hier wat uitmesten.'

Het schoot door me heen dat ik weleens uit mijn stoel kon komen om Monica te helpen het huis op te ruimen, maar ik bleef vastgespijkerd aan mijn Roche Bobois-stoel zitten en voelde me per seconde een beetje kleiner.

La Iguana moet begin jaren tachtig geopend zijn en zag eruit of niemand er sindsdien nog een asbak had verzet. Er hingen verkleurde posters aan de muur uit de tijd dat Iggy Pop, Bowie en de Stones nog optraden. De bekleding van bijna alle barkrukken was gescheurd en het schuimrubber van de vulling, zwart van pure smerigheid, was overal zichtbaar. Je kon niet zeggen dat La Iguana het meest *cool* was van de bars in de buurt, maar hij had zijn vaste klanten. Het was typisch een bar waar een stel vrienden aan het begin van de avond afsprak om bij elkaar te komen en rustig een paar biertjes te drinken zonder het gedrang van mensen en de overdosis aan decibellen die gebruikelijk waren in de trendy bars en om en passant een paar grammetjes te scoren die nodig waren om de rest van de nacht aan te kunnen. Normaal gesproken was er rond twee uur geen kip meer te bekennen in La Iguana, een tijd waarop de andere bars juist volstroomden met mensen en het er moeilijk werd om binnen te komen.

Die nacht, om half drie, waren er nog precies vier kippen: Monica, Coco, Pepe (de barkeeper) en ik. Met zijn vieren waren we nog geen honderd jaar.

'Jezus, het is hier dooier dan in een kerk. Als jullie willen trakteer ik op een laatste rondje en dan sluit ik,' stelde Pepe zijn stamgasten voor alsof dat de gewone gang van zaken was.

'Oké, doe maar drie bier,' zei Coco. 'Zijn jullie het daarmee eens?'

'Ja, prima,' zei Monica met haar mond vol chocoladekoekjes en ze vervolgde onmiddellijk haar gesprek met mij. 'Het is belangrijk,' legde ze uit, 'dat de buren niet merken dat je in huis bent, want als mijn moeder in de gaten krijgt dat ik het hele stel onderdak geef krijgt ze een beroerte. Je weet hoe zij is en wat de buren voor roddelaars zijn. Dus zolang je in huis bent gordijnen altijd dicht. En je mag pas binnenkomen of weggaan na negenen als de portier vertrekt. Bovendien zitten de buren om die tijd te eten en televisie te kijken en letten ze niet meer op wie er in- en uitgaat.'

'En ligt dat vleermuizenleven jou wel?' vroeg ik Coco met mijn meest zoetsappige stemmetje. Ik voelde me veel relaxter dan die ochtend. Iemand die me niet kende zou zich niet hebben kunnen voorstellen dat dit meisje met haar onschuldige gezicht nauwelijks vijftien uur daarvoor het porselein van haar moeder tegen de muur had gesmeten.

'Nou ja, ik ga de deur uit als het moet,' zei Coco. 'Maar eigenlijk merk ik het niet eens zo, want we gaan bijna elke avond uit. Ik lig dus overdag grotendeels te slapen en tegen de tijd dat ik mijn bed uitkom, iets gegeten heb en er weer tegenaan kan, is het al negen uur...'

Zijn vriendin (om haar maar iets te noemen) onderbrak hem: 'De laatste tijd komen we om allerlei redenen tegen zes of zeven uur 's morgens thuis. Nou, ik kom thuis, ga douchen en vertrek als een pijl uit de boog naar school. Daarna ga ik naar de supermarkt en koop iets te eten. En afhankelijk van hoe laat ik thuiskom, eet ik en val onmiddellijk daarna in slaap tot 's avonds. Ik heb me al op dit tijdschema ingesteld en het gaat heel goed. Het enige is dat ik geen zon krijg. We worden nog doorzichtig, zo wit zijn we. Wat doet het er ook toe... Bruin zijn is zoiets banaals.'

'Wat ík geniaal vind is dat ze jou in huis achterlaten. Mijn moeder ging nog liever dood dan mij alleen thuis te laten. Ze vertrouwt me voor geen cent. Als zij weggaat, moet ik mee. Als ik blijf, blijft zij ook... Q.E.D.' Ik zuchtte toen ik dat had gezegd en er viel spontaan een opstandig krulletje over het puntje van mijn neus.

'Wat zei je?' vroeg Coco.

'Q.E.D. *Quod Erat Demonstrandum.* Een grapje van ons,' legde Monica uit.

'Jullie hebben veel te veel van die eigen grapjes.'

'En wat jou betreft, schoonheid,' ging Monica verder, hem negerend, 'je moet wel weten dat ze me niet in huis *laten* blijven, maar dat ze me *straffen* met thuisblijven, dat is wat anders. Ze denken dat ik het erg vind dat ik niet mee mag naar Mallorca om afspraakjes te maken met rijkeluiszoontjes en rond te varen op jachten... Kind, je weet niet hoe moeilijk het soms is om te zakken als je zo intelligent bent als ik.' Ik veronderstel dat het ironisch bedoeld was, maar toch veranderde er absoluut niets in de toon van haar stem toen ze zei: 'Ik geloof dat ze het merken. Kort geleden roept die van filosofie me bij zich op zijn kamer, gaat zitten en zegt' – Monica nam hier een nasale toon aan – '"Monica, dit proefwerk is een ramp, ik geloof echt dat je in staat bent meer van jezelf te geven." Natuurlijk ben ik in staat meer van mezelf te geven, kom nou toch. Maar als ik dat doe, weet ik al wat me te wachten staat: veel bootje varen, nog meer jachtclub, om twee uur thuis en veel Álvaro en veel Borja die me weleens zullen vertellen hoe het moet. Een verschrikking, mij niet gezien.'

Op dat moment kwam een laatkomer de bar binnen. Hij was broodmager en droeg een zonnebril, die duidelijk niet als belangrijkste functie had hem tegen het verblindend scherpe licht van twee uur 's morgens te beschermen. Er ontbrak alleen een bord met het woord 'junkie' erop. Hij liep rechtstreeks naar Coco en fluisterde hem iets in zijn oor. Coco en het wandelende skelet verdwenen in de toiletten.

'En blijft Coco bij jou thuis?'

'Er zit niets anders op.'

'Nou ja, Coco is niet kwaad. Een beetje vulgair. Maar dat ligt jou wel.' Ik probeerde een onverschillig gezicht te trekken, maar daardoor leek ik alleen maar vijf jaar jonger.

'Laat hij het maar niet horen, want hij vindt zichzelf de elegantste vent van de wereld,' lachte Monica. 'Ik weet best dat je niet op hem valt, maar zo ben ik verzekerd van gratis stuff en hij neemt me mee naar plekken die ik zonder hem niet zou kennen.'

'Maar vind je hem leuk?'

'Ja... nee... zoals allemaal. Soms denk ik dat ik alleen op dit soort types val omdat ik zeker weet dat Charo een infarct zou krijgen als ze me met een van hen zag.'

'Klaag nou maar niet over je moeder, die gebruikt haar verstand tenminste.'

'Soms denk ik dat ik nog liever een moeder zou hebben zoals die van jou.' Monica keek met een kritische blik naar haar benen om te zien of ze weer onthaard moesten worden. 'Begrijp me goed, ik benijd je niet met haar en ik snap heel goed dat je snakt naar de tijd dat je van haar bevrijd zult zijn. Maar iedereen begrijpt tenminste waarom je het niet met haar uithoudt. Zelfs je eigen vader verdraagt haar niet.'

'Wat een troost.'

'Ik weet niet of het een troost is of niet, maar het is heel erg om een moeder te hebben die door iedereen geweldig wordt gevonden behalve door haar eigen dochter. Mijn maag draait ervan om als ik zie hoe verwaand ze is.' Ze zuchtte en hief haar ogen ten hemel om de berusting uit te drukken waarmee ze dit allemaal verdroeg. 'Zo van "Monica, knap je een beetje o-op, je ziet er niet ui-uit", en van "Gonzalo, je denkt toch nie-iet dat je met dat he-e-emd de straat op kan, he-eh?"'

'Maar dat doen alle moeders. Dat staat zelfs in het woordenboek: moeder, van het Latijnse *mater*, vrouwelijk. Persoon die altijd wat aan te merken heeft op je kleren als je uitgaat.'

'Precies.' Ze nam nog een slokje bier.

De grijze en kleverige bar, omlijst door een leger flessen op een rijtje, bood een dubbele aanblik vanwege de spiegel erachter. Tegenover mij, aan de tweelingbar, dronk een tweeling-Monica, een indrukwekkend donkerharig meisje, minder scherp omlijnd dan degene naast mij, omdat haar silhouet wazig was door de rook en het indirecte licht, als een onderwateropname.

'Daar komt je nieuwste aanwinst, samen met de mannelijke versie van Kate Moss,' zei ik, knikkend naar Coco en de junk die uit het toilet kwamen. Vanuit de verte leken ze op elkaar, want Coco was hartstikke mager. Hij was niet zo groot, nauwelijks groter dan Monica, en met zijn tengere postuur en zenuwachtige gedrag leek hij op een schichtig reptiel, op een gladde aal.

De junk groette Pepe met een hoofdbeweging en schoot snel naar de deur. Hij ging vast en zeker naar het dichtstbijzijnde portiek om een shot te nemen. Niemand durfde dat in La Iguana te doen, want ze wisten dat Pepe hen er in dat geval niet meer in zou laten en ze wilden niet het recht verspelen om op een van de meest centrale verkooppunten binnen te komen.

'Goed, meisjes,' zei Coco, met zijn arm om de schouder van zijn vriendin, 'gaan we ervandoor? En jij, Pepe, wat doe jij, moeten we op je wachten?'

'Nee, ik ga naar huis om mijn roes uit te slapen, ik breng het echt niet meer op.'

'Wij moesten eigenlijk hetzelfde doen,' zei Coco. 'Door de komst van deze dame hier hebben we vandaag bijna niet geslapen. Nemen we een taxi?'

'Natuurlijk,' zei Monica en dronk daarop haar glas in één teug leeg ten teken dat ze er genoeg van had in La Iguana en zo snel mogelijk weg wilde.

Op mijn achttiende was ik nog maagd, maar Monica was al met een heleboel jongens naar bed geweest. Toch waren we niet zo verschillend. Tekort en overdaad kwamen op hetzelfde neer: de vlucht voor gebondenheid, of het verwerpen daarvan.

Sinds ze veertien was had Monica de ene relatie na de andere gehad. Iedereen zag haar als deel van een stel en Monica zelf was niet in staat zichzelf op een andere manier te zien. Ik heb een stuk of tien tot vijftien vriendjes van haar gekend. Ze hield het nooit langer dan twee maanden bij hen uit en ik beschouwde hen nooit als rivalen. Het waren alleen maar sukkels die haar van school kwamen halen om haar drankjes te betalen en met haar te rotzooien op de achterbank van hun auto's. Monica had het voordeel dat ze zich emotioneel altijd zeker voelde, omdat er steeds iemand bereid was van haar te houden of naar haar te verlangen. Maar het nadeel was dat haar afhankelijkheid, zowel van mannen als – denk ik – van seks, met de dag toenam. Ze kon niet alleen leven, precies zoals Cat. Maar in tegenstelling tot Cat wilde ze evenmin met iemand samenleven.

Ze was mijn vriendin en vertelde me alles, uitgerekend mij, die nog steeds maagd was, die zelfs nog nooit een jongen had gezoend. In tegenstelling tot wat je zou kunnen verwachten, oordeelde ik niet en verweet ik haar nooit haar gedrag. Ik was de enige die haar accepteerde zoals ze was. Dat wist ze en dat was een van de redenen waarom ik haar zo na stond, ook al waren we ogenschijnlijk nog zo verschillend. Monica wist heel goed dat niemand op school begrip had voor haar seksuele wangedrag. Ze moest heel wat afkeurende blikken en insinuaties verduren. Maar dat kon haar niets schelen. Mijn lichaam is van *mij*, zei ze, en er zat iets in de intensiteit van dat uitgesproken cursief waarmee ze de nadruk legde op het bezittelijk voornaamwoord, dat haar boven haar aanvallers plaatste. Wat bewonderde ik haar toen…!

Maar in werkelijkheid leefde Monica, schijnbaar zo onafhankelijk, via anderen. (En anderen leefden via haar, ikzelf inbegrepen.) Want Monica begreep het leven niet als het niet in paarvorm was: ze was nooit alleen. Maar ze had haar eigen ideeën over wat een paar was: het ging om relaties die meer gebaseerd waren op concurrentie dan op samenwerking, meer op parasitisme dan op intimiteit. Ik was haar vriendin. Haar vriendjes waren haar vriendjes. Dat had niets met elkaar te maken. Ze regelde al haar meningsverschillen met hen op basis van seks. Ze onderhandelde in haar relaties door de liefde te bedrijven. Haar lichaam was haar wisselgeld. Ik was toen nog maagd en verwachtte grote dingen van seks. Ik dacht dat, als ik er op een goede dag mee te maken zou krijgen, het een soort wonderbaarlijke gebeurtenis zou zijn die de deuren van de waarneming voor me zou openen. Monica daarentegen verwachtte al niets meer. Noch haar eigen lichaam, noch dat van de mannen met wie ze naar bed ging, kon haar nog iets speciaals, iets onbekends bieden. Ze had zich van die illusie van het beloofde mysterie ontdaan en lijfde het in bij de categorie van iets wat gewoon verwacht kon worden door het te veranderen in iets triviaals en vulgairs, als een voetbalwedstrijd.

En ik geloof niet dat ze echt zo genoot van seks, ook al probeerde ze alles op allerlei manieren uit. Terwijl ik nog maagd was had zij het al gedaan in auto's en portieken, op donkere trottoirs en in de kabelbaan. Ze had orale seks gehad, het op zijn hondjes gedaan, met rode lichtjes en in dure lingerie. Haar leven was erop gericht de banale ervaring van de coïtus meer pit te geven. Toch bleef ze verveeld. Vanuit de heftigheid van haar verlangen, die behoefte om te overheersen en te bezitten, heb ik haar nooit met tederheid over een van haar vriendjes horen praten. Er kon ook geen tederheid zijn in die armzalige snelle nummertjes van tien minuten, die schokkende stoten waar later alleen de blauwe plekken en schrammen nog aan herinnerden. Nu ik ouder ben en van een afstand de verhalen die ze mij toen vertelde weer beleef, geloof ik dat zij onder seks geweld verstond, onder liefde seks en onder overheersing liefde.

Veel vrouwen die katholiek zijn opgevoed hebben het gevoel gehad dat ze beslist moesten zondigen en ze hebben jaren van het ene avontuur in het andere geleefd. Misschien was zij zo, misschien voelde zij zich zinnelijk als ze rondging door die wereld vol sperma. Misschien werd seks een mystieke ervaring als een gunst voor mensen, zoals het bij de Heilige Theresia van Avila God was die haar tot extase bracht. Ik kan het niet weten, ik kan het me alleen voorstellen, maar ik ben er bijna zeker van dat zij haar best deed om mannen te verzamelen uit pure opstandigheid en niet uit echt verlangen.

Ik heb altijd naar haar verlangd, en als zij me haar avonturen vertelde voelde ik een soort van razende draaikolk in me tekeergaan, een mengeling van jaloezie en opwinding. Haar zwarte ogen zonden me woordeloos duistere boodschappen die ik probeerde te ontraadselen als een dappere kleuter. Ik keek naar haar en voelde hoe het verlangen een balletje naar me opgooide om met Monica te spelen. Maar altijd zag ik haar met begerige ogen de andere kant opkijken.

Monica kwam de voordeur in met de boodschappentas en haar schrijfmap en liep rechtstreeks naar de ideale keuken. Charo had de oude granieten gootsteen in Italië gekocht en er een paar antieke bronzen kranen uit Trentino boven laten zetten. De oude tegeltjes waren speciaal in een keramiekfabriek op Ibiza besteld. Het servies, het glaswerk en het keukengerei pasten allemaal bij elkaar. Monica haalde de groenten uit de tas en legde die op de tafel van wit gres. Daarna begon ze de yoghurtjes in de koelkast te doen. Toen ze zich bukte zag je de ronding van haar billen, zwierig door jeugd en oefening. Ze begon een salade klaar te maken toen ze mij eindelijk opmerkte. Ik stond tegen de deurpost van de keuken geleund naar haar te kijken, met mijn haar in de war, slaap in mijn ogen en alleen een T-shirt van Sonic South aan.

'Die spijkerbroek staat je goed,' merkte ik op in een poging mijn bewonderende blik te rechtvaardigen. (*Explicatio non petita, acusatio manifesta*, zoals mijn vader gezegd zou hebben.)

'En jou staat mijn T-shirt goed,' zei ze alsof ze niets in de gaten had.

'Alles van jou staat me goed,' verzekerde ik haar en dat was zo. 'Ik heb een gruwelijke hoofdpijn. Ik ben niet gewend om zoveel te drinken.'

'Er moet ergens Alka Selzer liggen. Trouwens, nu je toch op bent zou je best even je moeder kunnen bellen, al was het maar om te zeggen waar je bent, want ze zal wel ongerust zijn.'

'Ongerust? Integendeel, ze is maar wat blij dat ze me niet ziet.'

'Kom op, overdrijf niet zo. Bovendien, ik pas ervoor om je hier te houden als je moeder het niet weet, want ik wil geen narigheid.'

Met tegenzin ging ik naar de bakelieten telefoon. Die had Charo op een veiling gevonden. 'Ik werd er bij de eerste aanblik verliefd op en ik heb uren moeten onderhandelen, maar het was wel de moeite waard. Het is een beeldje, vind je niet?' De hoorn was even zwaar als mijn slechte geweten. En het was ook nog eens hartstikke moeilijk om de nummers te draaien op die schijf. Met tegenzin draaide ik dat van mijn huis.

'Mama, ik ben het... Ik ben bij Monica thuis... Ja... Ja... Ja... Oké... Goed... Ja. Dag.' Monica keek me met een vragende blik aan. 'Niets, ze had vier rotopmerkingen en toen hing ze op omdat ze naar de kapper moest,' legde ik uit.

Plotseling voelde ik hoe een stroom brandende lava, een mengeling van onmacht en ingehouden woede door mijn slokdarm naar boven kwam. O nee, dacht ik, ik ga weer huilen. Dit is nog erger dan een soap.

'Ik waarschuw je dat als je ook maar één traan laat je door deze deur verdwijnt. Dus of je gaat douchen of je helpt me met het eten,' zei Monica, die de gedachten in mijn ogen had gelezen en ze begon als een waanzinnige tomaten te snijden op een houten plankje.

Anderhalve minuut. Precies de tijd die mijn moeder nodig had gehad om mijn humeur radicaal te veranderen. Hoeveel jaar training is er nodig om te leren rechtstreeks het hart te raken? Het was alsof mijn moeder en ik aan het touwtrekken waren en we allebei aan ons eigen uiteinde probeerden de ander naar haar terrein te trekken, ook al wisten we dat een van de twee elk moment zo hard kon trekken dat de ander met haar neus in het stof zou bijten. In zekere zin hadden wij de navelstreng niet doorgeknipt en waren we uitgegroeid tot twee vrouwen die vreemden van elkaar waren geworden maar die elkaar toch zo nodig hadden dat er alleen nog maar communicatie mogelijk was via een absurd spel van bedrog, angst en vernedering dat over en weer ging door de ruimte die er tussen ons was. Het was net zo'n scheve en afhankelijke relatie als van de roos die de worm liefdevol in haar hart opneemt om uiteindelijk door hem te worden opgevreten.

Voor mijn vader ben ik Beatriz, voor mijn vriendinnen Bea; Monica – en alleen Monica – noemde me af en toe Betty; en mijn moeder noemde me toen ik klein was naar mijn haardracht: het was altijd 'kom eens hier, vlechtjes' of 'geef me eens een kusje, krulletjes' dat hing ervan af of ik los of opgestoken haar had.

Poeder, gouden lokken, lippenstift, bridgeclub, zwart mantelpak, parelketting, pumps met een hakje van drie centimeter, naar rozenblaadjes ruikende rozenkransen, de Onbevlekte Maagd op het nachtkastje, buisjes en doosjes antidepressiva, een eenzame en fatsoenlijke vrouw. Mijn moeder.

Ik moet het resultaat zijn van een van de laatste intimiteiten van mijn ouders, want zover mijn herinnering reikt hebben ze altijd in aparte kamers geslapen en zich nooit, in mijn bijzijn tenminste, ook maar enig teken van lichamelijke toenadering veroorloofd: ze pakten elkaar niet bij de hand en kusten elkaar evenmin. Ze keken elkaar niet eens aan.

Zoals de Zon de Aarde regeert, werd ik geregeerd door mijn moeder, ik was haar planeet. Ze wekte me, waste me, kleedde me aan, gaf me mijn ontbijt, bracht me naar school en stond me bij dezelfde deur op te wachten als de school uitging om me weer mee naar huis te nemen. Ze zorgde dat ik mijn schooluniform uitdeed en mijn gewone kleren aantrok, maakte mijn avondeten, hielp me met mijn huiswerk en vertelde me voor het slapengaan, met haar onderarm leunend op mijn kussen, verhaaltjes van gelovige kindertjes die een verschijning van de Maagd hadden gezien, terwijl ze ondertussen mijn krulletjes streelde tot ik in slaap viel.

Mijn moeder was overdreven netjes en precies. Nauwkeurig hield ze alle data van mijn hoogtijdagen bij – verjaardag, naamdag, eerste tandje, schoolfeest – zonder dat ook maar één enkele vermelding op de kalender nodig was. Ze was er uitermate trots op dat ze zo handig was in het organiseren van het huishouden. Een vreemde kon haar huis binnenkomen, iedere kast, iedere lade opendoen en hij zou niets tegenkomen waar mijn moeder zich voor moest schamen, want alles zag er kraakhelder en netjes uit. Je kon van de badkamervloer eten. Ja, mijn moeder was de trots van de Afdeling Vrouwen, de heilige patrones van onzelfzuchtigheid en opoffering. Ze naaide, stopte, streek, poetste, breide en maakte *petit point*-schilderijtjes. In tegenstelling tot al haar vriendinnen had ze nooit hulp in huis gehad en tot slot, beklemtoonde ze trots, weerhielden die bovenmatige huishoudelijke activiteiten haar er niet van om deel te nemen aan allerlei sociale verplichtingen: bridgepartijtjes, theekransjes met taartjes, etentjes buitenshuis, bezoeken aan theater en ballet.

Ze had er veel voor over gehad om mij te krijgen en inderdaad raakte ze van mij in verwachting toen ze de hoop al bijna had opgegeven, na de beste artsen van Madrid bezocht te hebben, novenen gewijd te hebben aan de heilige Sara, die op negentigjarige leeftijd in verwachting raakte, en de heilige Rita, beschermvrouwe van onmogelijke gevallen en na drie miskramen die ze ervoer als drie dolksteken in haar buik en ziel. En toen ze zesendertig was werd ik eindelijk geboren, de vrucht van haar schoot waar ze zestien jaar lang op had gewacht. Dat mollige baby'tje dat ik was, was haar enige wens en obsessie geweest. En het gevolg was dat ik vreselijk werd verwend. Ze probeerde voortdurend bij me te zijn. Ze kocht boeken, snoepjes en speelgoed voor me en gaf antwoord op al mijn vragen. Ik aanbad haar toen ik klein was.

Wat mijn vader betreft, die zat van maandag tot vrijdag binnen op een kantoor en kwam heel laat en heel moe thuis, als ik al in bed lag. 's Zondags verschanste hij zich in zijn werkkamer, met de krant als borstwering, en onder geen beding mocht ik zijn rust verstoren. Ik zag hem niet veel en als ik bij hem was keek hij voortdurend op zijn horloge. De weinige tijd dat hij thuis was, was dat ook merkbaar. Zij hadden vaak samen ruzie, meestal met veel geschreeuw. Met de jaren kwam ik er door de beledigingen en de beschuldigingen die mijn moeder zich tijdens hun ruzies liet ontvallen achter dat mijn vader andere vrouwen had en niet erg veel moeite deed dat te verbergen.

Mijn moeder dacht er nooit over om te scheiden. Dat moest er nog bij komen: zij was praktiserend katholiek. Haar godsdienst was het belangrijkste in haar leven. Ik begrijp niet goed wat het geloof is, maar ik weet dat het mijn moeder tot een vrome gelovige maakte: ze had houvast, een rechtvaardiging, iets om voor te leven. Haar man hield niet van haar (of hield niet van haar zoals zij wilde dat hij van haar hield) en zij kon alleen maar echtgenote en moeder zijn: zij had niets anders gewild en ze hadden haar ook niets anders geleerd. Trouwens, in het milieu waarin zij zich bewoog en was opgegroeid, dat wereldje van bridgeclub en parochievergaderingen, waren gescheiden vrouwen niet erg populair. In die kringen werden mannen gewaardeerd om hun daden en vrouwen om hun uiterlijk en later om wat hun mannen deden, en hun leven lang werd de schijn voor de buitenwereld opgehouden. Zo simpel was het.

Bovendien was haar situatie niets bijzonders, maar eerder een veel voorkomend verschijnsel. Alle mannen zochten hun genoegen buitenshuis. Die gedachte is voor een kind niet duidelijk, dat kan alleen maar een duister vermoeden hebben van huwelijksrelaties en weet niet precies waarom het vreemd is dat een echtpaar het bed niet deelt, maar begrijpt wel dat gescheiden kamers een probleem inhouden. Toen ik vijftien jaar was zou het mij duidelijk worden; tijdens een diner op de Club de Campo ving ik een gesprek op dat niet voor mijn oren bestemd was: twee collega's van mijn vader die naast mij zaten en die te veel hadden gedronken en daardoor niet merkten dat ze overdreven luid en indiscreet waren, vertelden hoe op een feest voor de vakantie een van hen op het idee was gekomen om een prostituee in te huren. Alle collega's van kantoor hadden in de badkamer gebruik van haar gemaakt. Behalve Carlos Franco, zei de een tegen de ander, want je weet hoe hij is, ik weet niet of hij bij het Opus Dei is of homo. Het vreemde was dus dat hij daar niet aan had meegedaan. Alle anderen gingen ervan uit dat ontrouw een teken van mannelijkheid was, een duidelijk bewijs van viriliteit.

Mijn vader dacht er echter ook nooit over om ons te verlaten, geloof ik, ondanks het geschreeuw en de eeuwige ruzies. In de wereld van mijn ouders hadden de heren een wettige echtgenote die thuis bij de kinderen bleef en met hem naar recepties ging: een vrouw zoals mijn moeder, ontwikkeld maar niet betweterig, discreet maar niet saai, knap maar niet opvallend, onderhoudend maar niet praatziek. Een briljante middelmaat zullen we maar zeggen, een vrouw die aardig pianospeelde, Frans sprak en bij de nonnen was opgevoed.

Voor mijn moeder was het huwelijk de plek van de liefde, een liefde bestaande uit toewijding, gehoorzaamheid en respect. Kwaliteiten die vanzelfsprekend voor de vrouw ten opzichte van de man golden en niet andersom. Maar de vrije keuze of het afwijzen van de liefde, het in de steek laten en het berouw, de hoop en de wanhoop, kortom alles wat op passie berust, hadden niets met het huwelijk te maken. Zij trad in het huwelijk zoals iemand de griep oploopt en ik geloof niet eens dat affectie zoveel invloed heeft gehad op haar keuze. In het begin hield ze van mijn vader, maar als ze hem niet had leren kennen zou ze met ieder ander zoals hij zijn getrouwd. Ik geloof dat mijn moeder het moederschap boven het religieuze leven stelde, de enige twee mogelijkheden die ze kende.

Tijdens mijn jeugd zag het er absoluut niet naar uit dat onze verhouding ten slotte zo zou verslechteren. Ik hield veel van mama, zoveel dat wanneer de meisjes op school vroegen van wie ik het meeste hield, van mijn vader of mijn moeder, ik zonder aarzelen antwoordde: van mijn moeder. Altijd. En de meisjes die zeiden 'van allebei evenveel' vond ik verdacht. Ik vertrouwde niemand die geen duidelijk standpunt innam, die niet wist voor welke partij hij moest kiezen.

Ja, mijn moeder was mijn Zon en regeerde mijn bestaan. Maar de Zon is minder stabiel dan het lijkt; hij heeft ook seizoenen en stormen en wisselende activiteiten, en de schommelingen van de Zon hebben directe invloed op zijn planeten. De Zon is de oorzaak van veranderingen op aarde: zijn licht heeft invloed op de temperaturen: zijn ultraviolette stralen op de wind en de ozonproductie; zijn uitbarstingen van magnetische velden en subatomaire deeltjes op de regen en het aantal wolken. Hoe dan ook, als de Zon kwaad wordt, als er een kosmische eruptie is, wordt de aardkorst de dupe van die verandering.

Mijn moeder veranderde en ik met haar.

Het werd donker, hoewel je dat door de dichte gordijnen in de slaapkamer van Monica's ouders niet goed kon zien. Gordijnen van Nina Campbell, een zijden sprei van Pierre Frey, een gietijzeren bankje ontworpen door Pedro Peña en bekleed met dezelfde stof als die van de sprei. Een oude vurenhouten naaikist deed vaak dienst als nachtkastje en Monica lag naast mij een joint te roken op het tweepersoonsbed van Charo en Manuel, waarvan het hoofdeinde indertijd deel had uitgemaakt van een antieke kapstok. Charo had hem ook op een of andere veiling gevonden en hij had haar een rib uit haar lijf gekost. Maar zoals gewoonlijk vond ze dat het de moeite waard was.

Ik sloot mijn ogen en dacht aan El Escorial. 's Zomers gingen we daar altijd naartoe. Maar die zomer nam mijn vader geen vakantie en hoewel we nog niet over onze vakantieplannen hadden gesproken, was het duidelijk dat mijn moeder en ik er niet tegen konden om samen in hetzelfde huis opgesloten te zitten. Ik zag mezelf al de treden, allemaal voorzien van witte steentjes, oplopen naar de ingang van het chalet. De zon scheen op mijn schouders. Ik was tien jaar. Van jongs af aan bracht ik de zomer door in een vakantiepark van geschakelde bungalows waar mijn gelukkige dagen zich afspeelden. Tijdens de zomer vormden jongens en meisjes van dat park een grote groep en stortten we ons met z'n allen in spannende avonturen: het stelen van peren uit de boomgaard naast het park (met voorbedachten rade en extra moeilijk door klimpartijen) het wegnemen van badpakken die aan de waslijn bij de chalets hingen (met voorbedachten rade maar zonder klimpartijen) en bloedige gevechten waarbij met stenen werd gegooid naar de groep van het vakantiepark ernaast en riskante tochten naar onbebouwde terreinen waar de blanken nog niet eerder waren geweest. Die zomers behoorden tot de schaarse gelukkige herinneringen uit mijn jeugd.

'Hé, dit jack is wel tweehonderdduizend peseta's waard!'

Coco's stem bracht me terug naar de werkelijkheid. Ik deed mijn ogen open en was weer achttien jaar. Coco stond een leren jack van Loewe te passen dat hij zojuist uit de enorme ingebouwde kast had gehaald en bekeek zichzelf in een van de spiegels.

'Denk maar niet dat je daarmee de deur uitkomt, het is van mijn vader,' zei Monica. 'En je moet niet zo op merken letten. Dat is zo banaal.'

Coco ging met het jasje nog aan naast Monica zitten. Zij gaf hem de joint.

'Denk om de as. Als mijn moeder een brandgat in de sprei vindt, vermoordt ze me,' zei ze humeurig. 'Over moeders gesproken, wordt het niet eens tijd dat je teruggaat naar die van jou?' Nu had ze het tegen mij. 'Je kunt hier niet eeuwig blijven. En ik hou er al helemaal niet van dat je moeder om de dag hiernaartoe belt.'

'Jij belt helemaal niemand, meisje, je vriendin kan hier blijven. Het komt ons heel goed uit dat ze blijft,' zei Coco.

'Wat zullen we nou krijgen...' Monica keek hem met open mond aan, ze begreep niet dat een minkukel als hij, die tenslotte gratis in haar huis woonde, de moed had haar tegen te spreken.

'Ik geloof dat jouw vriendin de ideale persoon is om als koerier te fungeren. Ik vind dat ze er goed uitziet. Naast haar ziet zelfs de Maagd van El Rocío eruit als een dealer.'

Coco gaf de joint terug aan Monica, die hem half verbaasd en half kwaad aankeek.

'Als je denkt dat je die arme Bea in jouw handeltjes kunt betrekken, heb je het mis,' antwoordde zij.

Ze nam een trekje van de joint en gaf hem weer terug aan hem.

'Jezus, ik heb het alleen over het bezorgen van een pakje, dat is alles. Ik vraag niet of ze een apotheek wil beroven.' Hij nam een lange trek, gaf de joint aan haar en ging door. 'Bovendien komt ze helemaal niet in moeilijkheden, dat zul je zien. Het is wat anders als ik zou gaan, want mij hebben ze al vaak gezien en ik val in iedere wijk te veel op.'

'Nou, dan breng ík het toch of je spreekt ergens anders af om het af te leveren.' Monica bracht de joint weer naar haar lippen en gaf hem meteen daarna aan Coco.

'Ze hebben jou met mij samen gezien en ik heb onder andere afgesproken dat de levering thuis gebeurt. Dus daar hoef je niet langer over te praten.'

Coco doofde de sigaret in de zilveren asbak die op het nachtkastje stond, ging toen hij niets meer in zijn handen had naast Monica liggen en begon haar kleine ronde borstjes, twee puddinkjes met een kers erbovenop, te strelen. Hij drukte zijn kruis tegen Monica's dij, streelde zachtjes met zijn wijsvinger langs haar bovenlip en merkte hoe haar mond een beetje openging. Wij begrepen alle drie dat we later maar verder moesten praten. Ik stond op van het bed en liep naar de deur, me ervan bewust dat ik vanaf dat moment te veel was.

'Ik weet niet of jullie beseffen dat ik ook nog iets te vertellen heb in een discussie die tenslotte over mijzelf gaat,' zei ik leunend tegen de deurpost voordat ik naar buiten liep.

'Kom, laat ons nu maar alleen,' zei Monica.

Ik deed de deur met een klap dicht.

Ik liep door de gang van Monica's huis. Aan het eind zag ik een deur die mij nog niet eerder was opgevallen. Ik deed hem open en ontdekte dat hij op een andere gang uitkwam, langer en donkerder dan de gang die ik kende. Ik liep door en zag een tweede deur. Die deed ik open en ik kwam terecht in een lege donkere kamer met witte muren. In een van de muren zaten een paar ramen die afgesloten waren met dubbele withouten luiken. Ik deed ze een voor een open zodat het licht de kamer inkwam en de muren deed oplichten. Ik ging midden in de kamer zitten en voelde me blij. Opeens zag ik dat de kamerdeur vanzelf dichtging, zachtjes, alsof een onzichtbare hand hem had dicht gedaan. Ik probeerde niet eens op te staan om hem open te doen want ik wist dat me dat niet zou lukken. Dat de grendel er buiten op zat. Dat ik in een lege kamer zat opgesloten.

Ik deed mijn ogen open en probeerde me te oriënteren. Het duurde een paar seconden voor ik besefte dat ik in de stoel in de woonkamer in slaap was gevallen. Wanneer je wakker wordt moet je je allereerst kunnen plaatsen in ruimte en tijd, zodat ik instinctief met mijn ogen de grote staande klok zocht (gekocht bij een antiquair op de Puerta de Toledo: een koopje) en zag hoe laat het was: tien over negen. Coco of Monica of beiden konden ieder moment binnenkomen door de deur die op de gang uitkwam, dezelfde die ik in mijn droom had gezien. Ik hoefde me alleen maar te concentreren, strak te blijven kijken en te wachten. Ik richtte mijn ogen op de deur en dwaalde geen moment af, zelfs niet om op de klok te kijken, zodat ik niet wist hoeveel tijd er voorbij was gegaan voordat de deur eindelijk openging en Monica verscheen, met verwarde haren, slaap in haar ogen en nog niet helemaal wakker.

Toen ze de deur opendeed stond Monica oog in oog met mij. Ze keek alsof ze zich doodgeschrokken was hoewel ze na zoveel jaar toch wel gewend zou moeten zijn aan mijn eigenaardigheden.

Ze liep als een robot naar de stoel, ging naast me zitten, pakte de afstandsbediening en richtte die op de televisie met 46-inchscherm en overheadprojector, stereo, van Japanse makelij, de beste die er was.

'Stuff, ik heb stuff nodig,' mompelde Monica.

Ze drukte automatisch op de knop 'programma' van de afstandsbediening en zapte een voor een langs de meer dan veertig kanalen die via de satelliet te ontvangen waren. Een Barbie uit een soap omhelsde vurig de dienstdoende Ken die op een bestuurstafel in een kantoor leunde; een roodharige jongen met flaporen probeerde de juiste prijs van een koelkast te raden; een prehistorische presentatrice – in een namaak-Chanel-pakje met een overdaad aan bijouterieën en faceliften – gaf in de studio koffie aan een aankomend filmsterretje dat met de punt van haar zakdoek krokodillentranen uit haar ogen depte; een paar magere negertjes met hongerbuikjes die net aankwamen in een vluchtelingenkamp; een paar enorme gezette en goedgebouwde dames die over een catwalk liepen en hautaine blikken wierpen naar het publiek dat enthousiast klapte; een nieuwslezer die vanachter zijn redactietafel de camera inkeek met een gezicht alsof de knoop van zijn das veel te strak zat; een grote rode auto die geruisloos over een verlaten bochtige weg gleed; een Japans megamonster dat een projectiel afvuurde op een ander Japans megamonster boven de ruïnes van een tekenfilmstad; een huilend huisvrouwtje dat haar man smeekte bij haar terug te komen; een oogverblindende blondine die stond te playbacken; een buitenaards wezen in een skyjama dat een ruimteschip bediende; een bokswedstrijd; nog een nieuwsprogramma; nog een soap; nog een realityshow; nog een tv-komedie; nog een autoreclame; dezelfde actrice die diverse keren verscheen en Engels, Frans of Duits sprak; het spelletjesprogramma waarvan diverse versies in diverse landen zijn.

Uiteindelijk viel Monica's keuze op MTV. Op het scherm zongen treurige Britse jongeren die dringend een goede kapper nodig hadden liedjes over mislukte liefdes en heimwee, terwijl ze lusteloos aan hun gitaren rukten. Monica legde de afstandsbediening op de Ricardo Chiara-tafel en lachte naar me.

'De wereld is enorm,' zei ze, 'kijk maar eens wat er allemaal is. En toch stelt de Aarde binnen het Heelal niets voor. Een microscopisch klein puntje dat opgaat in een onmetelijkheid van duizenden lichtjaren. Vergeleken met het bestaan van het Heelal bestaat de Aarde nog niet eens een nanoseconde, en het ziet er niet naar uit dat het nog een nanoseconde duurt...'

Op dat moment kwam Coco met een tevreden uitdrukking op zijn gezicht de woonkamer binnen. Hij ging op de stoel naast ons zitten.

'Krijg nou wat, Primal Scream,' zei hij wijzend op het enorme scherm en het verhaal van Monica onderbrekend.

'Leven die nog?'

'Verdomme wat een cool ding, die tv,' riep hij uit, de vraag van Monica negerend. 'Het lijkt wel of we in de bioscoop zitten. Als dit mijn huis was, zou ik van m'n leven niet meer de straat op gaan.'

'Maar het is jouw huis niet en evenmin dat van mij, het is van Charo. En als Charo thuiskomt zul je eruit moeten en terug naar waar je vandaan bent gekomen, dus wen er maar niet te veel aan,' zei Monica.

Even was het stil. De muziek klonk door de woonkamer en wiste onze gedachten uit. Geleidelijk aan voelde ik me gespannen worden, zittend op het randje van de stoel, mijn rug in een perfecte rechthoek ten opzichte van mijn benen en mijn handen op mijn knieën. Coco keek naar Monica alsof hij haar goedkeuring vroeg. Toen haalde hij een pakje sigaretten uit de zak van zijn spijkerbroek, stak er eentje op en verbrak het zwijgen.

'Bea, Monica en ik willen graag dat je iets voor ons doet.'

'Wat moet ik doen?' vroeg ik achterdochtig.

'Niets bijzonders. Wij willen je vragen of je ergens een pakje heen wilt brengen, dat is alles,' zei Monica.

'En waarom doen jullie dat zelf niet?'

'Omdat het naar La Moraleja moet. Zie je Coco al in La Moraleja?' vroeg Monica.

'Nee, maar jou wel, heel goed zelfs,' zei ik.

Toen kwam Coco beledigd tussenbeide.

'En mag ik vragen waarom je mij niet in La Moraleja ziet?'

'Luister, als je niet wilt, zeg dat dan gewoon,' ging Monica verder zonder zich iets van Coco's inmenging aan te trekken, waarmee ze duidelijk liet merken dat Coco uit de toon viel in La Moraleja en dat daar niet eens over gepraat hoefde te worden, 'maar we zouden het wel heel prettig vinden als je ging. We hebben geen rooie cent meer. Het is een noodsituatie.'

'Ik weet niet... Ik heb geen zin in rare toestanden,' zei ik weifelend.

Eigenlijk vond ik het helemaal niet zo riskant om ergens een pakje heen te brengen. Ik vermoedde dat ik drugs moest brengen naar een of ander rijk figuur die genoeg geld had om het thuis te laten bezorgen. Ik was ervan overtuigd dat het zo'n vaart niet liep. Dat Coco dealde was duidelijk, zoals het ook duidelijk was dat hij maar een middelmatig dealertje was. Bovendien moest ik naar La Moraleja en daar zijn geen politieagenten, alleen maar veiligheidsagenten die opgeleid zijn om eigendommen te beschermen en niet om zich met het privé-leven van de bewoners te bemoeien.

'Bea, lieverd, je kent me nu al eeuwen. Denk je dat ik je iets zou vragen wat ook maar enigszins gevaarlijk was? Ik beloof je dat je geen enkel risico loopt. Kom op Betty, alsjeblieft. Doe het voor mij,' zei Monica poeslief.

'Oké.' Ze vroeg verdomme toch niet of ik naar beneden wilde springen. 'Maar besef wel dat ik het alleen voor deze ene keer doe. En nog iets: ik weet niet wat ik moet bezorgen en ik wil het niet weten ook. Hoor je me? Ik wil het gewoon niet weten.'

Het was een hele onderneming om bij La Moraleja te komen. Eerst moest je met de metro naar het Plaza de Castilla en dan daar een bus nemen, die er zeker een half uur over deed om de stad uit te komen. Ik telde vijf haltes vanaf het Plaza de Castilla. Toen ik uit dat voertuig met airconditioning stapte sloeg de hitte me als een klap in mijn gezicht. De warme straten lagen te gloeien in de zon en het droge stof verstikte mijn keel. Gelukkig had Coco me uiterst gedetailleerde instructies gegeven hoe ik bij Los Tilos moest komen – de naam van het huis waar ik heen moest – en ik had het gevonden net toen ik dacht dat ik ging flauwvallen van de hitte. De naam, Los Tilos, stond in keramische tegels op een muur van meer dan twee meter hoog, zodat je niet naar binnen kon kijken. Ik drukte op de bel en het controlelampje van een camera ging aan. Degene die me zag besloot dat ik naar binnen mocht, want een paar seconden later hoorde ik een klik ten teken dat het slot van de metalen deur automatisch geopend werd.

De witte bakstenen muren die het huis afschermden waren aan de binnenkant bekleed met houten latwerk. In de schaduw van een grote ceder trok een kleurig bloembed van petunia's en viooltjes meteen de aandacht, terwijl achterin buxushagen groeiden die in rechte rijen tussen de hoge bomen stonden. Ik zag dat er ceders en steeneiken stonden, maar geen enkele lindeboom en ik vroeg me af waar dan in 's hemelsnaam de naam van het huis vandaan kwam. Misschien, viel me in, wisten de bewoners van het huis niet wat een linde was. Ik liep een tegelpad af dat dwars door de tuin liep en bij de deur aangekomen drukte ik op de bel, wat een hels kabaal van klingelende klokken veroorzaakte en de middagstilte verstoorde. Een minuut later verscheen er een dienstmeisje, van het soort dat niet meer bestaat, in zwart uniform, met kapje en schort.

'Ik kom voor Jaime,' zei ik zachtjes.

Het anachronistische dienstmeisje liet me binnen en vroeg me te wachten in een enorme salon, die overheerst werd door een kalkstenen schoorsteen waar Charo jaloers op zou zijn geweest; daarnaast was een kleine nis waarin een mand met brandhout stond. De vloer was prachtig, geen ordinair parket maar echt Amerikaans eikenhout. Ik ging in een antieke leren stoel zitten van waaruit je prima de trap achterin kon zien, half uitgevoerd in kalksteen, half in eiken. Er kwam een jongen naar beneden met kort haar en gel erin, een keurig gesteven roze-wit streepjesoverhemd, spijkerbroek en leren mocassins. Ik schatte hem op een jaar of twintig, hoewel zijn nette uiterlijk hem wat ouder maakte. Hij gaf me een hand. De leren stoel was zo zacht dat ik bijna niet overeind kwam.

'Kom je mee naar boven?' vroeg hij. 'We kunnen beter op mijn kamer praten.'

Ik volgde hem. De kamer van de jongen had iets weg van het appartement van een beursagent. Er stonden een televisie en een geluidsinstallatie, allebei zwart en ingebouwd in een metalen wandmeubel, waarin een heleboel boeken en cd's netjes stonden geordend naar grootte; verder twee zwartleren banken en een zwart-wit gestreepte fauteuil. Naast het raam stond een zwarte tafel, waarop een paar modellen stonden van militaire vliegtuigen uit de Tweede Wereldoorlog. De witte wanden waren kaal. Siervoorwerpen waren er zo te zien niet. Een functionele ruimte, modern en duur. Vreselijk.

Ik haalde een bruin papieren pakje dat met touwtjes was dichtgebonden uit mijn rugzak en gaf het hem.

'Dat is zwaar...!' zei ik lachend met de bedoeling een gesprek te beginnen.

Hij ging de kamer uit zonder te antwoorden.

Terwijl ik wachtte tot hij terugkwam las ik de ruggen van de boeken die in zijn kast stonden. Ik herkende er een paar: *Verlorene Siege* van maarschalk Erich von Manstein, *Panzer Battles* van Von Mellenthin, *Signal* (ingebonden), *Geschiedenis van de Tweede Wereldoorlog* (ingebonden delen), *Panzer Leader* van generaal Guderian, *Rommel's War in Africa* van Wolf Heckmann, *European Volunteers* van Peter Strassner, *The Other Side of the Hill* van sir Basil Lidellhart... Het waren boeken over de Tweede Wereldoorlog die ik kende omdat mijn vader, net als zoveel rechtse mannen, zich erg voor dat onderwerp interesseerde en er jarenlang boeken over had verzameld. Wat ik niet snapte was waarom een knul van mijn leeftijd dergelijke rariteiten bezat.

Na een paar minuten kwam de jongen terug.

'Het is in orde,' zei hij.

Hij haalde een envelop uit een van de laden van de zwarte tafel en gaf hem mij. Ik wist dat hij voor Coco was.

'Ik loop met je mee,' zei hij hautain.

Hij stond even stil toen we de trap af gingen en keek me aan alsof hij iets rampzaligs ging aankondigen.

'Weet je wat voor dag het is vandaag?' vroeg hij.

'Nee,' antwoordde ik lichtelijk geïntimideerd. 'Moet ik dat dan weten?'

'Het is vandaag 18 juli,' verklaarde hij plechtig.

'Nou fijn.'

Hij wierp me een afkeurende blik toe waar ik ijskoud van werd en we wisselden verder geen woord meer tot het tuinhek. Bij het vallen van de avond werd het licht weerspiegeld in de boomkruinen die zachtjes heen en weer bewogen in de wind, schitterende en zwijgende beloftes van rust, en ik dacht, geïmponeerd door de kalmte van de dag die op zijn einde liep dat ik het niet erg zou vinden om de rest van mijn leven in die tuin te slijten.

'Dag,' zei hij zo onvriendelijk mogelijk.

'Dag,' antwoordde ik net zo koel als hij.

Het was gemakkelijk geweest.

Toen ik weer bij Monica thuis was ging ik meteen op de bank liggen, bezweet en lusteloos door de hitte en het stof. Coco vroeg om de envelop, die ik hem met tegenzin gaf en die hij aanpakte met een voldaan gezicht: stralende ogen en een grijns van oor tot oor. Hij keek naar Monica en de ogen van zijn vriendin (om haar maar iets te noemen) weerkaatsten die geluksuitdrukking in versterkte mate.

'We gaan weer terug naar de overvloed,' zei zij.

Ik was zelf degene geweest die niet had willen weten wat ik wegbracht, maar intussen was ik wel erg nieuwsgierig.

'Waarom was dat stomme pak zo zwaar?' vroeg ik.

'Echt waar, schoonheid, hoe minder je weet, hoe beter,' zei Coco.

Bij elke andere gelegenheid had ik een opmerking naar zijn hoofd geslingerd omdat hij zo arrogant deed, maar hij keek zo serieus dat ik maar liever mijn mond hield. Niet zozeer omdat hij me angst aanjoeg, integendeel, ik zou bijna zeggen dat ik met hem te doen had.

'Het kan er bij mij niet in dat die knul ergens bij betrokken is,' zei ik, niet speciaal tegen Coco, maar meer hardop denkend. 'Daar zag hij echt niet naar uit... Hij leek wel het braafste jongetje van de klas.'

De toiletten van La Iguana waren niet bepaald design. De closetpot was een gewone gangbare Roca, de deksel van goedkoop plastic. Op de afgebladderde muren waren verflagen in diverse kleuren zichtbaar, waardoor je net als bij jaarringen van bomen de leeftijd van het etablissement min of meer kon vaststellen. We pasten er maar net in, Monica, Coco en ik, maar het ging. Monica leunde op de stortbak en versneed een paar lijntjes coke op een creditcard.

'Doe er maar geen drie. Ik wil niet,' zei ik.

'Waarom wil jij niet?' vroeg Monica.

'Omdat ik niet wil. Ik raak vreselijk opgefokt en daarna krijg ik hoofdpijn en wordt mijn tandvlees gevoelloos. Ik merk niet eens of ik me beter of slechter voel.'

'Jij doet gewoon mee om de doodeenvoudige reden dat wij het doen en ik pas ervoor om als enige high te worden,' zei Monica scherp.

'Laat haar toch,' kwam Coco tussenbeide. 'Als ze niet wil, moet ze het niet doen. Des te beter voor ons, dan krijgen wij meer.'

'Hou jij je mond.'

Met vaste hand hield ze de creditcard voor mijn neus en met de andere gaf ze me een rolletje gemaakt van een opgerold biljet van duizend peseta's. Ik snoof het lijntje op. Ik geloof dat ik zelfs vergif had gedronken als zij me een glaasje had aangeboden. Het poeder kwam kriebelend omhoog in mijn neus en zakte naar mijn keel met een bittere nasmaak.

'Dat smaakt afschuwelijk,' zei ik met een vies gezicht.

Ze lachten allebei tegelijk.

'Verdomd, wat een gaaf mes heb jij,' zei Coco.

Coco keek naar het mes dat zijn vriendin (bij wijze van spreken) had gebruikt om de coke te versnijden: een stiletto met een glimmend rood geëmailleerd heft, de kleur van een verliefd hart in tekenfilms.

'Dat heb ik gekregen van een dealer met rastahaar die ik in Amsterdam had versierd,' zei Monica. 'Mooi, hè? Maar denk maar niet dat het sentimentele waarde voor me heeft, echt niet. Die jongen kon me niks schelen, dus als je het zo leuk vindt, mag je het hebben.'

Hij bleef met open mond naar het mes staren als een seminarist naar de middenpagina van de *Playboy*.

'Verdomd, Monica, hartstikke bedankt. Ik vind het te gek.' En om dat te bewijzen pakte hij zijn (bij wijze van spreken) vriendin bij haar middel en gaf haar een tongzoen.

Ik voelde een steek recht in mijn borst toegebracht door een dolk met dubbel snijvlak: jaloezie en afgunst. Betekenen die twee woorden niet hetzelfde?

Zij maakte zich los van Coco, ging het wc-hokje uit en tegen de wastafel geleund bekeek ze zichzelf uitgebreid in de spiegel. Ze zag dat ze bijna geen lipstick meer op had, zodat ze een stift uit haar tas haalde, haar lippen zorgvuldig bijwerkte en wegging terwijl het vertrouwen er weer van afstraalde.

Mijn moeder zou zich zittend voor de spiegel aan het klaarmaken zijn om uit te gaan zoals elke middag om deze tijd. Haar met een lichte spoeling gekleurde haar zou onberispelijk zitten, de coupe soleil pas bijgewerkt, de krullen met warme rollers ingezet en bespoten met lak. Ze zou oorbellen, een parelketting en een gouden broche op een keurig zwart mantelpakje dragen. Die dagelijkse voorbereidingen, passend bij een blozend jong meisje dat naar haar eerste vriendje gaat, hadden een bittere en pathetische bijsmaak als je wist dat al dat opdoffen alleen bestemd was voor haar vriendinnen van de bridgeclub, een stelletje kletstantes uit La Moraleja, die net zo gefrustreerd en voorbeeldig gekapt waren als zij en met wie ze al jarenlang haar middagen doorbracht. Mijn moeder was een ervaren speelster geworden, een deskundige in sans en groot en klein slem. Ik zei weleens heel eerlijk zonder ironisch te willen klinken dat als ze al haar energie aan een universitaire opleiding had besteed in plaats van aan bridge, ze waarschijnlijk cum laude was gepromoveerd en haar eigen appartement zou hebben en een auto van de zaak in plaats van haar middagen te moeten doorbrengen met een stel roddeltantes die het alleen maar konden hebben over liftings en upliftings en die commentaar leverden op de avontuurtjes van mannen van anderen, terwijl ze met bijna ontroerende schaamteloosheid deden of ze niets wisten van die van hun eigen echtgenoten. Ik kan me heel goed voorstellen hoe ze de hoorn opnam van haar crèmekleurige telefoon, het tweede toestel, dat ze in haar kamer had laten installeren om een privé-sfeer te scheppen die ze graag nodig had gehad (maar niet nodig had, omdat ze minnaars noch hartsvriendinnen had) en om er zeker van te zijn dat ze zich op de migrainedagen in haar kamer kon opsluiten en er geen excuus was om haar uit die schuilplaats met gesloten gordijnen vandaan te halen. Ik kan me voorstellen hoe ze het nummer draaide dat ze uit haar hoofd kende en hoe ze op haar lippen beet, zoals alleen wij opmerkten die haar en haar manier van doen door en door kenden en aan de uitdrukking op haar gezicht konden zien dat ze iets moest doen wat ze eigenlijk niet wilde. En de plechtige toon die ze aannam om zich een superioriteit aan te meten waarvan ze wist dat ze die allang niet meer had.

'Monica,' zou ze zeggen, 'ik ben het, Herminia Martínez de Haya, de moeder van Bea... Je ouders zijn er niet, hè?... Ik belde om naar mijn dochter te vragen... Wat zeg je? Is ze er niet? En wanneer komt ze terug?... Ik dacht wel dat ze bij jou zou zijn. Dat kind vergiftigt de grond waarop jíj loopt, god mag weten waarom... Verdorie, wat een vreselijk kind! Het wordt nog eens onze dood, van haar vader en mij. Ze heeft altijd precies gedaan wat ze wilde. Ze is gewoon niet voor rede vatbaar, net als haar vader... Zeg haar dat ze tenminste kan terugbellen... Nou ja, doe geen domme dingen...'

Toen Monica ophing beet ze op haar lippen. Het was opvallend hoeveel mijn moeder en mijn beste vriendin soms op elkaar leken.

'Onthoud goed dat ik niet nog eens voor je ga liegen. Bovendien is het je moeder,' zei ze. 'Je moet haar bellen.'

'Ik ga nog liever dood,' antwoordde ik en ging pijlsnel naar de badkamer.

Coco keek vragend naar Monica, die alleen maar met een sarcastisch gebaar haar schouders ophaalde.

Mijn moeder hield erg veel van me toen ik nog klein was.

Maar opeens, van de ene dag op de andere, was ik groot en dat was het einde van alles. Mijn moeder begreep me als een deel van haar wezen, maar ze was niet bereid te accepteren dat we geen eenheid waren, dat ieder van ons haar eigen leven had. Zolang ik haar kind was, was ik een deel van haar. Maar toen ik opgroeide drong het tot haar door dat het aftellen was begonnen, dat ik van toen af aan als het ware in een etalage zat met een bordje TE KOOP om mijn hals. Het was alleen maar een kwestie van tijd dat iemand zou besluiten me te kopen, me uit die vitrine te halen waarin ik zat en dan met me door de buitenwereld te gaan rondwandelen.

Ik wist daar toen niets van.

Ik herinner me nog heel goed dat mijn moeder meteen op tilt sloeg toen mannen op straat naar me begonnen te kijken. De godsdienst was haar perfecte alibi. Zodra iemand floot begon ze me een provocerende houding te verwijten die de wellust van de mannen opwekte, hun zonde. Het was niet hun schuld, ik was degene die hen uitdaagde. Ik begreep onmiddellijk dat het 'm niet in de kleren zat die ik droeg of in de houding die ik aannam. Ik kon net zo goed in wijde T-shirts lopen of naar de grond staren: ze zouden toch fluiten. Ik zou de aandacht trekken, tenzij ik een habijt tot op de grond zou aandoen. Of misschien, wie weet, zou ik ook met habijt en al de aandacht trekken... Die toestand bevestigde het idee dat ik geleidelijk aan had gekregen op de nonnenschool: ik kon doen wat ik wilde, maar ik was voorbestemd voor de zonde, hoe ik ook mijn best deed het te voorkomen. In wezen, hoewel ik een katholieke opvoeding heb gehad, groeide ik op met calvinistische denkbeelden.

Ik begon mijn moeder uit het diepst van mijn hart te haten met dezelfde intensiteit als waarmee ik vroeger van haar had gehouden. Ik was het zat dat ze overal aanmerkingen op maakte: op mijn spijkerbroek, mijn losse haar, mijn manier van lopen en zelfs van kijken.

En toen begonnen de problemen pas goed.

Mijn jeugdherinneringen tot elf of twaalf jaar hebben hun eigen geluidsband: verbitterde discussies tussen mijn vader en moeder. Maar toen ik in de puberteit kwam verplaatste zij haar agressiviteit en vond een nieuw doelwit om die op te richten. En dat was ik. Vanzelfsprekend viel die verandering van houding samen met een nieuwe opstelling ten opzichte van mijn vader, die van verklaarde vijand tot gelegenheidsbondgenoot werd. Weliswaar sliepen ze niet samen, was hij haar niet trouw, hielden ze waarschijnlijk niet van elkaar, maar ze deelden eenzelfde opvatting: ze waren niet bereid mij met mijn leven te laten doen wat ik wilde. Van toen af aan waren zij degenen die beslissingen namen over mijn doen en laten: welke kleren ik aan moest, hoe laat ik thuis moest komen, met wie ik om moest gaan, naar welke muziek ik moest luisteren, naar welke gelegenheden ik toe moest.

In dat besloten universum deden de redenen er niet toe, of de voorwendselen die ze gebruikten om me onder controle te houden (mijn minderjarigheid, mijn zogenaamde weerloosheid of de noodzaak dat iemand over mij waakte). Van belang was het afstand doen, de onderwerping aan de macht van anderen, opgelegd en absoluut, die de overgave eiste van het eigene in naam van de heilige waarden van gehoorzaamheid aan het gezin. Er werd verwacht dat ik zou leren mezelf weg te cijferen en me te voegen, dat ik normen en conventies over zou nemen, hoe onbegrijpelijk die ook leken, accepteren dat ze voor mijn bestwil waren. En dat was een gerechtvaardigde eis omdat zij overtuigd waren van hun gelijk, zo verpletterend dat elke andere mogelijkheid werd afgewezen.

Mijn vader die tot dan toe de vijand van mijn moeder was geweest, werd plotseling haar bondgenoot. En daarom werd ik, net omgekeerd, van bondgenoot tot vijand. Ik was niet langer de troost van mijn moeder tegenover het onbegrip van mijn vader, maar ik werd de nieuwe oorzaak van haar wanhoop. Het verschil is dat mijn vader niet zo'n grote steun voor mijn moeder betekende als ik was geweest tijdens de eerste oorlog, oftewel de tijd dat we samen tegen hem vochten. Dat met hem was een gelegenheidsakkoord, een *entente cordiale*, maar hij gaf haar nooit dat absolute vertrouwen dat ik haar had geschonken. Ik was haar toevlucht geweest, haar onuitputtelijke kracht, terwijl mijn vader slechts een huurleger vormde, dat de strijd op elk moment kon opgeven als er iets beters kwam om voor te vechten.

In zekere zin ontdekte mijn moeder in deze tweede strijd haar eigen kracht, want het was voor het eerst in haar leven dat ze ergens alleen voor stond, omdat ze op mijn vader in feite nooit helemaal kon rekenen. De wanhoop vervulde haar met woede, en die woede maakte haar sterk, veel sterker dan ze ooit was geweest. Ze werd razend en beledigde me, ze beschuldigde me ervan egoïstisch, lichtzinnig en ongevoelig te zijn. Maar wat ze eigenlijk probeerde te zeggen op haar wanhopige en hysterische manier was dat ze voelde dat ik haar in de steek zou laten, dat ik van plan was weg te gaan en haar alleen in huis zou achterlaten, alleen in dat zinloze leven waaruit ík kon ontsnappen maar zij niet.

Van toen af aan gingen wij ruziënd door het leven. Er was dagelijks herrie, het deed er niet toe waarover. Mijn moeder vond niets goed wat ik deed, niets waaraan zij niet meedeed. Ze zag niet graag dat ik een eigen persoonlijkheid ontwikkelde, onafhankelijk van die van haar. Daarom hield ze niet van mijn kleren, de boeken die ik las en de muziek waar ik naar luisterde. Ze vond het niet fijn dat ik een eigen ruimte had, die zij niet kon delen, niet kon veranderen, zelfs niet kon begrijpen en waarin ze alleen binnen kon komen als genodigde. Ze was het er dus absoluut nooit mee eens hoe mijn kamer eruitzag. Het deed er niet toe hoe vaak ik hem schoonmaakte of opruimde, het was nooit goed behalve als zij er schoonmaakte.

Ze vond het niet fijn dat ik een eigen bestaan had buiten haar huis, zodat ze haar best deed mijn dagindeling en uitjes te controleren. En wat ze al helemaal niet fijn vond was dat ik evenveel van anderen hield als ik van haar had gehouden. Het hoeft geen betoog dat ze Monica niet kon uitstaan en dat ze geen gelegenheid voorbij liet gaan om haar zwart te maken.

'Ik wil jullie iets laten zien,' zei Monica.

Wij volgden haar naar de kleedkamer van haar moeder als twee novicen de hogepriesteres die hen naar het allerheiligste van de tempel leidt. Ik kende dat kleine hokje al dat in een hoek van de slaapkamer van Monica's ouders was verborgen. Het was een minuscuul kamertje met spiegelwanden, waarin de hele garderobe van Charo hing. Ongelooflijk dure kleren – elk model zou het maandloon kunnen kosten van een gezinshoofd uit Carabanchel – die slap als lijkwaden op hun haakjes hingen, genoeg om een hele congregatie clarissen te kleden op de dag dat ze besloten uit te treden. Achterin tegen de muur stond een filmsterrenkaptafel met een enorme spiegel en een rozenkrans van gloeilampjes eromheen. Monica deed een van de laden open, de onderste, en er kwamen een paar dubbelgevouwen zwarte jarretelgordels uit, die er net zo sinister uitzagen als slapende vleermuizen.

'Wacht maar! Jullie zullen versteld staan.'

Ze haalde voorzichtig het ondergoed eruit en legde het in stapeltjes op de toilettafel om de schat bloot te leggen die door die eerste laag van zijde en kant verborgen werd, tot ten slotte achter in de la, opeengestapeld als bakstenen, ruim twintig doosjes met pillen te voorschijn kwamen. Monica leek niet verbaasd door de ontdekking. En ik ook niet.

'Welkom bij het geheim van de eeuwige vijftig kilo van Charo Bonet. Amfetaminen om slank te blijven en kalmeringsmiddelen om de hysterie te bedwingen als gevolg van de amfetaminen.' Er waren genoeg pillen om een bus vol feestneuzen op excursie naar Ibiza te voorzien. Coco floot vol bewondering.

'Ik heb weleens overwogen om mijn moeder met een overdosis

valium om zeep te helpen,' ging Monica door. 'Ze slikt zoveel pillen dat niemand een vermoeden zou hebben.'

'En hoe zou je ze haar geven? Met een trechter?'

Die vraag had ik mezelf al vele malen gesteld. Ook ik fantaseerde dikwijls over de mogelijkheid om mijn moeder te laten verdwijnen. En op dezelfde manier.

'Die Charo...' Coco bekeek de doosjes een voor een met een kennersblik. 'Er zit hier een heel arsenaal in deze la. Echt, het verbaast me niets dat jij een junk bent geworden met zo'n moeder.'

'Sorry, lieverd,' preciseerde Monica. 'Ik ben geen junk. Ik neem zo af en toe wat en dat is niet hetzelfde.'

'Nou, met al die valium en neoriden die je hier hebt denk ik dat je je het geld dat je aan heroïne uitgeeft kunt besparen. Vier van die pilletjes in je strot met een flinke slok whisky en je bent de hele week stoned.'

Het verbaasde me dat veel van de pillen die Charo had opgespaard ook bij mijn moeder in het medicijnkastje lagen. Uiteindelijk waren onze moeders dus toch niet zo verschillend als zij (vooral Charo) dachten.

Charo leek stukken jonger dan mijn moeder, hoewel ze hooguit tien jaar scheelden. Haar lichaam, gereconstrueerd door het operatiemes, opgevuld met siliconen, verstevigd door gymnastiekoefeningen en versoepeld door crèmes en heilige oliën was leeftijdsloos. Ze was er trots op dat ze nog steeds het figuur had van toen ze twintig was, maar ik ben er zeker van dat ze op haar twintigste niet de tieten had die ik van haar kende en die een uitdaging waren voor de wet van de zwaartekracht. Natuurlijk kon ze boven de veertig pronken met een beter figuur dan een van ons tweeën.

Ze liet haar haar elke veertien dagen bijknippen om die schijnbaar nonchalante coupe onberispelijk te houden, maar ze had het in een onmogelijke mahoniekleur geverfd, zo glanzend dat het op een gepolijste helm leek, ook al dacht zij waarschijnlijk dat het er heel natuurlijk en jeugdig uitzag.

Haar gezicht had een facelift en een peeling gehad en was opnieuw gemodelleerd, waardoor Charo er precies zo uitzag als een heleboel tv-presentatrices die net als zij ook klant waren van Enrique Moreneo. Haar pruilmondje herinnerde aan dat van Michelle Pfeiffer (collageen) en haar mopsneusje was identiek aan dat van Isabel Preysler (operatiemes). Zij bleef benadrukken dat er alleen wat kleine verbeteringen waren aangebracht. Maar voor de zekerheid wist niemand bij haar thuis waar de fotoalbums van voor haar reconstructie bewaard werden.

Ze droeg al rugzakjes voor iemand anders ermee liep, toen je dat alleen nog maar in New York zag. Ze ging over op Cerrutti toen iedereen nog met Prada liep. Ze verfde haar haar al platinablond voor Linda Evangelista dat deed en droeg broeken met wijd uitlopende pijpen (van Cedosce) toen strakke broeken nog ín waren. Ze was niet voor niets directeur van een modetijdschrift.

Heel veel mensen vonden haar erg leuk om te zien, zelfs een hoop vrienden van onze eigen leeftijd, maar Monica en ik vonden dat ze er belachelijk bij liep. En dat was niet uit minachting of jaloezie. Ik vond haar gezicht uitdrukkingsloos op het griezelige af. Ik denk dat ze met zoveel collageen en na zoveel facelifts moeite had met lachen. Of misschien was ze, omdat haar lach al zo lang niet meer gewoon voortkwam uit een onbedwingbare impuls maar werd opgelegd door sociale conventies, vergeten wat je lippen doen bij een spontane lach. Zonder make-up (bij het ontbijt dus) had haar huid een grauwe, vale teint en als ze zich had opgemaakt (onmiddellijk na het ontbijt en voordat ze fluitend naar de redactie vertrok) leek het of ze een masker op had, want als je dichterbij kwam zag je de poeder op de kleiachtige onderlaag. Haar gezicht deed denken aan taartdeeg, klonterig en meelachtig tegelijk. Maar nogmaals, heel veel mensen vonden haar erg leuk om te zien. Dit soort inwisselbare modellen heeft een groot publiek. Als bewijs daarvoor hoef je alleen maar de afstandsbediening te pakken en om negen uur 's avonds langs de televisiekanalen te zappen.

Charo trouwde heel jong en werd moeder toen ze voor in de twintig was. Haar huwelijk duurde maar kort, nauwelijks voldoende voor Monica om nog een vage herinnering te hebben aan de tijd dat haar vader bij hen woonde. Na de scheiding vertrok hij naar Argentinië en belde van daaruit twee keer per jaar: met Kerstmis en op de verjaardag van zijn dochter. Hoewel het echtscheidingsvonnis de vader het recht gaf om een maand vakantie met zijn dochter door te brengen, had Monica na de scheiding nauwelijks vier keer bezoek van haar vader gehad en bij geen van die bezoeken was hij langer dan een week in Madrid gebleven. Haar vader kwam ook zijn alimentatieverplichting aan Charo voor onderhoud en schoolkosten van het kind niet na en Charo kon het niet laten Monica daar minstens twee keer per dag aan te herinneren.

De jonge Charo begon als secretaresse op de redactie van een radiozender en werkte zich om zo te zeggen geleidelijk aan omhoog op het gebied van de journalistiek. Hetzij door te neuken met wie geneukt moest worden, hetzij door veel inspanning en een zeker talent voor public relations, hoe dan ook ze kwam ten slotte terecht aan het hoofd van een van de belangrijkste drie modebladen van het land. Charo vond het vrouwelijk lichaam iets wat je kon modelleren, in een siervoorwerp veranderen, stijlvol kon gebruiken en elegant exploiteren op glanzende bladzijden. Charo dacht dat ze haar opvattingen aan duizenden vrouwen kon opleggen, maar in werkelijkheid was ze slechts een minuscuul onderdeeltje in het raderwerk van een van de vele machines in een enorme fabriek. Ze vond zichzelf heel belangrijk aan het hoofd van een tijdschrift, maar in feite stelde ze niet veel voor in de modewereld. Helaas was ze even onbelangrijk als de Aarde in verhouding tot het Heelal.

In de kantine van het gebouw waar ze werkte sloot ze vriendschap met Manuel, die directeur was van een tijdschrift over babyverzorging dat tot dezelfde uitgeversgroep behoorde als dat van Charo. Hij werd ten slotte, in deze volgorde, echtgenoot van Charo, stiefvader van Monica en vader van de broertjes van Monica, twee onuitstaanbare roodharige kereltjes die op hun negende en tiende jaar de namen van alle computerspelletjes die er op de markt waren uit hun hoofd kenden. Ze vonden bolletjes met chocola erin lekkerder dan cakejes met chocola eromheen, ze wisten het verschil tussen sportkleding van Nike en Reebok en tussen jacks van Charro en

Pepe. Wij noemden hen nooit bij hun naam als we het over hen hadden. Het waren *de jongetjes*, of als we het apart over hen hadden, *mega* en *micro*, de bijnamen die Monica voor hen had bedacht. Hun voornamen gebruikten we nooit. In feite weet ik niet eens hoe ze heetten.

In het begin had Monica geen enkele reden om zich over Charo of Manuel te beklagen, want haar ouders waren vermoedelijk het perfecte voorbeeld van een begrijpend ouderpaar zoals dat in Amerikaanse komedies werd opgehemeld. Charo noch Manuel schreeuwde of maakte ruzie en Monica had een maandgeld dat je meer dan royaal kon noemen. Bovendien hing Charo de tolerante moeder uit met wie te praten viel. Wil je uit 's avonds? Nou goed, we praten erover en spreken op een beschaafde manier een tijd af dat je thuis moet zijn. Wil je de auto hebben? Goed. Heb je nieuwe kleren nodig? Ook geen probleem. Monica kon niet rekenen op de troost van anderen die precies begrepen waarom ze haar moeder niet kon uitstaan, zoals bij mij het geval was.

Toen ze twaalf was kreeg ze haar eerste vriendje. Het was een jongen van de jezuïeten die haar bij de bushalte vroeg of ze met hem uit wilde. Monica zei ja, omdat hij vijftien was en omdat uitgaan met een oudere jongen en dan nog van de jezuïeten altijd een zeker prestige had op de Sagrado Corazónschool. Hun verloving bestond eigenlijk alleen maar uit de stilzwijgende afspraak dat ze tijdens de busrit van onze wijk naar de jezuïeten naast elkaar zaten en elkaars hand vasthielden. Dankzij deze jongen was het Monica opgevallen dat haar moeder nog nooit in haar leven haar hand had vastgepakt. Geen enkele keer.

Er waren een heleboel kleinigheden die van Charo een onuitstaanbare vrouw maakten: haar totale gebrek aan humor, haar obsessie om alles in haar omgeving volkomen schoon en opgeruimd te hebben, van de eetkamer tot het uiterlijk van haar kinderen, haar hebbelijkheid om in een gesprek altijd het laatste woord te hebben, haar streven om constant te laten zien dat ze over elk actueel onderwerp kon meepraten, van cosmetica tot literatuur en tot voetbal aan toe. Als ik bij Monica thuis bleef slapen had ik de volgende ochtend bij het ontbijt het gevoel dat de nietszeggende conversatie van Charo me uiteindelijk tegen het aanrecht zou verpletteren. Alles wat ze zei smaakte naar koude koffie.

Ze maakten nooit ruzie, maar ze konden ook niet goed met elkaar opschieten. Charo gaf altijd smalend commentaar op de vrienden van Monica, mijzelf inbegrepen. De enige die bij haar in de smaak viel, Javier López de Anglada, de eerste officiële vriend waar haar dochter mee aankwam, knap, gestudeerd en uit een uitstekende familie, werd door Monica na vier maanden de laan uit gestuurd. Charo hield Monica angstvallig uit de buurt van haar wereld en haar relaties, hoewel de helft van het personeel bij het tijdschrift dat Charo leidde min of meer van Monica's leeftijd was en zij bij geen van de sociale evenementen – presentaties, gezellige bijeenkomsten, huldigingen, modeshows – waar Charo regelmatig heen ging, uit de toon zou zijn gevallen. Maar Charo nam haar dochter nooit mee en het kwam evenmin bij Monica op haar dat voor te stellen. Ik herinner me nog het najaar dat ik Monica tevergeefs probeerde over te halen Charo een pasje te vragen voor de Cibeles-modeshow. Mode heeft me nooit geïnteresseerd, maar ik was toch wel nieuwsgierig, vooral omdat er op school over niets anders werd gepraat. Monica weigerde ronduit haar moeder een van de duizend pasjes te vragen die ze over had en ik wilde me niet met dat koppige gedrag bemoeien, want ik kende hun verhouding maar al te goed en wist best dat Monica Charo niet om een gunst wilde vragen.

De rivaliteit tussen Charo en Monica was niet zo duidelijk als die tussen mijn moeder en mij en juist daarom veel gevaarlijker, denk ik. Hij beperkte zich tot heel subtiele dingen: een of andere sarcastische opmerking van Charo over hoe Monica's kamer eruitzag met als enig antwoord een halsstarrig zwijgen dat net een tiende seconde te lang duurde om beleefd te zijn; de vervelende gewoonte van Charo om Monica rokpakjes van Benetton te geven en de vastbeslotenheid van Monica om die nooit aan te doen; de T-shirts van indiepopgroepen die Monica voor zichzelf op de vlooienmarkt van de Rastro kocht en die zomaar op een geheimzinnige manier uit haar laden verdwenen, en wel omdat Charo, hoe haalde ze het in haar hoofd, weer eens kasten had opgeruimd en alles had weggegooid wat volgens haar onbruikbaar was.

Als Charo had kunnen kiezen zou ze een langere Monica hebben gewild, met minder grote tieten, die netjes met haar benen naast elkaar ging zitten en bij de eerste aanblik een echte ceintuur van Moschino van een namaak kon onderscheiden. Hoewel ze misschien wel helemaal geen dochter had willen hebben, of hoogstens eentje die in de prepuberteit bleef steken en die Charo en de rest van de wereld er niet voortdurend aan herinnerde dat de directeur van *Carina* de veertig allang was gepasseerd. Zonder een dochter van die leeftijd had Charo eeuwig de schijn kunnen ophouden nog in de dertig te zijn, maar wat oud voor haar leeftijd. Of zoiets scheen zij te denken.

La Metralleta was een soort ruimteschip, helemaal zwart geschilderd, waar gothic uitziende serveersters met een chagrijnig gezicht alsof ze net uit een grafkelder kwamen de klanten hun drankjes brachten. Twee mannen van in de dertig kwamen de discotheek binnen, de een lang en best aantrekkelijk, de ander een paar kilo te zwaar. Hoewel ze sportief gekleed waren (spijkerbroek, jack, katoenen hemd) vielen ze afschuwelijk op tussen de artistieke indiepopoutfit van de stamgasten (felgekleurde T-shirtjes in kindermaten, latex minirokjes, baggy broeken, in onmogelijke kleuren geverfd haar, *piercings* in wenkbrauwen, lippen en navels), vooral ook omdat ze allebei goed geschoren en geknipt waren. Ik hoorde hoe een van de serveersters – een adembenemend donkerharig type met een bijna kaalgeschoren schedel – tegen de ander zei: 'Godverdomme... Daar heb je ze weer. Ze jagen niet alleen onze klanten weg, maar ze moeten nog gratis drinken ook.'

'De sukkels zijn van mijlen afstand herkenbaar,' zei de ander, een kloon van Morticia Adams. 'En dan denken ze nog dat ze niet opvallen.'

Wij stonden met zijn drieën tegen de bar geleund. Coco bestelde een Johnnie Walker met ijs terwijl ik mijn mening gaf over die plek: 'Wat een ordinaire tent.'

'Doe niet zo burgerlijk,' zei Monica terwijl ze me aan mijn hand meetrok naar de dansvloer.

In die tijd was de techno nog niet doorgedrongen in Madrid en ik herinner me dat we dansten op de klanken van ritmische en oorverdovende paukenslagen, misschien de Red Hot Chili Peppers. Ik had leren dansen op dit soort muziek, waar ik niet zo gek op was, maar Monica dweepte ermee. Eerst probeerde ik in mijn hoofd uit te vinden welk ritme het precies was om op elke nieuwe slag voorbereid te zijn en als ik de volgorde wist liet ik mijn bewegingen samenvallen met elke percussieslag. Ik trok een schouder op, daarna de andere en schudde met mijn hoofd van de ene naar de andere kant op de maat van de muziek, zodat ik bij elke nieuwe slag met mijn kin mijn bovenarm kon aanraken. Het draaien van het middel moest samengaan met het naar boven en beneden gaan van de schouder en de benen gingen gelijk met de armen naar voren. Als je je goed concentreerde werd de beweging na een tijdje automatisch. Dan ging ik me lekker voelen, want mijn lichaam, dat helemaal was overgeleverd aan het ritme van de muziek, was voor een tijdje niet meer het mijne maar onderworpen aan de wens van een of andere geheimzinnige god die het tijdelijk onder zijn hoede nam. Daardoor was ik me niet meer van mezelf bewust en vergat mijn zorgen.

Op zeker moment stortte Monica zich op me, pakte me bij mijn middel en ging met me dansen. Met gesloten ogen paste ze zich volmaakt aan mijn ritme aan. Ze liet haar hoofd op mijn schouder rusten (ik kon haar warme adem in mijn hals voelen) en was te moe of te aangeschoten om de algemene opwinding op te merken die wij als paar veroorzaakten. Vooral een van de twee dertigers in sportieve kleding, de langste, kon zijn ogen niet van ons afhouden.

We waren hiernaartoe gegaan om het laatste geniale project van Coco uit te voeren: om de jongeren die extra energie nodig hadden om de hele nacht door te dansen goed materiaal voor een spotprijsje aan te bieden. We zouden hun amfetaminen verkopen. Amfetaminen uit de toilettafel van Charo Bonet. We hadden een vol doosje Dicel meegenomen – Charo had er verschillende in voorraad en we vertrouwden erop dat ze niet zou merken dat er een ontbrak – waar twintig blauwe pilletjes in zaten, twintig, die we voor vijfhonderd peseta per stuk wilden verkopen. Een goudmijntje, volgens Coco. We zouden ze heel goedkoop van de hand doen, dus het zou niet moeilijk zijn het hele doosje op een avond te slijten. Tienduizend peseta in één klap, met hulp van God en Charo.

Met haar armen om mijn nek hief Monica haar hoofd op om me iets in mijn oor te fluisteren. Door het lawaai van de muziek kon ik alleen wat brokstukken opvangen van wat ze zei, maar ten slotte begreep ik dat ze wilde dat ík degene was die de speed zou verkopen.

'Ben je gek?' zei ik. 'Zoiets heb ik nog nooit van m'n leven gedaan.'

'Des te beter. Je zult zien dat er niets gebeurt. Het is juist leuk.'

Ze pakte mijn hand en trok me mee van de dansvloer af. We leunden tegen een zuil in een donker hoekje.

'Het is heel gemakkelijk, echt waar. We hebben het al vaker gedaan. Jij hoeft alleen maar hier te blijven staan. Ik zorg dat het wordt rondverteld. Ik zeg het tegen de serveersters en tegen twee of drie van die knullen die we kennen. Daarna loopt het gesmeerd. Meestal vertellen ze het aan elkaar door, dus dan heb je ze onmiddellijk hier. Maar probeer wel voorzichtig te zijn, alsjeblieft. Ze moeten het niet aan je zien. Zij geven jou het geld, jij geeft hun de pillen, maar oppassen. Hier, pak mijn rugzak.'

Ze gaf me de rugzak die ze altijd bij zich had – van oranje lakleer, een echte Gaultier, natuurlijk een cadeau van Charo – en hing hem aan mijn arm.

'Steek je hand in de buitenzak van de rugzak.'

Ik deed wat ze zei. Ik voelde een heleboel kleine pakjes die op ronde kiezelsteentjes leken.

'We hebben de pillen stuk voor stuk in cellofaan gedaan. Als je de poen hebt, en niet eerder, geef je hun er een of twee of wat ze willen. Je haalt ze uit de zak, voelt met je hand om ze te tellen en dan zorg je, als je ze eruit haalt, dat ze van jouw hand rechtstreeks in hun zak gaan. Haal ze niet te voorschijn om ze te tellen. Neem geen risico. Dat is toch simpel, hè?'

Ik knikte.

'Nog iets belangrijks,' ging ze verder, 'als er een ouder iemand komt, of eentje die er bekakt uitziet, of met een overhemd, nou ja, iedereen die er een beetje raar uitziet, dan moet je niet reageren. Zeg maar dat je niet weet waarover hij het heeft. Liever vijfhonderd peseta minder dan in de problemen komen.'

'En waarom doe jij het dan niet?'

'Omdat ik ervoor zorg dat het wordt rondverteld, wat jij niet kunt want je kent niemand. Normaal doen Coco en ik het samen: een blijft op een vaste plaats als verkoper en de ander loopt door de bar om het spul aan te prijzen om het zo maar eens te zeggen. Maar met die twee bij de bar' – en ze knikt naar de twee keurige dertigers – 'wil ik geen risico lopen. Coco valt nogal op, weet je? Als ze een heleboel jongens op hem af zien komen merken ze dat er wat aan de hand is. Maar het zal niemand verbazen dat het hele stel naar jou toe komt. Een leuk meisje, alleen in een bar als deze, zo laat 's nachts… logisch dat die jongens daarop afkomen. Bovendien sta je hier niet de hele tijd alleen. Ik kom zo bij je.'

'Monica, ik vind het niks om hierbij betrokken te zijn, echt niet.'

'Maak je niet druk, je loopt geen enkel risico, Betty. Ze hebben ons nog nooit gepakt. Ik denk zelfs dat er niets zou gebeuren als Coco het deed, ik wil alleen megavoorzichtig zijn, je weet maar nooit. Toe nou, doe het voor mij,' drong Monica zoetsappig aan.

Ik stemde toe, ik moest wel. Ik woonde tenslotte bij haar in huis en vond dat ik aan mijn onderhoud moest bijdragen. Het deed me denken aan mijn moeder, hoe ze me er voortdurend aan herinnerde dat ze me onderhield en dat ik haar daarom moest gehoorzamen. Ze had me geleerd dat ik altijd iets moest terugdoen als iemand iets voor mij deed. In mijn universum bestond geen altruïsme en daarom kon ik niet weigeren iets te doen voor degene die mijn eten betaalde en me een beschermend dak boven mijn hoofd bood.

Monica verdween en ik bleef in de hoek staan met de rugzak aan mijn arm en was doodsbenauwd. Na vijf minuten kwam er een mager jongetje op me af met een puntbaardje à la Becquer – de laatste grungemode in die tijd – die me zo, zonder omwegen, vroeg of ik speed had. Die rechtstreekse aanpak leek me in tegenspraak met de scrupuleuze argwaan waarmee Monica het onderwerp behandelde. Ik vroeg hoeveel hij er wilde en hij zei vijf. Ik maakte een berekening: vijfentwintighonderd, zei ik kortaf. Hij gaf me drie biljetten van duizend. Met een hand pakte ik, op het gevoel, vijf bolletjes cellofaan in de zak van de rugzak. De andere hand stak ik in de zak van mijn spijkerbroek op zoek naar de vijfhonderd peseta die ik hem moest teruggeven. Toen merkte ik dat ik geen stuiver bij me had.

'Ik heb geen wisselgeld,' zei ik. Ik realiseerde me dat ik als beginnend dealer grandioos afging. 'Waarom neem je er geen zes?' stelde ik hem achteloos voor met de aardigste glimlach uit mijn repertoire. Ik flirtte openlijk want ik was stikzenuwachtig geworden en wilde de uitwisseling zo snel mogelijk afhandelen. Tot mijn verbazing werkte de truc. Hij lachte terug en gaf me een galante knipoog.

'Oké,' zei hij. 'Laat niemand zeggen dat ik bij een schatje als jij op vijfhonderd peseta kijk.'

'Alsjeblieft,' zei ik. Ik stopte de zes pilletjes in zijn hand en hij nam zijn kans waar om die even te drukken. Als iemand ons zo zag zou hij denken dat hij me wilde versieren. En in zekere zin was dat ook zo.

'Wil je iets voor me doen?' vroeg ik en gaf hem een groen biljet. 'Ik heb kleingeld nodig. Kun je die bij de bar voor me wisselen?'

'Natuurlijk. Moet ik iets te drinken voor je meebrengen?'

'Graag. Een whisky.'

In de tijd die verliep tot hij met het glas terugkwam verkocht ik nog vier pilletjes aan twee jongens die naar me toe kwamen en die er ieder twee namen, zodat ik in minder dan een kwartier al een half doosje kwijt was. Alles ging volkomen normaal, als je tenminste bij dit soort zaken van normaal kunt spreken. Ze vroegen de pillen, stopten me een biljet van duizend peseta in mijn hand en ik liet twee kleine cellofaanbolletjes in die van hen glijden. Allemaal heel simpel. Toen kwam die eerste jongen terug met een glas whisky in zijn hand.

'Alsjeblieft.' Hij gaf me het glas en een stapeltje blinkende munten.

'Hoeveel krijg je van me?' vroeg ik hem.

'Niks, meisje, wat zou ik van je moeten krijgen? Ik trakteer. Heb je zin om te dansen?'

'Ik kan niet, het spijt me. Ik moet hier blijven, voor het geval er nog iemand komt… iemand zoals jij… weet je. Maar we zien elkaar straks.' Ik hield hem aan het lijntje in een poging zo van hem af te komen. Gelukkig was het geen vasthoudend type, want hij lachte alsof hij mijn uitleg begreep en verdween in het donker.

Ik dronk gretig mijn glas whisky leeg met de vage hoop dat mijn remmingen in alcohol zouden oplossen en dat de situatie waarin ik de hoofdpersoon was minder benauwend zou worden. Toen merkte ik dat een van dertigers, de lange, naar me toe kwam. Monica dacht dat hij van de politie was en hij kwam zo gedecideerd de dansvloer over dat ik hem onmiddellijk hetzelfde beroep toekende. Mijn hart klopte in mijn keel en mijn benen begonnen te trillen als twee gelatinepuddingen.

'Wat doet een knap meisje als jij in een donker hoekje als dit?'

'Ik denk dat ik op iemand wacht die niet met zo'n cliché naar me toe komt als jij,' zei ik bewust bot om me een schijn van zelfverzekerdheid te geven, die ik erg graag gehad zou hebben.

Meteen bedacht ik dat ik ontzettend stom bezig was, want het ergste wat ik in deze omstandigheden kon doen was die figuur kwaad maken. Maar ik was gerustgesteld toen ik zag dat hij lachte alsof hij het een leuke opmerking vond.

'Misschien heb je wel gelijk. Dat was niet erg creatief van me. Maar je moet toegeven dat het moment noch de plaats erg meewerkt…'

Opeens dook Coco op vanachter de zuil. Ik was zo geconcentreerd op de reactie van die lange dat ik niet eens had gemerkt hoe hij daar was gekomen. Hij pakte mijn hand en trok me naar zich toe.

'Bea, schat... Ik ben je al uren aan het zoeken,' zei hij in mijn oor, maar hard genoeg dat de ander het kon horen. Ik probeerde los te komen, maar Coco pakte me nog steviger beet. 'Vooruit, niet boos worden,' zei hij op mijn beweging. Toen richtte hij zich tot die lange vent: 'Je bent wel wat oud om het met mijn vriendin aan te leggen, vind je niet?'

Ik liet me meeslepen naar de dansvloer zonder ook maar enige weerstand te bieden. Ik stribbelde niet tegen tot ik zeker wist dat die lange vent niet kon horen wat ik zei.

'Mag ik weten waar je mee bezig bent?' schreeuwde ik tegen Coco.

'Jezus, Bea, hou op. Ik wilde niet dat je iets stoms zou doen.'

'En om te zorgen dat ik geen stommiteiten uithaal, doe jij dat hè? Het is geen moment bij me opgekomen die vent ook maar iets te geven. Maar doordat jij je ermee ging bemoeien is het juist extra opgevallen dat we bang voor hem waren. Bovendien ben ik echt oud genoeg om op mezelf passen. Ik heb jouw hulp niet nodig.'

'Oké, oké... het spijt me,' zei hij, 'ik geef toe dat ik een beetje zenuwachtig werd. Kom, sla je arm om me heen.'

Hij trok me naar zich toe, waardoor ik me opgelaten voelde omdat ik niet zo gewend ben aan liefkozingen. Die gêne werd even later nog erger toen ik voelde dat de omhelzing langer duurde dan nodig was. Ik maakte me los uit die enorme armen om mijn middel en duwde Coco woest van me af.

Het werd ochtend op het Plaza de Chueca. De hemel werd langzaam lichter en het werd al warmer, maar er hing nog een dun oranjekleurig waas. Wij waren La Metralleta uitgekomen met een stapel groene verkreukelde briefjes, de opbrengst van de verkoop van het doosje Dicel, en gingen die nu besteden aan hasj voor Monica, die tenslotte de eigenaresse was van het doosje dat ons zoveel had opgeleverd.

'Als ik had geweten dat het zo goed zou gaan, had ik erop aangedrongen om twee doosjes mee te nemen. Amfetaminen zijn echt gemakkelijk te verkopen,' legde Coco me uit. 'Ze zijn goedkoop en altijd in trek. Hoewel het denk ik ook komt doordat je er zo leuk uitziet.' Hij zei dat omdat ik voor de gelegenheid een minirok en een heel strak T-shirtje had aangedaan dat ik van Monica had geleend en ik droeg zelfs voor het eerst sinds jaren oorbellen die pijn deden in mijn oren. Nog geen vier dagen geleden zou ik het inderdaad voor onmogelijk hebben gehouden dat ik zo de straat op zou gaan. 'Je hebt een record gebroken, echt waar. Je zou dit vaker moeten doen.'

'Vergeet het maar,' antwoordde ik. 'Het was de eerste en de laatste keer. Ik ben de hele tijd doodsbang geweest.'

Twee negers die op een bankje zaten groetten Coco als een oude vriend en begonnen uitbundig de schoonheid van 'zijn nieuwe vriendin' te bespreken. Ik begreep niet goed of ze Monica of mij bedoelden. Coco ging naast een van hen zitten en begon met hem te fluisteren. Even later stonden ze allebei op en gaf Coco Monica een seintje, waarop zij ook opstond en hen volgde.

'Wacht hier even,' zei ze tegen mij. 'We zijn zo terug.'

Ze liepen met z'n drieën de ingang van de metro in en ik bleef gehoorzaam en stilletjes zitten waar ik zat en staarde naar de grond. De neger die naast mij zat raakte licht mijn elleboog aan, alsof hij mijn aandacht wilde trekken.

'Ik Salif. Jij… Hoe heet jij.'

'Bea,' antwoordde ik laconiek terwijl ik strak naar de grond bleef staren.

Hij legde zijn hand op mijn blote dij en begon die zomaar te strelen. Ik draaide me naar hem toe en keek hem stomverbaasd aan. Toen sprong ik op en ging op een andere bank zitten, terwijl de neger me met zijn ogen volgde en brutaal lachte alsof mijn vertoning van gekwetste trots hem amuseerde. Om zijn spottende gezicht niet te zien keek ik weer naar de grond en verdreef de tijd met het tellen van de tegels (tweeënvijftig van de bank naar de ingang van de metro) tot Monica en Coco met een tevreden blik op hun gezicht terugkwamen. Ik sprong op alsof de bank in brand stond, rende naar Monica toe en gaf haar een arm.

'Dit was de laatste keer dat je me midden op een plein alleen laat met een vreemde. Hij wilde me al bespringen…' protesteerde ik verontwaardigd.

'Luister eens,' gaf Coco me als antwoord, 'dit soort is eraan gewend dat meiden het met hen doen voor heroïne. Dus als ze je leuk vinden proberen ze het gewoon.'

'Jou heb ik niets gevraagd.'

De discussie die zou zijn ontstaan werd onderbroken door het piepende geluid van banden op het asfalt. Door de Calle Gravina zagen we een auto van de gemeentepolitie aankomen die naast het plein parkeerde. Er stapten bliksemsnel drie agenten in uniform uit. Zelfs ik begreep dat het om een razzia ging.

'Rustig blijven,' fluisterde Monica streng.

Twee politieagenten liepen regelrecht naar de zwarte dealers om ze te fouilleren. De derde kwam naar ons toe en zonder zelfs maar te groeten begon hij vragen op ons af te vuren: wat we hier zo vroeg deden, hoe oud we waren, of we zo vriendelijk wilden zijn ons te legitimeren. Ik besefte dat de agent ondanks zijn directheid heel beleefd tegen ons was, vergeleken met de manier waarop zijn collega's de negers behandelden. Monica verloor geen seconde haar kalmte en liet zich van haar beste kant zien (zo was het vermogen dat Charo voor een privé-school had betaald toch nog ergens goed voor). Ze legde de politieagent uit dat ze in de Calle Almirante woonde, dat wij drieën klasgenoten waren, dat we de hele nacht hadden gestudeerd voor de examens in september en dat we op zoek waren naar het eerste café dat open was om sigaretten te kopen, want dat onze hele voorraad was opgegaan in die lange studienacht.

'Weet u misschien een café dat open is?' vroeg ze de agent met haar schijnheiligste glimlach. 'We zijn al een tijdje op zoek.'

De man kreeg een spottende uitdrukking op zijn gezicht en bleef mij strak aankijken.

'En, wat waren jullie aan het studeren, schat?' vroeg hij mij.

'Geschiedenis,' zei ik zonder maar een seconde te twijfelen. Het was het eerste wat me te binnen schoot, waarschijnlijk omdat het een vak was waar ik altijd dol op was geweest.

'Geschiedenis, ja ja…' de agent keek geamuseerd.

Het was duidelijk dat hij er niets van geloofde, maar dat hij het wel leuk vond. Uiteindelijk interesseerden we hem niets. Hij wilde dealers pakken, geen kopers. Ik was bang dat ze Monica en Coco zouden fouilleren en in beslag zouden nemen wat ze zojuist hadden gekocht, maar tot mijn verbazing begon de agent geanimeerd met Monica te praten. Ze raakte op dreef en vertelde dat ze haar hele leven in Salamanca had gewoond, tot ze had besloten in Madrid te gaan studeren, dat ze een flat deelde met een paar vriendinnen en dat ze het eng vond in deze buurt, omdat ze zich onveilig voelde op het Plaza de Chueca met z'n junks en travestieten en dat ze soms heel bang was om naar huis te gaan. Ik weet zeker dat hij geen woord van haar verhaal geloofde, maar dat hij net als ik was geboeid door de voorstelling die ze gaf en dat hij de actrice liet gaan omdat ze het zo charmant en aardig bracht. We kwamen nooit te weten hoe Monica's verhaal verder ging, want de andere twee agenten riepen dat hij moest komen. Hij hief zijn hand op als groet en liep naar de auto. Zijn collega's hadden de twee negers, met handboeien om, op de achterbank gezet.

Toen ze weg waren keek ik Monica met open mond aan.

'Je lult nog beter dan een pastoor in een bordeel... ongelooflijk! Ik vond het fantastisch,' riep ik spontaan, hoewel ik wist dat het niet goed was om haar aan te moedigen op het foute pad. Monica lachte voldaan en genoot duidelijk van de bewondering die ze wekte, ze was zo fascinerend, zo verrukkelijk sterk, als een stalen vlinder.

In Charo's badkamer vond ik een flesje peroxide. Misschien gebruikte Charo dat wel om haar snor mee te bleken, dacht ik, want het was beslist niet voor haar haar, dat liet ze immers verven bij de kapper (Ángela Navarro natuurlijk, de meest exclusieve en modieuze kapster die de modellen van Sybilla kapte).

Met het flesje peroxide in mijn hand kwam ik plotseling op het grandioze idee om twee lokken langs mijn slapen wit te maken, die zouden mijn gezicht accentueren. Ik durfde mijn lichtbruine haar dat mijn moeder en haar vriendinnen zo bewonderden niet te knippen, maar ik besefte dat mijn mooie lange haar uit de toon viel in een omgeving als La Metralleta, de wereld die ik zojuist had leren kennen en waarin ik opgenomen wilde worden, vooral omdat Monica daar helemaal in opging en ik haar niet wilde verliezen. Twee witte lokken zouden mij de rebelse uitstraling geven die ik miste, hoewel ik zeker wist dat mijn moeder een toeval zou krijgen als ik mijn haar bleekte. Net goed. Dat was tenslotte toch de bedoeling, of niet? Naar een bepaald soort muziek luisteren, op een bepaalde manier gekleed gaan, een absurd kapsel hebben. Dingen die je ouders niet begrepen of niet goedkeurden. Als je hen niet kon choqueren was dat een teken dat je iets fout deed, dat je niet *cool* genoeg was.

Onze verjaardagen vielen in dezelfde maand, er zaten maar vijf dagen tussen, maar Monica en ik vierden die nooit, of niet zoals de meisjes van onze school ze vierden. Wij gaven geen feestjes thuis of nodigden vriendinnen uit om wat te drinken in een café in de buurt, wij verwachtten geen cadeautjes of kaarten, maar wij organiseerden onze eigen rituelen, intieme bijeenkomsten voor twee bij Monica thuis, profiterend van het feit dat haar moeder er nooit was en ons niet lastig zou vallen. Toen ik dertien werd had Monica een enorme chocoladetaart met dertien witte kaarsjes gemaakt – voor mij – en veertien zwarte kaarsjes – voor haar – die we samen in één keer tegelijk uitbliezen. Onze adem maakte binnen een seconde een einde aan dat bataljon vlammen. Samen voelden wij ons onverslaanbaar. Ik gaf haar een paar oorbellen in de vorm van zonnetjes en een populair boek over de kosmos en zij gaf mij een hartvormig emaillen doosje waar ik dat jaar mijn haarspelden en later pillen in bewaarde en dat ik nu natuurlijk nog steeds heb. Later vertelde ze me dat ze de zwarte kaarsjes in een winkel met esoterische artikelen had gevonden en dat de pseudo-magiër die ze verkocht haar had gewaarschuwd dat ze er voorzichtig mee moest zijn, want dat zwarte kaarsen gebruikt werden voor satanische rituelen. Ze moest lachen toen ze eraan terugdacht, waarbij er kruimeltjes chocoladetaart uit haar mond vielen. Daarom waren mijn dertien kaarsjes wit en niet zwart. We weten allemaal dat dertien geen geluksgetal is en Monica was niet zo ongelovig als ze deed voorkomen.

Een jaar later, bij onze volgende verjaardag, sloten we ons op in haar kamer met de jaloezieën naar beneden en de gordijnen dicht en de kamer vol kaarsen. Languit op haar bed, onze profielen vervaagd door het flikkerende gele licht van tientallen kleine vlammetjes in de kamer, noemden we om beurten al de wensen op – Monica een, Bea een – die we dit jaar dachten waar te maken. Ik gaf haar een stripboek van Betty Boop (natuurlijk gekocht bij Metropolis) omdat ik vond dat Betty erg op Monica leek. Zij gaf mij een plaat van Siouxsie and the Banshees, omdat zij weg was van hun versie van 'Dear Prudence', een liedje waardoor ik vanaf die tijd wel moest toegeven dat er redenen waren om van het leven te houden: *The sun is high, the sky is blue, it's beautiful and so are you… Dear Prudence, won't you open up your eyes*? De titel van het album, *Caleidoscope*, deed me aan haar denken: haar caleidoscopische persoonlijkheid had zoveel facetten (er waren de rustige Monica die urenlang kon lezen en dol was op wiskunde, de baldadige Monica die graag herrie schopte in de klas, de sceptische Monica die iedere week met een andere jongen naar bed ging en de gevoelige Monica die ooit graag wilde trouwen en kinderen krijgen…). Al deze verschillende aspecten van haar vormden bij iedere beweging een andere combinatie, zodat ik als ik mijn hoofd omdraaide en opnieuw naar haar keek het gevoel had een andere Monica te zien.

Vijftien jaar klonk als een serieus getal met een magische bijna kabbalistische betekenis. Wij gebruikten al tampons en een beha, maakten onze ogen op en bouwvakkers floten ons na op straat. Om te vieren dat wij al echte vrouwen waren besloten we tegelijk ons haar te verven: ik platinablond, zij blauwzwart. Ik met peroxide, zij met een koolzwarte verf. Het was een badkamerritueel dat onze gevoels- en kleurenwereld veranderde. Mijn licht kastanjebruine haar werd wit, door de peroxide kreeg ik tranen in mijn ogen. De blauwe verf ruïneerde een van Charo's handdoeken en wij moesten een andere gaan kopen. Wij hadden bijna een uur nodig om de badkuip schoon te krijgen, die vol donkerblauwe spatten zat als een performance van Yves Klein. Wij boenden als gekken met in bleekwater gedoopte doeken. Als Charo thuiskomt en dit ziet, hangen we, dan maakt ze ons echt af. 'Shit,' zei Monica, 'je moet harder boenen. Beweeg je polsen, verdorie. Zo leer je nooit van je leven masturberen.' Eindelijk, na die vervloekte badkuip gesopt en opnieuw geboend te hebben, gingen we met een plastic muts over ons haar naar beneden naar El Corte Inglés om een nieuwe handdoek te kopen bij een verkoper die ons aankeek of we van Mars kwamen, föhnden ons haar en zagen in de spiegel twee gezuiverde versies van onszelf. De dingen zouden vanaf die tijd wit of zwart zijn en er was geen plaats voor de kleuren daartussenin.

Ik kon me voorstellen dat mijn moeder die nieuwe kleur niet mooi zou vinden, maar ik had niet verwacht dat het verven van mijn haar zo'n scène zou veroorzaken. Toen ze me binnen zag komen begonnen haar ogen vuur te spuwen, werd haar gezicht donkerpaars en begon ze als een bezetene te schreeuwen. Ze zei dat ik wel een straatmeid leek en dat ik onmiddellijk de kapper moest bellen voor een afspraak om deze miskleun te verhelpen. Ik antwoordde dat ik mijn haar zo wilde houden, dat het *mijn* haar was en niet dat van haar en daarmee begon een van onze allerergste ruzies. Ik was ervan overtuigd dat ik het grootste gelijk van de wereld had. Ik kan begrijpen dat ze in zekere zin het recht had om te bepalen wanneer ik thuis moest komen omdat ze me onderhield, waar ze me voortdurend aan herinnerde, en daarom iets terug kon verlangen; maar mijn lichaam was van mij en van mij alleen, daar besliste alleen ik over. Die redenering kon zij natuurlijk niet volgen, omdat mijn lichaam volgens haar niet van mij was maar van God, en zij als mijn moeder was moreel verantwoordelijk dat ik het in ere hield zoals het hoorde. We bleven tegen elkaar schreeuwen en steeds harder om boven elkaar uit te komen, tot ik na een half uur genoeg had van dat nutteloze gekrijs en naar mijn kamer ging na de deur achter mij dichtgegooid te hebben. Ik bleef zoals zo vaak onbeweeglijk op bed liggen en probeerde geen spier te bewegen, bijna niet te ademen en zelfs niet met mijn ogen te knipperen. Dat was mijn manier geworden om weer tot rust te komen als ik kwaad was. Verdwijnen. Ik keek naar buiten naar het voorbijdrijven van de wolken en zag hoe met het verstrijken van de tijd de kleur van de hemel veranderde.

Het was al donker geworden en door het raam kon ik de sterren zien, kleine amberkleurige lichtpuntjes met in het midden de maan als een grote roze bol. Toen je klein was, zei mijn moeder altijd, was je bang voor de volle maan. Ook nu ben ik nog steeds bang voor de volle maan. Die ellendige bol die invloed heeft op getijden en moordenaars, die onkundig van de rampen die zij veroorzaakt aan de hemel hangt.

Ik dacht aan de maan toen ik hoorde dat mijn vader thuiskwam en mijn moeder met het zenuwachtige geklik van haar hakken door de gang liep om hem te begroeten. Het was niets voor haar om mijn vader zo ongeduldig tegemoet te lopen, dus ging ik aan mijn deur luisteren om te horen wat er gebeurde. Ik ving wat losse woorden op, flarden van zinnen, fragmenten van een gesprek. Ik begreep dat zij hem aan het vertellen was wat ik met mijn haar had gedaan en dat ze hoopte dat hij het met haar eens zou zijn. Alsof de kleur van mijn haar of onze ruzies hem iets konden schelen. Toen voelde ik het gedreun van voetstappen die steeds harder werden naarmate ze dichter bij mijn kamer kwamen. Ik ging terug naar mijn bed en deed of ik sliep. Ik hoorde hem binnenkomen. Ik deed mijn ogen open en keek in zijn holle verwilderde ogen. De woeste frons van zijn zware wenkbrauwen maakte me bang. Te laat, ik had geen tijd meer om te reageren.

Hij stortte zich op me met zijn vuisten in de aanslag en schudde me door elkaar. Wat heb je met je haar gedaan? Zijn hete adem die naar alcohol rook blies in mijn gezicht. WAT HEB JE VOOR DE DUIVEL MET JE HAAR GEDAAN? Hij schudde nog harder. In mijn oren klonk een dof gesuis. Wat wil je? Ons gek maken? Je moeder weet niet meer wat ze met je aan moet. Jij maakt haar gek en zij maakt mij gek. Hij pakte me bij mijn nek en bleef me maar door elkaar schudden. Ik liet hem begaan, was slap als een lappenpop. Ik voelde me als een ballon die op knappen stond. Ik snakte naar adem. Ik kreeg geen lucht. Hij kan zich niet meer beheersen, dacht ik. Hij heeft niet door hoe hard hij knijpt. Ik had moeite met ademhalen. Mijn keel deed pijn. Ik stikte. Toen sloot ik mijn ogen. In mijn hoofd verscheen een wit licht. Ik kreeg steeds minder lucht.

Zijn geschreeuw klonk steeds verder weg. Vervormd. Hij vermoordt me, dacht ik. Hij beseft niet wat hij doet. Ik had willen schreeuwen, maar ik kon het niet. Ik kon geen enkel geluid uitbrengen. Er waren veel dingen om afscheid van te nemen. Of weinig. Monica. Ik probeerde me haar voor de geest te halen. Als ik doodging, wilde ik in ieder geval met haar beeld voor ogen naar de andere wereld gaan. *Wat het meeste pijn doet is niet het verlaten van het leven, maar het verlaten van dat wat het leven zin geeft.* Zijn zwarte ogen in mijn grijze. Ik kreeg opeens lucht in mijn longen. Eindelijk kon ik ademhalen. Hij had me losgelaten. Ik was misselijk, had braakneigingen. Mijn keel stootte een paar onsamenhangende en vreemde geluiden uit. Als van een dier, als het schorre blaffen van een oude hese hond. Hij ging weg en sloeg de deur met een klap dicht. Ik deed mijn ogen weer open naar de wereld. Verblind en gedesoriënteerd probeerde ik mijn pupillen te wennen aan het plotselinge felle elektrische licht. Ik was misselijk en had vreselijke pijn in mijn nek. Ik bleef hoesten en een hele tijd naar adem happen. Op een bepaald moment leek het bijna of ik nooit meer normaal zou kunnen ademen. De kamer was donker en op de achtergrond zag ik de roze maan die alles onverschillig bekeek.

Ik kroop in bed en probeerde rustig te worden, volkomen onbeweeglijk zoals daarvoor. De tranen liepen over mijn wangen. Als ze bij mijn lippen kwamen stak ik mijn tong uit om hun zoute smaak te proeven. Ik wilde niet meer denken of iets begrijpen, ik wilde geen verklaringen zoeken, ik wilde niet oordelen of veronderstellen, want als ik ging denken kreeg ik weer hoofdpijn. Er waren bij ons thuis zoveel zinloze dingen dat het nutteloos was een logica te zoeken, een leidraad, een gebruiksaanwijzing. Ik kon beter blijven liggen en proberen niet na te denken, mijn onregelmatige pols onder controle krijgen en me concentreren om weer rustig en regelmatig te ademen.

Verdriet en zorgen hielden me niet uit mijn slaap. Integendeel, ze verdoofden me. Ik kwam terecht in nachtelijke oorden vol schemerige beelden. Ik kon urenlang slapen, zonder kompas door droomlandschappen dwalen. *Sterven, slapen, misschien dromen…*

Denken dat een enkele droom een einde maakt aan alle angst en narigheid... Ik sliep en sliep en sliep. Ik sliep door al het geschreeuw van mijn vader. Niemand wekte me de volgende morgen en toen ik mijn ogen opendeed was het tien uur op de klok. Ik zou niet meer op tijd op school kunnen komen. Ik vermoedde dat mijn moeder zich, zoals gewoonlijk, in haar kamer had opgesloten en een van haar migraineaanvallen voorwendde die ze altijd na een driftbui kreeg. Dan deed ze de jaloezieën potdicht en sloot zich urenlang op in haar kamer. Niemand mocht haar dan storen.

Ik ging op mijn tenen naar de badkamer en zorgde ervoor dat mijn aanwezigheid in huis onopgemerkt bleef. Een platinablond meisje – dat daar veel te jong voor was – keek me bleek en met kringen onder haar ogen vanuit de spiegel aan. Ik schrok van haar nek, die zo opgezwollen was dat het leek of iemand had geprobeerd haar op te hangen, die donker was als een soort paarse ketting, de afdruk van mijn vaders vingers. Ik vond dat ik zo niet naar school kon, omdat ik geen enkele verklaring had voor mijn uiterlijk. Ik bedacht dat ik een coltrui aan zou kunnen doen of een sjaaltje om mijn nek, maar het was veel te warm en ik verwierp dat idee. Uiteindelijk besloot ik niet te gaan. Ik zou in ieder geval te laat komen, zodat het niets uitmaakte. Ik wilde me niet het hoofd breken met het bedenken van strategieën om die afdrukken te verdoezelen. Ik wilde niemand zien. De andere meisjes uit mijn klas hadden leuke jonge vaders die hen altijd van school kwamen halen. Sommigen tennisten zelfs met hen. Ik wist dat alle meisjes vonden dat ik raar en een beetje gek was, maar ik had mezelf wijsgemaakt dat de mening van dat stelletje brave kuddedieren me geen barst kon schelen. Ze gingen zelfs nog iedere zondag naar de mis en in hun schoolboeken schreven ze de naam van de jongen met wie ze op de Club de Campo zaten te flirten. Ik herhaalde voor mezelf dat zolang ik op de steun van Monica kon rekenen het medelijden of de minachting van die wereldvreemde tieners, makke lammetjes met een roze strik, me niets deed. Te midden van die pastelkleurige wereld was Monica de enige die dat ondefinieerbare gevoel van verlatenheid en ontworteling, van te vroeg volwassen zijn, met mij deelde.

Aan de muur van de badkamer hing het medicijnkastje van mijn moeder, dat ze altijd op slot deed. Wat een stom gedoe. Als je een beetje handig was had je het in twintig seconden met een haarspeld open. Alle doosjes met pillen van mijn moeder zaten erin. Haloperidol, Tranquimazin, Neoriden, Luminaletten, Tegretol, diazepam, benzodiazepinen, Luminal. Een zwarte cirkel op het doosje betekende dat ze gevaarlijk waren, maar ik wist dat ze dat allemaal waren en dat ik me van kant kon maken als ik ze allemaal tegelijk innam. Het feit alleen al dat ik dat hele arsenaal verdovende middelen binnen handbereik had gaf me de kracht om door te gaan, want ik wist dat als de zaken echt onverdraaglijk werden, ik altijd kon stoppen op het moment waarop ik dat wilde. *Rustig nadenken over de dood heeft alleen zin als we dat in afzondering doen...* Zo eenvoudig als dertig pillen slikken, dertig slokken water naar beneden laten glijden: keel, slokdarm, maag. Op die manier, als mijn vader me daarvoor niet al had gewurgd natuurlijk. Nee, dat zou hij nooit kunnen. Zelfs voor zoiets was hij te laf.

Er waren dagen dat ik niet bestond, de meeste. Hij deed of ik doorzichtig was en negeerde me. Er waren dagen dat ik het zelf prettig vond dat ik niet bestond. Er waren dagen waarin ik geen pijn kon voelen. Ik zag hoe alles gebeurde, maar voor mij betekende het niets; het gebeurde niet. Er verscheen eenzelfde gezicht in de spiegel dat soms lachte en soms niet. Soms had ik een blauw oog, soms afdrukken in mijn hals. Er waren klappen en beledigingen van mijn moeder. Er waren tranen en er was geschreeuw. Er waren schoppen, er was geduw en gescheld. Er waren wapenstilstanden, stiltes die weken duurden, lege en gespannen rust. Er heerste een permanente sfeer van haat in huis, soms ingehouden, soms explosief. Ik verborg mijn verdriet, ik maakte het zo klein mogelijk en begroef het dan zorgvuldig onder mijn voeten.

Ik ging de straat op en liep eindeloos door straten en over vochtige trottoirs tot het Retiropark. Ik ging op het gras liggen met mijn gezicht naar de zon en sloot mijn ogen. De reflecterende stralen tekenden caleidoscopische figuren achter mijn oogleden bestaande uit een oneindige hoeveelheid schitterende puntjes die door mijn hoofd buitelden. Ik moest drie keer van plaats veranderen door toedoen van evenveel lastposten die me wilden leren kennen en liet de uren voorbijgaan terwijl ik naar de wolken en de eenden keek, naar toeristen en honden, naar verliefde stelletjes in roeiboten, wachtend tot ik naar school kon gaan om Monica af te halen, met haar mee naar huis te gaan en haar alles te vertellen wat er de vorige avond was gebeurd. Ik wilde het niemand anders vertellen. Ik kon het niemand anders vertellen.

Want niet het verlaten van het leven doet het meeste pijn, maar het verlaten van wat het leven zin geeft.

In de badkamer van Charo besloot ik de verandering van mijn uiterlijk te gaan aanpakken. Ik nam een haarlok en maakte die nat met peroxide. Vervolgens deed ik hetzelfde met een andere. Van de andere kant van de spiegel keek een meisje me aan. Een knap meisje, of niet. Ik was niet erg zeker van mijn uiterlijk, en dat is in feite nog steeds zo. Schoonheid is heel subjectief. Het zit meer in het oog van de waarnemer dan in het lichaam of het gezicht van degene van wie het is. Maar in de wereld waarin ik was opgegroeid werd zoveel belang gehecht aan vrouwelijke schoonheid – die veel waardevoller leek dan intelligentie – dat ik het niet kon laten mijn eigenwaarde in de spiegel te onderzoeken. Ik had – ik heb – blauwe ogen. Maar niet het soort blauwe ogen dat mensen mooi vinden. Niet van dat hemelse bleekblauw, dat ideale blauw van een fee of een pop dat met een heldere en onschuldige blik wordt geassocieerd, maar een vuil grijsachtig blauw, vol kleine bruine spikkeltjes die alleen van dichtbij zichtbaar zijn. Ze misten, geloof ik, de levendigheid van die van Monica. Ze waren kleiner en hadden niet die sluier van lange dichte wimpers. Ik geloof dat ik goed geproportioneerde trekken had. Een beetje een arendsneus misschien en witte, gelijkmatige tanden, zonder spectaculair te zijn. Maar ik had de indruk dat mijn gezicht te rond was, en ik had graag meer uitstekende jukbeenderen gehad, een ovaler gezicht, minder kinderlijk. Kortom, ik vond mezelf niet zo knap als anderen zeiden. Ik had het vaak gehoord, vooral van de vriendinnen van mijn moeder, die niet zuinig waren met hun bewondering voor mijn uiterlijk als ze bij ons thuis waren. 'Herminia wat een énige dochter heb jij, zo fijngebouwd, zo slank...' Maar was dat niet wat ze moesten zeggen? Ze konden moeilijk zeggen: 'Herminia, wat heb jij een onsympathiek en raar kind grootgebracht, wat een stijve hark, wat een saaie bonenstaak,' hoewel er vast meer dan één was die dat dacht. Als ik een jongen was geweest hadden ze er zeker niet zoveel aandacht aan besteed en dan was ik later niet zo geobsedeerd geweest door mijn uiterlijk.

Voor die gedachtespinsels gebruikte ik de twintig minuten die nodig waren om de peroxide te laten inwerken. Daarna spoelde ik mijn haar uit onder de douchekraan en droogde het met de föhn van Charo (Braun Silence 1200, drie snelheden en diverse hulpstukken). Toen keek ik weer in de spiegel om het effect te beoordelen. Wat ik zag beviel me wel. Alleen moest Monica het ook leuk vinden.

Ik vond Monica liggend op de bank in de woonkamer, voeten op tafel, ogen strak op de tv gericht. Op de een of andere manier merkte ze dat ik achter haar stond en ze draaide een halve slag om naar me te kijken.

'Vind je het leuk?' vroeg ik. 'Ik heb het gedaan met een brouwsel dat je moeder in de badkamer had staan.'

Er was een gespannen stilte waarin ze me met verbaasde ogen lang aankeek voor ze besloot haar mening te geven. Ik hield mijn adem in en probeerde te bedenken hoe ik die lokken weg kon krijgen als ze ze niet leuk vond. Uiteindelijk oordeelde ze: 'Het staat je verdomd goed, echt waar. Je ziet er hartstikke leuk uit.'

'Vind je?'

'Natuurlijk. Maar verdomd, je ziet er altijd goed uit. Het werd alleen hoog tijd dat je eens iets aan je uiterlijk veranderde. Wat me verbaast is dat iemand die er zo leuk uitziet als jij zich nooit opmaakt, eeuwig en altijd dezelfde spijkerbroek aanheeft en zich gedraagt als de Heilige Theresia van Avila. Je bent achttien jaar. Ik vind, weet ik veel, dat het tijd wordt dat je je een beetje gaat opmaken, eens gaat scharrelen met een jongen...'

'Jongens interesseren me niet.'

'Wat bedoel je? Dat je meisjes leuker vindt?' Ze vuurde die vraag op me af alsof ons gesprek een tenniswedstrijd was, waarin waarheden razendsnel heen en weer werden gemept om het reactievermogen van de tegenpartij uit te proberen.

'Nee. Ik heb alleen gezegd dat jongens me niet interesseren,' sprak ik haar tegen. 'Dat is niet hetzelfde.'

'Nou eh…' ze was klaar om te serveren, 'heb jij weleens met een jongen geneukt of niet?'

Ik wist dat zij het antwoord kende en met me speelde.

'Met hoeveel heb jij geneukt?' Ik antwoordde laf met een tegenvraag en kaatste de bal terug.

'Ik weet het niet. Vanaf nummer honderd ben ik opgehouden met tellen.'

De telefoon onderbrak het gesprek met zijn hysterisch gerinkel waardoor ik er niet achter kwam of ze dat echt meende van die honderd. Bij haar was het vaak heel moeilijk te beoordelen of ze serieus was of grapjes maakte. De telefoon ging twee keer over en daarna werd het stil in de kamer tot er opnieuw werd gebeld. Coco verscheen plotseling in de deuropening.

'Dat is mijn code: twee keer bellen, ophangen en dan weer bellen,' zei hij. 'Dat is voor mij.'

Tien seconden later werd er weer gebeld. Coco nam op en raakte in een onbegrijpelijk gesprek vol stiltes verwikkeld, waarin hij af en toe wat onsamenhangende eenlettergrepige woorden gooide: '… ja… natuurlijk, man… te gek… zeker… nee, jongen…' Hij moet minstens tien minuten of langer aan het apparaat hebben gehangen en het enige wat ik ten slotte kon afleiden uit wat hij zei was dat hij minstens twee dagen nodig had om te krijgen wat de beller van hem wilde.

Met een bezorgd gezicht hing hij op.

'We hebben een nieuwe opdracht, Monica,' zei hij zich tot zijn vriendin wendend en mij volkomen negerend alsof ik niet in de kamer was.

'Godzijdank,' zei zij.

'We hebben alleen geen geld om te investeren.'

'Nou dan moeten we aan geld zien te komen.'

'Hier is het,' zei Coco.

We parkeerden de auto op de hoek van de Conde de Xiquena en de Bárbara de Braganza. Er was geen maan, de straat verdween in een dichte, grijze duisternis en het asfalt versmolt met de nacht. In het donker weerkaatste het geschitter van Monica's ogen in de achteruitkijkspiegel.

'Hoe lang kan het duren?' vroeg ze.

'Geen idee. Hangt ervan af of ik geluk heb. Hoe dan ook, als ik binnen een half uur niets vind gaan we weg.'

'Goed. Ik zet nu de motor uit. Ik start hem over precies tien minuten en houd hem draaiende tot jij komt. Ik laat het portier aan jouw kant open.'

Coco gaf haar een haastige zoen op haar mond en stapte uit.

'Succes,' zei Monica bij wijze van afscheid. Toen draaide ze zich naar mij om. 'Wil je een sigaret?'

'Weet je zeker dat we niet te veel risico nemen?' vroeg ik met enigszins bevende stem.

'Heel zeker. Ik heb je al gezegd dat we het vaker hebben gedaan. Maar als je zo bang bent had je niet mee moeten gaan, verdomme. Als ik dat weet houd ik mijn mond en vertel ik je niks.'

'Dat zou je niet kunnen. Je hebt me altijd alles verteld. Je zou uit elkaar barsten als je het me niet zou vertellen, zoals die jongen uit het sprookje.'

De jongen uit het sprookje dat ik bedoelde had een geheim bewaard dat in zijn lichaam was opgezwollen als een ballon. Omdat Monica geen antwoord gaf maakte ik het me gemakkelijk op de achterbank van de auto en haalde diep adem, vastbesloten om de zaak net zo kalm op te nemen als Monica leek te doen en me niet onnodig zorgen te maken.

Ze hadden me alles tot in de details uitgelegd, want Monica had erop gestaan dat ik het wist, ook al was Coco er voorstander van mij erbuiten te houden. Maar zij vertrouwde me volkomen. Ik was haar beste vriendin, haar enige vriendin, en ze had nog nooit iets voor me verborgen gehouden, dus Coco moest zich er maar bij neerleggen en me met hen mee laten gaan, mopperend en wel. Ik weet niet waarom Monica wilde dat ik erbij was. Ik wilde graag denken dat het was omdat ze van me hield, omdat ze haar wereld met mij wilde blijven delen, ook al waren we een beetje uit elkaar gegroeid sinds zij zeventien was geworden, of liever gezegd sinds zij heroïne was gaan gebruiken en met Coco begon uit te gaan.

Zoals Monica al had gezegd was het niet de eerste keer dat ze iets dergelijks deden. De eerste keer was toevallig geweest, onverwacht op een vroege ochtend toen ze de auto in de Conde de Xiguena parkeerden om een chineesje te nemen. Toen zagen ze een stel naderen, twee geliefden met de armen om elkaars middel. Ze liepen naar een GTI die tegenover Monica's auto stond geparkeerd (of om precies te zijn Manuels auto, waar Monica tijdens zijn afwezigheid in reed). De man wilde net de auto openmaken toen zijn vriendin hem omhelsde en op zijn mond kuste. Ze gingen op in een vurige omhelzing en op dat moment stapte Coco in een opwelling uit de auto en stond met twee grote stappen naast hem en voor de man goed en wel besefte wat er gebeurde had hij de punt van een mes bijna in zijn nieren. Hij gaf Coco zonder protest zijn portefeuille. Hij schreeuwde niet en alarmeerde niemand. Hij wilde zijn vriendin er blijkbaar buiten houden. Het plan was doodeenvoudig. Naar de deur van Tintoretto gaan, toen een heel selecte en dure discotheek, waar de toegang beperkt was en je voor ieder drankje de prijs van een kilo van het beste kalfsvlees betaalde. Het soort gelegenheid waar Cayetano zus en Tatiana zo heen gingen als ze wat wilden drinken. Er kwamen gewoonlijk ook zakenlui van in de vijftig met knappe jonge meisjes, heel andere types qua uiterlijk dan hun wettige echtgenotes. Misschien secretaresses, of aankomende modellen, of dure prostituees, wie weet. Een relevant feit dat die toevloed van goedgevulde portefeuilles in deze gelegenheid verklaarde: ze waren discreet en camera's waren niet toegestaan.

Coco, netjes gekleed in jasje en das (van Armani natuurlijk, want het kwam uit de kast van Monica's stiefvader) stond op een hoek een sigaret te roken en leunde heel ongedwongen tegen een van de brommers alsof hij op een afspraak wachtte die te laat was. Als het goed ging kon er elk ogenblik een paar naar buiten komen, verschillend in leeftijd en voorkomen: hij zou er veel ouder en rijker uitzien dan zij. Ze zouden gearmd naar buiten komen, enigszins wankelend en een beetje dronken en niet letten op de jongeman die hen volgde tot het te laat was. Met een beetje geluk zou er zelfs geen aangifte worden gedaan. Waarom de aandacht vestigen op de omstandigheden waaronder de overval had plaatsgevonden? Het kon natuurlijk ook zijn dat er geen enkel paar naar buiten kwam, of dat de straat niet verlaten of donker genoeg was, of dat Coco om wat voor reden ook besloot om het van tevoren bedachte plan niet uit te voeren. In ieder geval zou Coco binnen een half uur terugkomen, omdat de motor van de auto niet zo lang kon blijven draaien.

Ik had totaal geen last van morele bezwaren terwijl ik daar in het schemerduister op die achterbank zat te wachten. Net als Coco en Monica zag ik er geen enkel kwaad in om een dikke vent die bulkte van het geld een beetje lichter te maken. Wat ik wel belangrijk vond was het risico. Het leek me niet zo gemakkelijk. En als die man schreeuwde of als zij schreeuwde of als ze een pistool bij zich hadden – helemaal niet vreemd bij dat soort mensen, mijn eigen vader had er een – of als er plotseling een smeris opdook of als onze auto niet snel genoeg was...?

Op dat moment zag ik Coco als een olympisch-recordhouder komen aanrennen. Ik zag dat Monica snel het portier van de plaats naast haar opengooide. Coco was met een sprong in de auto en het voertuig schoot met haar aan het stuur pijlsnel weg. De banden gierden over het asfalt. We gingen een, twee, drie keer door een rood stoplicht en scheurden door de bochten, waarbij de auto gevaarlijk overhelde. Gelukkig was er op dat uur weinig verkeer. We staken Sagasta over, kwamen bij San Bernardo, reden Quintana af zonder voor één rood licht te stoppen. Ten slotte parkeerden we in het Oestepark. Alles was zo snel gegaan dat het een droom leek.

'Hoe ging het?' vroeg Monica.

'Goed, heel goed...verdomd goed.' Coco lachte tevreden en

schudde zijn hoofd. 'Net zo'n suf type als de vorige keer. Het lijkt wel of ze in serie worden geproduceerd.'

'Wat heb je te pakken kunnen krijgen?'

'Zijn portefeuille.' Hij deed hem open en begon de inhoud te bekijken. 'Zeven biljetten van duizend peseta, identiteitsbewijs, bankpasjes...'

'We moeten alles weggooien. Het zal ons verraden,' drong Monica aan.

'De pasjes niet,' wierp Coco tegen.

'De pasjes ook,' hield zij vol. 'Die vent laat ze nu op dit moment blokkeren.'

'Je kunt ze overal bij elke pinautomaat gebruiken. En op snelwegen. Ze controleren de nummers niet. En bij benzinepompen ook niet als er een rij staat.' Coco stak zijn hand in zijn zak en zwaaide als een hypnotiseur met een horloge voor onze ogen. 'Een goed klokje, geloof ik. Patek Philippe.'

'Het is niet waar!' een vonkje jaloezie lichtte op in Monica's ogen. 'Dat is een smak geld waard.'

'Ik denk dat ik wel weet waar ik dat kwijt kan.' Hij lachte, voor het eerst ontspannen door de opgetogenheid van wat hij zijn verloofde noemde. 'Ik heb ook de ringen van dat mens, hoewel die niet zoveel soeps lijken. Ik weet niet of het nep is, maar dan toch nep van het goede soort. Ze zullen in elk geval wel wat opbrengen, denk ik.'

'Dat horloge komt ons fantastisch uit. Dat kun je goed verkopen. Ook al betalen ze ons maar de helft van de prijs, dan kunnen we er toch weer een tijdje tegen, en maar goed ook, want ik heb niet veel zin om dat van vanavond nog eens over te doen. Dit is de auto van mijn vader en we hebben hem bijna in elkaar gereden. Ik heb niet eens een rijbewijs.'

Zoals gewoonlijk praatten ze met zijn tweeën alsof ik er niet bij was en negeerden ze me volkomen. Ze vonden me te naïef, of nog erger misschien, ze dachten helemaal niet aan me. Ik had Monica kunnen aanraken door alleen maar mijn hand uit te steken, en toch voelde ik hoe zij steeds meer van me vervreemdde. In mijn wanhopige pogingen bij haar te blijven ging ik in de richting van een horizon die steeds verder terugweek.

‘Ik moet Chano gaan opzoeken,’ zei Coco tegen Monica. ‘We moeten dus wel met de auto van je vader, er zit niets anders op. We kunnen daar niet helemaal met de bus heen. Het is zo’n uithoek.’

‘Amme reet!’ zei zij. ‘Ik heb je gisteren al gezegd dat ik dit onding niet meer gebruik. Als mijn moeder erachter komt, maakt ze me van kant. We gaan met de bus. Het doet er niet toe hoe lang we erover doen.’

Uiteraard namen we dus toch de auto. We moesten een hele tijd in de buurt van de garage wachten tot we zeker waren dat er niemand meer was en geen van de buren toevallig zag dat we hem meenamen. Maar het ongeluk wilde dat juist op het moment dat de auto de oprit van de garage af reed, het echtpaar van het poedeltje voorbijkwam en ons strak en verwijtend aankeek.

Cerro de la Liebre is een gehucht van zigeunerkrotten aan de rand van Madrid. Met La Celsa is het de grootste drugssupermarkt van de stad. We parkeerden de auto in de berm van de weg (want het gehucht was niet geasfalteerd) en voor we uitstapten keken we goed of er geen enkel voorwerp van waarde zichtbaar was. Monica was een beetje bezorgd bij het vooruitzicht de auto daar zo achter te laten, zodat ik aanbood op hen te blijven wachten.

‘Dat is nou ook weer niet nodig, Monica, overdrijf niet zo. Die arme Bea wordt hier geroosterd,’ zei Coco.

Het gehucht bestond uit niet meer dan twee evenwijdige rijen krotwoningen tegenover elkaar met een soort stoffige weg ertussen waar wij met zijn drieën overheen liepen. Er renden hordes vuile haveloze kinderen om ons heen. Sommigen, nog te klein om te lopen, kropen rond bij de deur van hun huis en staken af en toe een handvol zand in hun mond.

Ten slotte gingen we naar binnen in een krot dat op het eerste gezicht in niets verschilde van de andere. Binnen zat een oma te dutten in een ligstoel en een magere smoezelige jongeman lag zo lang als hij was op een oude skai bank. Met de afstandsbediening in de hand zapte hij langs de kanalen van de televisie die voor hem stond, een Sony Trinitron met een vierentwintig-inchscherm, waarschijnlijk gestolen.

Hij groette Coco vriendelijk en vervolgens bleef hij ons twee, die achter Coco aankwamen, van top tot teen bekijken, maar zei geen woord tegen ons.

'Ik heb het voor je,' zei het zigeunertje met een hoofdbeweging in de richting van wat een kamertje leek, afgescheiden door een douchegordijn dat als deur dienstdeed. 'Laten we daarbinnen praten, mannen onder elkaar.'

Ze verdwenen een paar minuten terwijl Monica nerveus inhalerend een sigaret rookte en door het kleine kamertje op en neer liep. Ik bleef onbeweeglijk in de deuropening staan zonder haar zwijgen te durven verbreken, want ik kende haar en wist dat je beter niets tegen haar kon zeggen als ze zenuwachtig was. Kort daarop verschenen Coco en zijn vriend weer. Coco had een in krantenpapier gewikkeld pakje in zijn hand ter grootte van een damestas. Het zigeunertje wierp me net zo'n brutale blik toe als waarmee hij me had begroet.

'Wat een knap ding,' zei hij tegen Coco met een hoofdgebaar naar mij. 'Is dat iets van jou?'

'Het is de vriendin van mijn vrouw,' antwoordde hij.

'Laat haar even hier, dan krijg je vijf gram schoon van me.'

'Vergeet het maar. Ik zou nooit jouw heroïne willen hebben, jongen. Ik rook nog liever Nesquick.'

Ik vertrok woedend en beledigd.

Coco reed op de terugweg. Ik hulde me het grootste deel van de rit in een koppig stilzwijgen, waar Coco noch Monica erg veel aandacht aan schonk. Eindelijk, toen we op het punt stonden Madrid binnen te rijden, barstte ik uit. Ik zei tegen Coco dat ik, hoe ik mijn best ook deed, niet kon begrijpen waarom hij niet duidelijk had gemaakt dat ik niet te koop was en, wat ik nog het ergste vond, dat Coco het over mij had gehad alsof ik zijn eigendom was. Hij lachte alsof het hem weinig kon schelen en probeerde me uit te leggen dat zigeuners de dingen op hun manier bekeken en dat hij geen zin had om zijn tijd te verdoen met Chano opvattingen bij te brengen die hij toch niet zou begrijpen. Voor Chano was ik een van de anderen, maar omdat ik met Coco was meegekomen, was ik een junk. En als ik een buitenstaander was en een junk, moest ik een hoer zijn en wat Coco ook zou zeggen, niets zou hem van gedachten kunnen doen veranderen, dus was het beter hem te negeren. Ik ging er niet verder op in omdat ik wist dat ik het zou verliezen en ging uit het raampje zitten kijken, inwendig woedend en Coco vervloekend. Ik haatte hem. Monica was niet meer dezelfde sinds ze hem kende, dacht ik. Ik gaf hem de schuld van onze verwijdering.

Na een tijdje kreeg Monica waarschijnlijk medelijden met me, want ze draaide zich om en probeerde me op te beuren.

'Kom op, Bea, stel je niet aan, zo erg is het niet. Niemand heeft je beledigd. Die mensen zijn gewend aan dit soort handel. Nou... als je eens wist met hoeveel negers ik het heb gedaan voor een simpel chineesje, dan zou je er trots op moeten zijn dat iemand vijf gram voor je bood.'

Ik begreep niet of het nu wel of niet een grapje was en ik wilde het niet weten ook. Het was waar dat Monica me het laatste jaar steeds minder vertelde, maar ik wilde er liever niet aan denken dat zij al grenzen had overschreden die ik nooit zou bereiken, ik deed of ik de voortdurend boven mijn hoofd hangende waarheid niet zag, die ik moeilijk kon accepteren en onmogelijk kon negeren. Toen schoten mij opeens Coco's woorden te binnen, dat hij nog liever Nesquick zou roken dan dat spul van die vent te nemen. En ik dacht dat als de heroïne van die Chano zo slecht was als Coco beweerde, we hiernaartoe waren gekomen om iets anders te kopen... Cocaïne?

'Coco,' vroeg ik, 'wat zit er in het pakje dat je hebt gekocht?'

'Luister meisje, hoe minder je weet, des te beter,' antwoordde hij terwijl hij strak naar de weg bleef kijken.

'Als jullie niet willen dat ik het weet, waarom nemen jullie me dan mee?'

'Moeten jullie nu altijd ruziemaken? Bea, als je niet met ons mee wilt, blijf je maar thuis en hou nu op met dat gezeik, oké?'

'WILLEN JULLIE ALLE TWEE JE MOND EENS HOUDEN?' zei Coco.

Op dat moment klonk er een doffe klap en een zielig gejank. Coco had de auto met piepende remmen tot stilstand gebracht. Hij deed het portier open en sprong uit de auto. Monica stapte na hem uit en ik volgde.

'Jezus,' hoorde ik Coco zeggen. 'Jezus nog aan toe.'

Eerst had ik niet in de gaten wat er was gebeurd. Er lag een bruinig geval op het asfalt dat op een oud kleed leek. Toen ik goed keek begreep ik wat het was. Een zwaargewonde hond, nog maar een zielig trillend hoopje haren vol bloed. In zijn glazige ogen waren berusting en angst te lezen.

'Laten we weggaan,' zei Monica.

'Hoezo weggaan?' zei ik huilend. 'Dit beest leeft nog. Je kunt hem zo niet achterlaten.'

'Dat kunnen we wel,' antwoordde ze.

'Hij heeft pijn, zie je dat niet?'

De hond deed zijn bek open alsof hij naar adem snakte.

'Bea, hou je mond alsjeblieft,' zei Monica. 'Wij kunnen niets doen. Kom, stap in de auto.'

'We kunnen hem naar de dierenarts brengen,' zei ik terug.

'Hij is al dood voor we er zijn. Trouwens, het is maar een straathond.' Ze trok me aan mijn arm mee naar de auto en duwde me naar binnen.

Ik zei geen woord. De auto trok op en liet het door de zon verwarmde stervende dier achter, zijn ingewanden hadden de kleur van een smerig palet. Door het raampje gleden de gebouwen in duizelingwekkende vaart voorbij.

Toen we bij de garage waren inspecteerde Monica zorgvuldig de spatborden van de auto. Er zaten deuken in. De auto moest naar een garage en gerepareerd zijn voordat haar ouders terugkwamen. Een groot probleem, zei ze, want nu hadden ze nog meer geld nodig. Ze had het totaal niet over die achtergelaten hond, zijn ingewanden, zijn snakken naar adem. Terwijl ik naar haar keek, geleund tegen de koplampen (eentje was kapot) begreep ik dat ik haar niet kende, dat ik haar nu pas leerde kennen. Opeens keek ze op en betrapte me. Ze lachte niet, maakte geen enkel gebaar. Misschien raadde ze wel wat ik dacht. Ik voelde me meer betrokken bij de hond dan bij haar, alsof ze me ieder moment op straat konden achterlaten, zodra ik een obstakel voor hen zou worden. Ik begreep dat ze me door de manier waarop ze naar me keek een diepe pijnlijke maar trefzekere dolksteek toebracht.

'Wat een geluid zit er in deze radiocassetterecorder.'

Dat hoefde Coco niet te zeggen. Hij had de muziek zo keihard gezet dat de muren trilden. Hij bewoog zijn voeten op de maat, terwijl zijn vriendin (om maar iets te zeggen) de stukjes aluminiumfolie klaarmaakte voor een chineesje.

'Wil je ook?' vroeg Monica aan mij.

'Nee.'

'Voor deze ene keer? Probeer het eerst maar even. Misschien vind je het lekker.'

Toen werd er gebeld. Snel verstopte Monica het zakje heroïne en de aluminiumfolie en gebaarde dat we de salon uit moesten. Wij gingen dus naar de gang en deden de deur dicht. Coco legde zijn oor tegen de deur en ik deed hem na. Ik herkende de stem: het was de buurvrouw van het poedeltje. Ik kende haar stem al jarenlang, sinds ik bij Monica thuis kwam, want vaak kwam ze zomaar wat kletsen met Charo. Je zag dat de arme vrouw niet veel mensen kende om mee te praten. Nu kwam ze klagen over de harde muziek en Monica verontschuldigde zich heel beleefd en verzekerde haar dat het niet meer zou gebeuren. Toen Monica de deur dichtdeed, gingen Coco en ik de salon weer in.

'Jullie hebben het gehoord, hè?' zei ze. 'Dus pas op voor je woorden want de muren hebben oren.'

'Ik denk dat ik misschien ook maar een chineesje neem. Eentje maar, en alleen voor deze keer. Ik heb er nog nooit een gehad en ik ben benieuwd,' stamelde ik verlegen.

'Doe niet zo achterlijk... Je hoeft je niet te excuseren en ook niet bang te zijn,' stelde Monica me gerust. 'Je moet er heel wat gehad hebben om verslaafd te worden. Je lijkt je moeder wel.'

Monica maakte dus drie chineesjes klaar, verhitte de heroïne op drie stukjes zilverpapier en gaf die ons vervolgens met de vulling van een Bic-ballpoint om het op te snuiven. Monica snoof diep en liet zich in de stoel vallen. Toen was ik aan de beurt. Ik snoof mijn chineesje op, legde het zilverpapier en de vulling op tafel, ging naast Monica zitten en pakte haar hand.

'Wat ik niet begrijp,' zei ik, 'is dat een meisje als jij zich niet kan amuseren zonder van alles te snuiven. Juist jij... Op school vond iedereen jou geniaal.'

Ze keek naar het plafond met verdraaide ogen waarin een kinderlijke schittering zichtbaar was.

'Ik moet het enige meisje ter wereld zijn geweest dat graag naar school ging.' Ik weet niet of het een antwoord op mijn vraag was of dat ze hardop dacht.

Monica kneep hard in mijn hand. Plotseling merkte ik dat Coco dit tafereeltje stond te bekijken en ik liet de hand van mijn vriendin los.

In de wereld waarin ik opgroeide leek het heel duidelijk wat een man en wat een vrouw was. Er werd gesproken over bezigheden die meer of minder de viriliteit van een man uitmaakten of meer of minder bij de vrouwelijkheid van een vrouw hoorden. Vrouwen waren volgzamer, geraffineerder, hadden meer smaak en waren beter opgevoed. Mannen waren sterker en ruwer, minder gevoelig, beter geschikt voor het zware werk. Er waren ook mannen die vrouwelijke kenmerken hadden en vrouwen die als mannelijk werden bestempeld, die eersten waren te zwak en de laatsten te grof volgens het normale patroon.

Maar natuurlijk waren de dingen als je was opgevoed door de nonnen en door katholieke ouders niet zo duidelijk als ze ons wilden laten geloven. De seksen waren niet alleen maar wit of zwart: er bestond een oneindige variatie van grijstinten. Mannen, op een rij gezet, vertoonden diverse graden van mannelijkheid zowel in uiterlijk als in gedrag. Vrouwen vertoonden in vergelijking een zelfs nog grotere variëteit, zodat een zogenaamde onvrouwelijke vrouw naast een supermannelijke man weer vrouwelijk werd. En als je een lieve gevoelige heel erg vrouwelijke man naast de liefste vrouwelijke versie van de vrouw zette, leek hij veel mannelijker dan zij. Zodat het allemaal een kwestie van gradatie was.

De moeilijkheid is dat er in de kleine microkosmos waarin ik ben opgegroeid bijna geen mannelijke rolmodellen waren, buiten mijn vader die er nooit was. Je moet bedenken dat ik naar een school ging met alleen maar meisjes, geleid door vrouwen. Vriendschappen met leden van het andere geslacht bleven beperkt (om niet te zeggen verboden), in het bijzonder voor en in de puberteit. Ik had geen vriend zonder *in* erachter, en dat kon ook niet. Ik wist niet hoe ik sociale contacten buiten de school kon krijgen.

In principe was mijn eerste identificatie gemakkelijk: ik was een meisje. Je hoefde maar naar mijn kleren te kijken, mijn schooluniform, alle accessoires (rokken, vlechtjes met onderaan een strik, schoenen met ronde neuzen waar een riempje met een gesp op zat...) die ik kreeg vanaf de dag dat ik ter wereld kwam, op het moment dat de vroedvrouw constateerde dat ik geen klepeltje onderaan had hangen. Twee dagen daarna maakten ze gaatjes in mijn oren om oorbellen te kunnen dragen. Maar later toen ik groter werd begon ik mijn verlangens en interesses te vergelijken met die van mijn omgeving, met het idee dat de nonnen en mijn moeder hadden van het meisje dat ik moest zijn en de vrouw die ik moest worden, en ik besefte dat ik niet zo was en ook nooit zo zou worden. Ik werd opgevoed om een bepaald gedrag te vertonen, om een opgelegde rol te spelen, maar in de tijd dat ik aan die komedie meedeed leidde ik een kunstmatig leven. Diep in mijn hart benijdde ik de wezens om mij heen die niet hoefden te doen alsof ze lieve meisjes waren omdat ze dat ook echt waren. Maar door het duidelijke beeld van dat personage kon ik die rol probleemloos spelen, alsof ik een draaiboek had gekregen. Het kwam er in het kort op neer dat ik moest doen wat ze me hadden geleerd: bepaalde dingen niet doen en zeggen (niet schelden, niet voetballen, niet in bomen klimmen, geen ruzie maken, niet schreeuwen...). Dus hoewel ik me niet op mijn gemak voelde had niemand dat in de gaten.

Dat wil zeggen dat ik me vanaf mijn elfde jaar anders ging voelen dan mijn klasgenootjes, heel anders, maar ik probeerde het niet al te veel te laten opvallen. Op mijn twaalfde was ik een soort wandelende bezemsteel, een plumeau van verward blond haar op een stok. Kleren interesseerden me geen bal, het was mij om het even of ik Spaanse schoenen of een Lotusse-polo had of niet, ik hield er niet van om mijn schoolboeken met pastelkleurig bloemetjespapier te kaften, en al helemaal niet met babyfoto's, en ik zag er ook het nut niet van in om lang haar te hebben, want dat betekende dat ik iedere morgen een half uur met rollers in de weer moest zijn. Ik had totaal geen belangstelling, zoals te verwachten was, voor de verzen van Bécquer, de ochtendprogramma's op Gran Musical of het geroddel in *Súper Pop*. Miguel Bosé vond ik een engerd, Pedro Marín een mietje en Iván een randdebiel, terwijl ik niet eens wist wat dat betekende.

Op mijn twaalfde ontdekte ik Radio 3 op de radio en ik was enthousiast over een soort muziek dat mijn klasgenoten helemaal niet kenden en ook niet wilden kennen, maar dit terzijde. Zij bleven hun (al genoemde) idolen uit *Súper Pop* trouw, die trouwens meer op meisjes dan op jongens leken. Terwijl de meisjes op mijn school hun haar vol roze haarspeldjes stopten waardoor hun hoofd wel een kraampje op de zondagsmarkt leek, en hun zakgeld van drie zondagen uitgaven aan het onmisbare pastelkleurige katoenen sweatshirt, sloot ik me zondagmiddag op in mijn kamer om naar de radio luisteren en las ik de boeken uit de bibliotheek van mijn vader (ik las ze allemaal in die jaren, het ene na het andere, van Balzac tot Thomas Mann, zonder echt te begrijpen wat ik las). Ik verlangde naar een wereld die verboden was voor mij, een wereld met mensen die zouden lijken op Siouxsie Sioux en Robert Smith, die kort kroeshaar hadden in onmogelijke kleuren, hun ogen opmaakten en glimmende latexbroeken droegen (onacceptabel volgens de nonnen en volgens mijn moeder, zowel voor mannen als voor vrouwen). Als Alaska y los Pegamoides op de tv kwamen en mijn moeder moord en brand schreeuwde en zei dat ze er belachelijk uitzagen en mijn god waar moet dat naartoe, voelde ik heimelijk dat ik hier niet op mijn plaats was, dat de wereld waartoe ik in feite behoorde niet thuis was en niet op school, maar ergens op een van de geheime plekken in Madrid, in een verborgen hoekje dat ik vanuit de bus niet kon zien. Maar waar?

Ondertussen bleef ik dat stille en vreemde meisje dat net zo'n blauw uniform aanhad als alle andere leerlingen van de Sagrado Corazón-school en dat maar vlechtjes bleef dragen, ook al hadden alle andere meisjes uit de klas trots hun haar los zonder elastiekjes en bandjes. Ik haalde goede cijfers en liep niemand in de weg. Toen ging ik naar de achtste klas en leerde Monica kennen.

Op mijn school zat je jarenlang met dezelfde leerlingen in de klas. Dat betekent dat het normaal was dat een meisje de hele schoolperiode in dezelfde klas zat met dezelfde groep meisjes, en van deze regel werd alleen in bijzondere gevallen afgeweken: als je bleef zitten, en dan kwam een meisje een groep lager te zitten, zoals met Monica het geval was. Toen ik haar leerde kennen was ze een jaar ouder dan ik. Een jaar verschil betekent niets en schept geen al te grote afstand als je volwassen bent, tussen mijn tweeëntwintig jaar bijvoorbeeld en de vijfentwintig van Cat, maar in de puberteit is dat wel belangrijk en tussen twaalf en dertien markeerde dat een enorme afstand, de afstand die een plat meisje met vlechtjes onderscheidt van een vrouw die een beha draagt en weet waar tampons voor zijn. Monica had de naam een oproerkraaister te zijn, de nonnen hadden ons daarvoor gewaarschuwd en daardoor was ze blijven zitten. Niet vanwege haar schoolprestaties, die net zo slecht waren als die van de andere meisjes die wel overgingen, maar ze wilden de leidster scheiden van de officiële *rebellen* uit de achtste (rebellen: dat was het woord dat de nonnen gebruikten voor de ontaarde meisjes), dat groepje aanhangsters dat haar blindelings volgde. De groep die zich tijdens de mis verstopte in het klooster om de witte kappen van de nonnen te zien en tochtjes organiseerde naar de eetzalen om chocoladedonuts te stelen en afspraakjes maakte met de jongens van de jezuïeten als de school uitging. De nonnen hadden dus heel eenvoudig besloten dat twee vakken onvoldoende waren, die moest ze in september overdoen en daarom het hele jaar. En het was al heel wat dat ze haar niet van school hadden gestuurd, hoewel ze dat volgens hen wel had verdiend, maar ze hadden rekening gehouden met haar moeder en met het feit dat in de acht jaar dat het meisje op school zat de rekeningen altijd, zonder uitzondering, keurig op tijd waren betaald en dat was een belangrijk punt. Vooral in deze zorgwekkende tijd dat de openbare scholen in de mode waren gekomen en steeds meer ouders besloten hun dochters van school te halen om ze naar de nabijgelegen Santa Cristina-school te brengen, waar het gemengd was en waar de zonen van Ramón Tamames op zaten. En eerlijk gezegd had Charo zelf er ook weleens over gedacht om de algemene trend te volgen en Monica in te schrijven op een van de andere scholen, de Estudio, de Base, of het Liceo Francés. Maar omdat ze het gedeeltelijk met de nonnen eens was wat de opstandige en onhandelbare aard van het meisje betreft, dacht ze dat een gedisciplineerde opvoeding haar beter in het gareel zou houden.

In die tijd bestond er geen ergere straf of verbanning voor een meisje van dertien dan moedwillig gescheiden te worden van de vriendinnen met wie ze acht jaar lang kattenkwaad had uitgehaald en geheimen had gedeeld en haar opzettelijk in de groep snotmeiden van de lagere groep te zetten die ze altijd hadden uitgelachen. In theorie kon ze haar vroegere vriendinnen in de pauze ontmoeten, maar Monica wist heel goed dat het zo nooit ging. Er was een ongeschreven regel dat zodra er geen gezamenlijke vijand was, als je niet mee kon kankeren op de lerares van maatschappijleer, niet alle krijtjes een paar minuten voordat ze de klas inkwam liet verdwijnen, geen spiekbriefjes doorgaf tijdens de examens, geen balletpassen uitvoerde tussen de schoolbanken als de dikke zuster Amparo zich omdraaide naar het bord om een vergelijking uit te leggen, die jarenlange vriendschap in een handomdraai werd uitgewist. Het schaarse contact tijdens de pauzes was niet genoeg om iets in stand te houden wat gebaseerd was op een gezamenlijke kwelling van acht uur per dag.

De nonnen wisten heel goed, evenals Monica zelf, dat zodra

Charo's dochter niet langer deelnam aan de uitstapjes van het negende jaar, niet meedeed met de geestelijke retraite, de toneelstukken of de organisatie van liefdadigheidsfeesten, ze buitengesloten zou worden door de groep waarvan ze tot voor kort de leidster was geweest. Dat wist ze even goed als de nonnen die dat heel bewust hadden laten gebeuren.

Dankzij de nonnen en haar moeder die besloten dat het meisje de achtste over moest doen, leerde ik dus mijn verwante ziel kennen, op het moment dat ze zich bijzonder eenzaam voelde en mij meer dan nodig had.

Normaal gesproken kiest iedere leerlinge op de eerste schooldag een plaats uit en blijft daar het hele jaar zitten. Monica werd noodgedwongen bij een groep onbekenden gezet en kwam naast mij te zitten omdat ik geen goede vriendinnen had, dat wil zeggen dat niemand speciaal naast mij wilde zitten, zodat Monica een lege plaats zag en daar plaatsnam. De nonnen vonden dat een goed besluit want zij dachten dat ik, omdat ik goede cijfers haalde en zo stil was, een goede invloed zou kunnen hebben die de impulsiviteit van dat brutale meisje iets zou temperen. Ik was dus verplicht mijn plaats acht uur per dag te delen met het stralendste wezen dat ooit in mijn buurt was geweest.

Monica was donker en olijfkleurig, had glanzende zwarte spleetogen omlijst door dikke donkere gekrulde wimpers. Ze viel op door haar levendige pientere ogen die altijd schenen te lachen, hoewel je haar eigenlijk niet echt knap kon noemen. Haar jukbeenderen staken misschien iets te veel uit aan beide zijden van haar spitse neus. Als ze lachte was er aan de rechterkant van haar ietwat volle mond een kuiltje te zien en een rij witte spitse tandjes als kiezelsteentjes in een rivier. Kortom ze was aantrekkelijk, ondanks of dankzij haar onregelmatige trekken. Maar haar schoonheid zat vooral in haar ogen, die ogen die zelfs een sfinx niet onberoerd zouden laten en die haar een triomfantelijke uitstraling gaven. Sprekende ogen, die zelfs achter haar bril niet verborgen bleven.

Ze sprak aan een stuk door en vond in mijn zwijgen de ideale voedingsbodem om haar spraakader te ontwikkelen. Ze vond het altijd vanzelfsprekend dat iedereen geïnteresseerd was in haar belevenissen, zoals inderdaad het geval was, en niet andersom. Ze fascineerde me omdat ze mijn zielsverwante was en tegelijkertijd, paradoxaal genoeg, mijn totale tegenpool, wij vulden elkaar aan. Urenlang kon ik geboeid naar haar luisteren, meegesleept door haar vitaliteit, terwijl zij onophoudelijk mopperde op Charo, de nonnen en onze domme medeleerlingen. Ze werd mijn vriendin, mijn enige vriendin, deelde mijn smaak voor muziek en mijn grillen. Mettertijd leenden wij elkaar boeken, platen en stripboeken en bouwden langzamerhand ons eigen privé-universum, waarvan ik dacht dat het eeuwig zou duren. Dat was niet zo.

Kort nadat ze me had leren kennen nodigde ze me uit om bij haar thuis wat te komen drinken. Haar stiefvader noch haar moeder kwam ooit voor tien uur thuis, zodat ze het rijk alleen had en kon kijken naar elk tv-programma dat ze wilde, luisteren naar keiharde muziek, zich volstoppen met chips en Coca-Cola, kortom alles wat een twaalfjarige graag doet, alles wat bij mij thuis niet mocht. Mijn moeder vond het helemaal niet leuk dat ik haar langzamerhand ontgroeide en in die periode begonnen ook onze luidruchtige discussies. En dat werd een vicieuze cirkel, want hoe meer ik 's middags van huis was, hoe onverdraagzamer mijn moeder werd en hoe vaker ze tegen me schreeuwde, hoe minder zin ik had om naar huis te gaan. Het werd dus een gewoonte dat ik na school met Monica mee naar huis ging, met als uitvlucht dat we huiswerk moesten maken, en dat ik daar vaak bleef slapen. Toen was het Charo's beurt om met mijn moeder te praten en haar ervan te overtuigen dat er geen kwaad in stak dat ik bij haar thuis bleef slapen, en dat Monica en ik op de leeftijd waren dat we geheimen moesten uitwisselen en dat vriendschappen zo belangrijk zijn. Ik weet zeker dat mijn moeder het helemaal niet leuk vond dat ik vertrouwelijkheden uitwisselde met wie dan ook en al helemaal niet met Monica, maar ze was zo onder de indruk van de elegantie en de mondaine houding van Charo dat ze er niet tegen in durfde te gaan, en uiteindelijk morrend haar nederlaag accepteerde en het goed vond dat mijn vriendschap met Monica hechter werd. Ik heb het wel geweten, want van toen af waren er alleen maar ruzies, verwijten en tranen over van alles en nog wat. Niets wat ik deed of zei was goed en er ontstond tussen ons tweeën een hardnekkige en zwijgzame oorlog die jaren zou duren.

Van mijn twaalfde tot mijn achttiende was Monica de belangrijkste persoon in mijn leven, meer dan mijn eigen moeder, en hoewel ik toen nog niet goed besefte wat verlangen betekende, omdat er in die tijd nog niet zoals nu artikelen over allerlei facetten van seks in ieder vrouwenblad stonden, wist ik wel op de een of andere duistere en niet goed te verklaren manier dat mijn idee van verlangen met Monica te maken had en nauw verbonden was met haar beeld. Je zou kunnen zeggen dat ik ervoor koos verliefd op haar te worden, wie weet, omdat de nonnen en de wereld steeds maar weer opnieuw herhaalden dat ik geen echt meisje was, maar een namaakmeisje, een huichelaarster die daarvoor door wilde gaan. En als ik geen meisje was, als ik zoiets was als een geïnfiltreerd buitenaards wezen dat geen *hij* noch *zij* was, waarom moest ik dan verliefd worden op een man en trouwen en kinderen krijgen als ik dat niet wilde? Waarom zou ik dan niet verliefd worden op iemand die ik wel leuk vond?

Op mijn achttiende jaar hield ik op dezelfde manier van haar als op mijn twaalfde. Ik dacht er niet aan met haar naar bed te gaan: ik wilde alleen bij haar in de buurt zijn. We zaten in de keuken te eten – tagliatelle met kaas voor de verandering: gemakkelijk klaar te maken en goedkoop – en alleen al door Monica's aanwezigheid werd die ruimte gezellig, die keuken waar ik zes jaar lang zoveel aan had zien verbouwen, elke keer dat Charo het in haar hoofd haalde hem te moderniseren. Dezelfde keuken waar ik vanaf mijn twaalfde zo'n drie keer per week had gegeten en gedronken. Zij verslonden wat in mijn ogen bloederige wormen waren, terwijl ik zoals gewoonlijk zat te spelen met het eten. Ik hield Monica niet voor de gek, zij wist wel dat ik niet at, maar ze had het al heel lang opgegeven mij ertoe te bewegen. Terwijl ik bezig was de pasta om de vork te rollen en er weer af te laten glijden, bespraken zij wat we die avond zouden gaan doen. Stappen natuurlijk. Daar waren de avonden voor: het op een zuipen zetten. Het plan was gemaakt. Alleen de route en het vervoermiddel stonden nog niet vast.

'De auto nemen we niet,' waarschuwde Monica ons. 'Dat is wel duidelijk. Die gaat morgen naar de garage.'

'Goed, dan gaan we met de metro,' zei Coco.

'Ben jij gek. Ik ga niet met de metro. Als je eruit komt stink je naar Eau de Metro. We nemen een taxi, daar zijn ze voor,' ging Monica ertegen in, terwijl ze ons duidelijk maakte dat haar besluit vaststond.

We gingen natuurlijk met de metro. En het was uitgerekend Monica die voorstelde om in de fotoautomaat een foto van ons drieën te maken, voor het nageslacht. De ruimte in dat hokje was behoorlijk krap, zodat de enige mogelijkheid om de foto te kunnen maken was dat Monica en ik op Coco's knieën gingen zitten. We probeerden het, maar het ging niet zo gemakkelijk, omdat het krukje waarop we moesten zitten veel te klein was, zodat een van ons steeds weggleed en we geen goede opstelling konden vinden. Uiteindelijk gingen we maar zo goed en zo kwaad mogelijk zitten en deed Coco de muntstukken in de gleuf. Ik voelde duidelijk hoe een hand onder mijn T-shirt gleed en zachtjes mijn middel streelde. Ik wist niet of het Coco of Monica was, zodat ik mijn adem inhield en er niets van zei.

We liepen onze stamkroegen af: Iggy, Louie, Vía... en om drie uur 's morgens zaten we weer met onze ellebogen op de bar van La Metralleta. Coco had zijn arm liefdevol om Monica's middel. Ik keek in gedachten naar mijn glas whisky en zag tussen de ijsklontjes schommelende figuren waarvan de contouren vertekend waren en veranderden naargelang ik het glas tussen mijn vingers ronddraaide. Ik was stomdronken. Ik moest mijn gezicht even nat maken. Toen ik opstond merkte ik dat ik moeite had mijn evenwicht te bewaren. Ik schatte het zo'n tien meter naar de toiletten en dacht dat het mij zonder al te veel moeite wel zou lukken, zonder vallen of spektakel. Het was belangrijk mijn hoofd rechtop te houden, mijn ogen op de deur van de toiletten te richten, op te passen dat ik mijn evenwicht niet verloor en met soepele pas in een rechte lijn te lopen.

Ik was bijna bij de deur toen een donkere figuur mijn weg versperde. Ik keek omhoog en met moeite herkende ik het gezicht – vervormd door mijn wazige blik – van de lange vent die ik de laatste keer dat we hier waren had gezien, die van wie iedereen dacht dat hij politie was.

'Hallo, herken je me nog?' vroeg hij. 'Laatst probeerde ik met je te praten.'

'Ja, ik weet het nog. Is er iets?' antwoordde ik zo onverschillig mogelijk om niet te laten merken dat ik een dikke tong had.

'Ik weet niet, je bent zo knap dat ik niet weet wat ik tegen je moet zeggen.'

'Dat zal komen omdat het bloed van je hersens naar beneden zakt. Zo meteen weet je je eigen naam niet meer.'

'Eerlijk gezegd vergeet ik alles als ik jou zie...'

Dat was nou juist het soort opmerking waarvan ik moest kotsen en inderdaad voelde ik meteen een soort draaikolk door mijn slokdarm naar boven komen. Hoewel de misselijkheid in dit geval bijna zeker werd veroorzaakt door te veel alcohol.

'Hou maar op. Als ik zoiets hoor vraag ik me af waarom ik geen rol plakband in mijn tas heb,' antwoordde ik met mijn ogen nog steeds strak op de deur van de toiletten.

'Laat mijn vriendin met rust, oude bok.' Monica was vanuit het schemerdonker van de bar opgedoken. Ik denk dat ze me met die vent had zien praten en snel naar me toe was gekomen om erger te voorkomen. Precies zoals Coco de laatste keer had gedaan. Ik ergerde me dood aan hun overdreven beschermende houding, alsof ze ervan uitgingen dat ik dit soort situaties niet aankon of mijn mond voorbij zou praten.

De vent verdween, zoals te verwachten was, en Monica begon het overbekende praatje te spuien, dezelfde onzin die Coco mij al had verteld: dat ik moest oppassen met wie ik praatte, dat die vent er verdacht uitzag. Ik vond dat ze overdreven en dat die arme man waarschijnlijk een doodgewone jongen was die op mij viel. De politie had wel wat beters te doen dan hier rondlopen en proberen twee onbeduidende halfwasdealers te pakken, maar ik was te misselijk om met Monica in discussie te gaan. Ik wist alleen maar uit te brengen dat ik me niet goed voelde en naar het toilet wilde. Ze keek me bezorgd aan en pakte me bij mijn hand. Ik liet me meenemen.

Toen we binnen waren zette Monica me bij de wasbak, deed mijn hoofd onder de kraan, draaide een van de kranen open en liet het koude water in mijn nek lopen. Ze vroeg of het al wat beter ging en ik knikte.

'Je hebt te veel gedronken. Dat is alles. Je bent daar niet aan gewend. Gelukkig maar dat tante Monica er is. Kom, ga mee.'

Ze gebaarde met haar hoofd naar een van de toiletten. We gingen erin en sloten de deur achter ons. Toen deed ze haar rugzakje open en haalde haar rode zakmes en haar portemonnee te voorschijn. Uit haar portemonnee haalde ze een papiertje en haar identiteitskaart.

'Ik wil geen heroïne,' zei ik.

'Het is geen heroïne. Het is cocaïne. Dat kun je nu wel gebruiken.'

Ze legde haar portemonnee op de stortbak en strooide er een beetje wit poeder op. Met haar kaart verdeelde ze het bergje poeder in twee kleinere hoopjes die ze verticaal verdeelde tot er twee lijntjes lagen. Toen haalde ze een bankbiljet uit haar broekzak en maakte er een rolletje van dat ze me meteen gaf. Zij snoof eerst, en daarna ik. Door het prikkelen van het poeder in je neusgaten kreeg je een bittere en bekende smaak in je mond. Het wc-hokje was erg klein zodat we heel dicht bij elkaar moesten staan, bijna tegen elkaar aan. Ik was groter dan Monica, maar die avond keken we elkaar recht in de ogen omdat zij plateausandalen droeg.

'Weet je, Betty? Je ziet er leuk uit met je haar zo. Het verbaast me niets dat Chano wat met je wilde...' zei ze terwijl ze een van mijn witte lokken pakte en hem om haar vingers wikkelde. Toen trok ze aan de lok zodat mijn gezicht dichter bij dat van haar kwam, onze neuzen elkaar raakten en onze monden een paar millimeter van elkaar af waren. Van die afstand leek het wel of Monica vier ogen had, vier ronde zwarte bolletjes met in elk een klein gloeilampje dat haar van binnenuit verlichtte. Ik stond stokstijf en toen draaide zij haar hoofd iets zodat onze lippen elkaar raakten, maar ik moest de laatste stap doen. Ik tuitte mijn lippen en zoende haar. Het was eigenlijk een heel zedig kusje, onze lippen raakten elkaar nauwelijks. Toen zoende zij mij, waarbij ze deze keer zachtjes met haar tong over mijn onderlip ging. Ik stapte naar achteren, leunde tegen de wc en wachtte af, met wijdopen ogen. Ze kwam weer naar me toe en ik voelde haar mond onbeweeglijk op de mijne, haar volle, warme en stevige lippen. Er ging een lichte rilling door me heen en ik leunde iets naar achteren om dat tegen te houden. Mijn hart ging zo blij tekeer dat ik niet besefte dat het mijn hart was. Toen opende ik mijn lippen, langzaam zoals een bloem de dageraad begroet. Ze kreeg er zin in en haar tong ook. Toen werd ze dwingend, bedreven. Veel te bedreven. Ik maakte me hijgend van haar los.

'Wat moet Coco hier wel niet van denken?' wist ik met een heldhaftig fluisteren uit te brengen. Voor mij was Coco het enige obstakel dat belette dat we het onvermijdelijke lieten gebeuren.

Als antwoord pakte ze me bij mijn hals en trok me weer naar zich toe. Ik had tot op dat moment nog nooit iemand op de mond gekust, hoe onwaarschijnlijk dat ook lijkt. En zij wist dat, dat weet ik zeker. Ik weet niet of ze ook wist dat ik haar al heel vaak had gekust, in mijn dromen. Ik weet niet of ze zich amuseerde met mij, of ze met me speelde als de kat die de muis lijkt vrij te laten voordat hij hem doodt. Ik weet niet of ze wreed was of alleen maar onbezonnen. Ik weet het niet, ik weet het niet, ik weet het niet... Ook nu weet ik het antwoord nog niet.

Mijn vaders kantoor bevond zich op een van de hoogste verdiepingen van een enorme wolkenkrabber op de Castellana. Om het gebouw binnen te komen moest je een legitimatie laten zien aan een bewaker die informeerde wie je wilde bezoeken en wat de reden van je bezoek was ('persoonlijk' in mijn geval). En dat was de eerste controle nog maar. Daarna moest je met de lift naar mijn vaders kantoor en daar was de tweede controle, subtieler, minder streng, maar niet minder onaangenaam: die van een veertigjarige receptioniste die een kritische blik op mijn minirok wierp. Onder haar dure pak en de twee kilo make-up zag je dat de vrouw niet al te knap was. Ze vroeg me voor wie ik kwam. Ik zei dat ik de heer De Haya wilde spreken. Zij wilde weten of ik een afspraak had.

'Ik ben zijn dochter,' zei ik.

'Ik zal kijken of hij u kan ontvangen,' antwoordde ze op een toon alsof ze ervan overtuigd was dat meneer De Haya zich niet zou verwaardigen tot zulke dingen.

Via de intercom deelde ze mijn vader fluisterend mee dat ik er was, alsof het vertrouwelijke informatie betrof. Ze wachtte op het antwoord en liet me toen kortaf weten dat mijn vader me verwachtte. Ik liep door de gang met vloerbedekking zonder haar nog een blik te gunnen. Ik wist heel goed hoe ik bij mijn vaders kamer moest komen.

Mijn vader zat tien uur per dag in een klein kamertje waarvan de relatieve intimiteit – dat wil zeggen het feit dat hij een deur had die gesloten kon worden als de bewoner van die cel zich wilde afschermen voor nieuwsgierige blikken – hem een zekere status gaf binnen het bedrijf. Het was een werkkamer als zoveel andere waar ze zakenlui in het tijdschrift *Ranking* in fotograferen: mahoniehouten bureau, grote ramen van gepantserd rookglas, een lithografie van Saura achter de rugleuning van de gestoffeerde stoel, over het algemeen luxueus en met allure maar met een oppervlakkige en zelfingenomen sfeer. Mijn vader kwam langzaam overeind uit zijn stoel en werd steeds langer. Toen hij helemaal rechtop stond gaf hij me een hand, vroeg of ik de deur wilde sluiten en gebaarde me tegenover hem te gaan zitten. Dat deed ik.

'Het werd tijd dat je eens wat van je liet horen, hè? Ik heb genoeg van jullie twee...' Hij stak ongedurig een sigaret op. 'Nou, hoe gaat het met je en wat kom je doen?'

'Het gaat goed. Ik ben bij Monica thuis.'

'Dat wisten we al. En... ben je van plan terug te komen? Ik neem aan van wel, want ik denk niet dat je van plan bent je verdere leven bij je vriendinnetje te blijven. Je moet met je moeder praten en je verontschuldigingen aanbieden. Met haar heb je tenslotte ruzie gemaakt. Nou ja, je weet hoe ze is… Als ze hysterisch wordt moet je er maar niet op letten, want naderhand is ze alles vergeten. Je moet het niet belangrijker maken dan het is. Je wint er niets mee als je het haar moeilijk blijft maken.'

Het had geen zin hem te vertellen dat de zaken niet zo eenvoudig lagen, dat de laatste ruzie te heftig was geweest en dat ik op een punt was gekomen dat ik mijn moeder niet meer kon luchten of zien. Het was duidelijk dat hij wanhopig probeerde iedere verantwoordelijkheid af te schuiven en in wezen kon ik hem geen ongelijk geven. In zekere zin was ik hem dankbaar dat hij zich er de laatste jaren niet meer mee had bemoeid. Ik had hem liever zoals hij nu was dan zoals in het verleden, toen hij zich ermee bemoeide en de ruzies met klappen en oorvijgen probeerde op te lossen.

Op dat moment ging de telefoon. Mijn vader liet doorverbinden en was meteen in een zakelijk gesprek gewikkeld, zodat hij de aanwezigheid van zijn dochter volkomen vergat. Hij had het, herinner ik me, over distributiemarges. Blijkbaar hing de toekomst van de mensheid ervan af dat die niet een punt stegen. Mijn vader wond zich steeds meer op en intussen speelde ik zenuwachtig met een van mijn witte lokken en hoopte dat hij een eind zou maken aan het gesprek. Toen hij ten slotte ophing keek hij me zwijgend aan, alsof hij verbaasd was over mijn aanwezigheid. Misschien was hij mij in het vuur van het gesprek vergeten. Toen zei hij dat ik hem moest verontschuldigen, dat hij zo meteen een belangrijke vergadering had. Ik begon te huilen. Ik zweer dat ik probeerde me in te houden, maar ik kon het niet. Hij begon zichtbaar nerveus met zijn vingers op zijn bureau te trommelen.

'Alsjeblieft… daar ben je nu toch te oud voor. We zitten in mijn kantoor, verdomme. Ga alsjeblieft geen scène maken zoals gewoonlijk.'

Hij deed een la open en haalde er een pakje papieren zakdoekjes uit. Hij gaf me er een zodat ik mijn neus kon snuiten. Ik droogde mijn tranen en probeerde mijn snikken in te houden.

'Weet je?' zei hij, 'misschien zou je er eens met de psychiater over moeten praten. Je bent op een gevoelige leeftijd... dat weet je wel. Je moeder loopt de laatste tijd ook bij een psychiater en het lijkt erop dat het beter gaat. Ze slikt ik weet niet wat voor pillen die wonderen schijnen te verrichten, een antidepressivum dat de Amerikanen net op de markt hebben gebracht. Mijn secretaresse slikt ze ook.'

'Nou, zo te zien werken ze bij haar niet,' zei ik wonderbaarlijk hersteld. 'Ze ziet er niet wat je noemt echt gelukkig uit.'

'Bovendien,' ging hij verder alsof hij me niet had gehoord, 'dacht ik dat je goed met je psychiater kon opschieten.'

'En juist omdat ik goed met hem kon opschieten heb jij me overgehaald om er niet meer naartoe te gaan,' antwoordde ik.

De arts die hij bedoelde had drie sessies naar me geluisterd en er toen op aangedrongen dat mijn ouders zouden komen, omdat hij het essentieel vond dat onze problemen in groepstherapie werden behandeld. Onnodig te zeggen dat mijn vader dat categorisch weigerde. Hij zei dat hij het te druk had om zijn tijd met zulke onzin te verdoen en dat hij beslist geen psychiater nodig had. Daarna stuurden ze me naar een ander, stukken ouder dan de eerste, die alleen maar naar mij luisterde zonder mijn ouders lastig te vallen.

Mijn vader wierp een zenuwachtige blik op zijn horloge en zei dat hij moest gaan. Hij zei dat ik me over mijn moeder geen zorgen hoefde te maken, dat hij haar zou zeggen dat hij me had gezien en dat het goed met me ging. Als laatste vroeg hij of ik geld nodig had. Ik schudde mijn hoofd en ging zijn kamer uit, de deur achter mij dichtgooiend.

Voordat ik het kantoor uitliep en in de lift wilde stappen, draaide ik me om en snauwde de receptioniste toe: 'Tot ziens en blijf vooral altijd zo aardig en sympathiek.'

'Toen ik zo oud was als jij zag ik er net zo of nog beter uit dan jij, maar ik was wel een stuk beleefder,' antwoordde ze waardig.

Mijn vader moest er wel meer dan genoeg van hebben om met twee geesteszieken samen te wonen, zijn vrouw en zijn enige dochter. Want in mijn jeugd, dat moet ik uitleggen, was ik mij ervan bewust dat mijn moeder ziek was, ook al kon niemand mij precies vertellen wat voor een ziekte ze had. Ik wist dat ze niet zenuwachtig mocht worden of hevig geëmotioneerd, dat ze geen alcohol mocht drinken of te lang voor de televisie zitten, dat ze iedere dag voor het eten een paar druppeltjes moest innemen, dat haar nachtkastje vol stond met doosjes pillen in allerlei kleuren die zij allemaal bij elkaar haar *medicatie* noemde. En dat ze niet mocht autorijden. Als mijn moeder mij uit school kwam halen was zij de enige die dat niet met de auto deed. De andere meisjes begrepen niet waarom zij met de bus kwam en dat we ook weer met de bus naar huis gingen. Zij vonden dat ik dan net zo goed met de schoolbus had kunnen gaan. Ik kon hun niet uitleggen dat mijn moeder gerustgesteld was als ik met haar terugging en dat ze graag voortdurend bij mij wilde zijn, me geen moment alleen wilde laten. Ik kon hun toen ook niet uitleggen waarom ze niet kon autorijden.

De eerste keer dat ik een van haar aanvallen meemaakte moet ik zes of zeven jaar zijn geweest. Ik weet het nog tamelijk goed, hoewel de scène natuurlijk iets veranderd zal zijn door het vervagen van de herinnering. Het geheugen is bedrieglijk en houdt ons vaak voor de gek door dingen uit het verleden te verdraaien. Het is bovendien selectief en subjectief, want als we ons een episode van vroeger voor de geest halen kunnen we die niet seconde voor seconde reconstrueren, we herinneren ons alleen nog de details die voor ons het belangrijkst waren. De herinnering lost langzaam op in vergetelheid, zoals suiker in water. Ik probeer de scène dus zo goed ik kan te reconstrueren, ook al weet ik zeker dat mijn waarneming is veranderd door een heleboel hiaten en vergissingen die mijn eigen brein heeft toegevoegd aan die maaltijd die zo'n indruk op me heeft gemaakt.

Het moet een weekeinde geweest zijn, want we zaten met z'n drieën, mijn vader, mijn moeder en ik, aan de eetkamertafel. Het daglicht scheen door het raam naar binnen, zodat ik weet dat het niet tijdens het avondeten was. Op werkdagen at mijn vader nooit thuis, en ik ook bijna nooit, want ik at op school. Een weekeinde dus. Mijn ouders wisselden bittere verwijten uit, maar ik kan me het onderwerp van gesprek niet meer herinneren. Op een gegeven moment verhief mijn moeder haar stem tot een ongebruikelijk volume, zelfs voor een gezin als het onze waar geschreeuw aan de orde van de dag was.

Het volgende wat ik mij herinner is dat mijn moeder in elkaar zakte als een marionet waarvan de touwtjes waren doorgeknipt. Haar hoofd bleef op haar stoel hangen, haar blonde haren staken af tegen de damasten bekleding van de rugleuning. Ze zag zo wit als het tafellaken. Een beetje kwijl liep vanuit haar mondhoek naar haar kin. Ze hapte naar adem als een vis op het droge en had stuiptrekkingen over haar hele lichaam, alsof ze elektrische schokken kreeg toegediend: ze leek een robot waarvan de coördinatie zojuist was uitgevallen door kortsluiting. Mijn vader sprong op uit zijn stoel, rende naar die kwijlende en flauwgevallen pop die een paar minuten geleden nog zijn vrouw was en stopte zo goed hij kon een servet in haar mond.

'Bel de dokter,' schreeuwde mijn vader tegen mij. 'Bel de dokter. Het nummer staat in de zwarte agenda op het bureau in mijn werkkamer. Onder de M. Noem je naam tegen degene die opneemt en zeg dat je moeder een aanval heeft gehad.' Door de toon van zijn stem begreep ik dat het ernstig was en ik vloog de gang door. Met een paar grote stappen was ik in mijn vaders werkkamer en stortte me op zijn bureau. Het adres en het telefoonnummer van de dokter stonden bovenaan onder de M en met grotere letters dan de rest van de genoteerde nummers, waaruit duidelijk bleek dat deze persoon en dit nummer van levensbelang waren. Mijn handen trilden zo erg dat het me moeite kostte de cijfers op de schijf te draaien. Ten slotte lukte het, ik kreeg een vrouwenstem die ik al snikkend vertelde wat er was gebeurd. Zij antwoordde geruststellend dat ik me geen zorgen hoefde te maken, dat ze de dokter meteen zou waarschuwen. Ik rende terug naar de eetkamer. Mijn moeder lag op het vloerkleed en spartelde als een pas gevangen zeebaars. Mijn vader, die haar armen boven haar hoofd hield, probeerde de ongecoördineerde bewegingen in bedwang te houden en zei toen hij mijn angstige gezicht in de deuropening zag, dat ik onmiddellijk naar de keuken moest gaan om de dokter op te vangen. Ik bleef dus in de keuken met mijn wang tegen de deur om naar het geluid van de lift te luisteren en de komst van de dokter af te wachten. Ik deed de deur wel vijf of zes keer open en verwarde het naar boven en beneden gaan van de buren met de komst van die man. Eindelijk, na een tijd die voor mij wel een eeuwigheid leek, arriveerde de dokter die ik al mijn hele leven kende, dezelfde die mijn bof en waterpokken had genezen en die mij injecties in mijn bil had gegeven toen ik een kleine aap was van nog geen twee turven hoog. Ik zei dat mijn moeder in de eetkamer was en ik hoefde hem die niet te wijzen, want hij kende het huis. Hij ging de eetkamer in en deed de deur achter zich dicht.

Door het grenenhout hoorde ik hoe hij mijn moeder bij haar voornaam noemde en een soort gesprek met mijn vader voerde dat ik niet kon verstaan. Even later kwamen ze naar buiten. Mijn vader droeg mijn moeder in zijn armen, ze was zo slap als een lappenpop, wit en mooi met haar losse haar dat als een waterval naar beneden viel zoals op de plaatjes van Doornroosje in mijn sprookjesboek. Hij droeg haar naar de slaapkamer, op de voet gevolgd door de dokter, en ik bleef wachten. Kort daarop kwam mijn vader naar buiten en legde me met ernstige stem in een paar woorden uit dat het over was, dat mijn moeder zich beter voelde maar nog zwak was en dat ik me geen zorgen hoefde te maken. Hij zei dat ik in mijn kamer moest gaan spelen en ik gehoorzaamde, als het brave meisje dat ik toen was. Ik liet me op bed vallen, verborg mijn gezicht in het kussen en probeerde stil te zijn, heel stil, onbeweeglijk, niet met mijn ogen te knipperen en mijn ademhaling in te houden, nergens aan te denken zoals ik altijd deed als mij iets dwarszat.

De volgende morgen kwam mijn moeder mij liefdevoller dan anders wakker maken. Ze kwam naast mij zitten en zei dat we die ochtend samen in bed gingen ontbijten, want ze moest me een heleboel uitleggen over wat er de vorige dag was gebeurd. Ze ging de kamer uit en kwam na een tijdje terug met een uitklapbaar dienblad met daarop een kan sinaasappelsap en een bord vol croissantjes met jam, en tussen het eten en drinken door legde ze me uit wat epilepsie was.

Er zouden in de loop der jaren nog heel veel van dit soort gesprekken volgen waarin mijn moeder me het begin van haar ziekte zou uitleggen, de symptomen en de gevolgen. Mettertijd kwam ik genoeg te weten om een gedetailleerde ziektegeschiedenis van mijn moeder te kunnen schrijven als ik had gewild. Lange tijd was ik haar vertrouwelinge en ze praatte altijd heel open en eerlijk met mij, zoals ouders gewoonlijk niet doen met hun kinderen. Mijn vader praatte natuurlijk nooit zo met mij.

Toen ik na het gesprek met mijn vader weer bij Monica thuis kwam vond ik het paartje, dat net op was, aan het ontbijt aan de keukentafel. Monica vroeg waar ik was geweest en ik zei dat ik een wandeling had gemaakt. Ze zei weer dat ik moest oppassen met de buren, maar vroeg verder niets. Toen vertelde Coco me lachend het laatste lumineuze idee dat ze zojuist hadden besproken. Na het succes met de recente verkoop van pillen hadden ze besloten de handel uit te breiden: Coco zou zoals altijd tot drie uur 's nachts in de bar van Malasaña blijven, waar iedereen hem wist te vinden. Daarna zou hij XTC gaan verkopen in La Metralleta. Om vier uur gingen de meeste kroegen dicht en dan werd het in La Metralleta stampvol met jongeren die wilden dansen en drugs gebruiken. Het mooiste van alles is nog dat voor deze nieuwe operatie totaal geen investering nodig is, omdat ze met het pillenarsenaal van Charo iets konden maken wat op XTC leek.

'Dat heet zwendel,' gaf ik te kennen.

'Je vergist je,' antwoordde Coco. 'Dat heet rentabiliteitsverhoging. Wilde jij geen bedrijfskunde gaan studeren? Nou luister: speed verkoop je voor vijfhonderd peseta en XTC voor drieduizend. Bovendien weet iedereen dat je op straat geen goede XTC krijgt.'

Over die namaak-XTC had ik horen praten. Over jongeren die midden op de dansvloer plotseling met een hartstilstand de pijp uitgingen, of verslaafd raakten aan heroïne en zelfs niet wisten dat ze het gebruikten. Ik vond dat het verkopen van die neppilletjes niet kon.

'Wat een onzin,' verweet Monica me. 'De hoeveelheid heroïne is minimaal.'

'Goed, doe maar wat je niet laten kunt,' antwoordde ik. 'Maar houd er wel rekening mee dat IK er niet over peins om ze te verkopen.'

De telefoon ging: twee keer, pauze, weer twee keer. Het signaal dat het voor Coco was. Hij stond langzaam op en pakte de hoorn. Monica en ik keken elkaar even aan. Ik was jaloers dat Monica hem in zo'n korte tijd zo zijn gang liet gaan in haar huis. En zij wilde niet dat ik me bemoeide met dingen die me niet aangingen.

'Ik dacht dat je nooit meer zou bellen...' zei hij. 'Ja, natuurlijk heb ik het... Ja, bij jou thuis, zoals afgesproken. Maar ik kom het niet zelf brengen. Een vriendin van mij brengt het... Heel knap.'

De eerste keer dat mijn moeder een aanval kreeg, vertelde zij me zelf, was ze nauwelijks vijf jaar oud. Ze was leuk aan het spelen toen ze opeens in een flits een soort zwart waas voor haar ogen kreeg. Het volgende wat ze zich kon herinneren waren een heleboel gezichten, boven elkaar, die allemaal geschrokken commentaar leverden op het gebeurde. En dat was bij elke aanval zo: ze kon zich niets herinneren van wat er was gebeurd als ze weer bijkwam. Het vervelende was dat het midden in het Campo de San Francisco gebeurde, toen ze met andere meisjes in een kring aan het spelen was en meteen deed het verhaal de ronde dat het kind behekst was. Haar vader nam haar mee naar Madrid om haar door de beste dokters van de hoofdstad te laten onderzoeken. In die tijd was het niet zo gemakkelijk. De medicijnen en de kennis van nu waren er toen niet, zei mijn moeder. Niemand leek precies te weten wat het was.

Toen het kind opgroeide waren haar moeder, haar vader en haar tantes het voor één keer met elkaar eens. Het meisje moest niet in Oviedo blijven, omdat iedereen daar wist van haar ziekte en het onmogelijk zou zijn om een man voor haar te vinden. Haar vader, die advocaat was en in Madrid had gestudeerd, wilde niet dat het kind de dupe zou worden van roddelpraatjes en haar moeder en tantes vonden het zonde dat zo'n mooi meisje, zo fijngebouwd en zo lief, over zou schieten. (Toen ik het verhaal hoorde rilde ik bij de gedachte dat als zij niet zo knap was geweest, de vrouwen in haar familie het heel gewoon hadden gevonden dat ze de rest van haar leven sokken had moeten stoppen en naar de mis had moeten gaan.) Dus stuurden ze haar naar Madrid, naar een internaat van Franse nonnen, waar meisjes van goede familie Frans, naaien, borduren en huishoudkunde leerden om in de toekomst goede moeders en echtgenotes te worden. De zusters, die van haar probleem op de hoogte waren, probeerden het meisje alle emoties en narigheid te besparen en waren goed geïnstrueerd over wat ze moesten doen bij een crisis.

In Madrid woonde een oom van mijn moeder die rond de veertig was en bekendstond als een levensgenieter, maar die bij de familie niet erg in de smaak viel. Nu denk ik dat ze hem niet buitensloten omdat hij een vrijgezel en kroegenloper was, maar omdat beweerd werd dat hij homoseksueel was. Hoe dan ook, hij was het enige contact dat mijn moeder had in Madrid, zodat ze hem als een welopgevoed meisje een formeel briefje stuurde met haar adres. Haar oom antwoordde per kerende post en tot vreugde van mijn moeder en tot schandaal van de familie werd hij haar *chevallier servant*, haar galante begeleider die haar in het weekend meenam op wandelingen in het Retiropark, naar de film, het theater, etalages kijken op de Gran Vía, concerten in het Real en cocktails bij Chicote, maar hij leverde haar wel geheel volgens de regels om half tien bij de deur van het internaat af. Mijn moeder aanbad hem en ze was ervan overtuigd dat hij haar gevoel op een platonische manier beantwoordde.

Ze waren zo vertrouwelijk geworden dat zij hem haar geheim durfde toevertrouwen, ook al was haar door haar moeder en tantes op het hart gedrukt dat niet te doen tenzij het strikt noodzakelijk was. Haar oom, die een ontwikkeld man was, leerde haar de ziekte accepteren en legde haar uit dat Julius Caesar epileptisch was geweest en de Heilige Theresia van Avila waarschijnlijk ook, dat het een ziekte als elke andere was of misschien zelfs wel anders omdat ze het erfgoed van genieën was en dat zij zich er dus niet voor hoefde te schamen. En dat vertelde mijn moeder mij met een ondertoon van trots in haar stem.

Tijdens een cocktail bij Chicote had mijn moeder mijn vader leren kennen. Mijn vader was in die tijd een knappe jonge advocaat (de knapste man van heel Madrid volgens mijn moeder) die onmiddellijk zijn oog had laten vallen op het meisje dat net uit de provincie kwam en hij rustte niet voor ze aan hem werd voorgesteld. Hij moest het juist leuk gevonden hebben, zei mijn moeder, dat ik niets van hem wilde weten, want ik was een verlegen meisje dat hem niet durfde aan te kijken en ronduit weigerde alleen met hem uit te gaan. Het kostte hem maanden me zover te krijgen om mee te gaan wandelen in het Retiro. Ik was eigenlijk gek op hem maar ik was nog liever doodgegaan dan het te laten merken.

Na een jaar, op de dag dat ze achttien werd, vroeg hij haar ten huwelijk. Hij was al rond de dertig, was de wereldse avontuurtjes moe en wilde graag een gezin stichten met een katholieke vrouw zoals het hoort. Zodra dit nieuws in Oviedo bekend werd was er familieberaad, waarin werd besloten dat het meisje in Madrid moest blijven, want als ze naar Oviedo terugkwam zou de relatie door de afstand zeker stuklopen en met een partij als deze moest je geen risico's nemen. Bovendien zou de jonge verloofde als hij zijn vriendin in Oviedo ging opzoeken vast van iemand te horen krijgen wat er met haar aan de hand was en het was beter dat op dit moment geheim te houden. Met de nonnen werd dus overeengekomen dat mijn moeder, hoewel ze klaar was met haar opleiding, daar kon blijven wonen mits ze zich strikt aan de regels en tijden van het huis hield. Mijn moeder 'werkte' (bij wijze van spreken) op de vrouwenafdeling door kookles te geven en liefdadigheidsbezoeken aan de armenwijken te organiseren. Ze ging elke middag uit, met haar oom of haar zeer formele verloofde, of met allebei, naar de paardenrennen, naar Gijón, naar Chicote, naar Café Comercial, naar Lhardy. Ze had de knapste verloofde van Madrid en leidde een leven dat vermeld kon worden in de rubriek 'Berichten uit de samenleving'. Kortom, ze was gelukkig. Niemand had haar geleerd meer te willen.

Toen de datum van de bruiloft eindelijk werd vastgesteld, had Herminia een ernstig moreel probleem. Haar verloofde had geen flauw idee van haar ziekte. De nonnen hadden het geheim angstvallig bewaard, zoals overeengekomen was, en gelukkig was mijn toekomstige vader nooit getuige geweest van een van haar aanvallen. De ziekte was erfelijk, dat wist ze, en ze begreep heel goed dat geen enkele man de zorg op zich zou willen nemen van een echtgenote met een dergelijk probleem en nog minder het risico wilde lopen dat het werd overgedragen op zijn nageslacht. Het zou gemakkelijk zijn geweest te zwijgen, zoals haar moeder en tantes haar aanraadden en later, als ze een aanval kreeg, te zeggen dat het de eerste keer was, dat niemand er iets van wist, want er waren gevallen waarbij de eerste aanval pas op volwassen leeftijd voorkwam. Maar mijn moeder wist dat liegen een zonde was, die nog zwaarder woog omdat ze besefte dat ze zou liegen tegen degene met wie ze de rest van haar leven zou delen, met wie ze was verbonden op basis van respect, trouw en wederzijdse oprechtheid. Dus raadpleegde ze haar biechtvader en besloot ten slotte alles aan haar verloofde te vertellen.

En wie schetst haar verbazing toen hij haar probleem volkomen leek te begrijpen en zelfs goed geïnformeerd bleek over de aard van de ziekte en heel goed wist dat het een neurologisch probleem was en geen vloek. Het kon hem niets schelen dat Herminia epileptisch was en hij vond het geen enkel beletsel om tussen hun liefde te komen. Toen, zei mijn moeder met een nostalgische schittering in haar ogen, *toen* hield hij echt van me. Toen ik trouwde was ik er zeker van dat hij mijn hele leven voor me zou zorgen. Want er was altijd voor haar gezorgd, door moeder, tantes, nonnen, haar oom, en ze had zich geen leven kunnen voorstellen waarin niet voortdurend iemand over haar waakte. Maar hij was niet zo. Hij had zich kinderen voorgesteld die door het huis renden, een of twee jongetjes die zijn naam zouden voortzetten en een meisje dat de schoonheid van haar moeder zou erven. Hij raakte teleurgesteld toen hij merkte dat die kinderen er niet kwamen en werd haar algauw moe, als een jongen die het autootje waar hij maanden naar heeft verlangd voor altijd in een hoek schopt als hij geen zin meer heeft om ermee te spelen. In die lange vruchteloze jaren raakte hij steeds verder van haar verwijderd en had schoon genoeg van het zuchten en klagen van zijn vrouw, van de bezoeken aan gynaecologen, van de bitterheid die de sfeer in huis verpestte. Zij had er nooit bij stilgestaan dat ze geen kinderen zou kunnen krijgen. In het begin was ze boos, daarna werd ze wanhopig en ten slotte onverdraaglijk hysterisch. Toen ze eindelijk zwanger van mij raakte had ze de liefde van haar man al lang opgegeven, maar ze dacht dat het niet meer belangrijk was, want ík was er om haar te verwennen, te aanbidden en voor haar te zorgen. Ze heeft me nooit kunnen vergeven dat ik dat niet deed.

De hal was indrukwekkend. Een marmeren trap ging naar boven en kwam, naar zich vanaf de zware ijzeren deur liet raden, ergens in de verte uit op een heel lange gang. Aan het uiteinde van de leuning zat een stenen kat waardig en elegant rechtop. Ik ging naar boven tot de overloop. De lift was grandioos: een van die oude cabineliften met aan de binnenkant wanden van prachtig hout bedekt met spiegels. Een klein zitje van rood fluweel gaf daarbinnen een merkwaardig gevoel van ouderwets comfort. Ik drukte op de knop voor de derde etage. De lift steunde en piepte terwijl hij langzaam omhoogging en het kwam bij me op – te laat – dat ik misschien beter de trap had kunnen nemen. Eindelijk stopte dat antieke geval en stond ik opgelucht op de overloop van de derde verdieping tegenover de jongen die de voordeur voor me had opengedaan met de deurtelefoon en hier op me stond te wachten. Het was een jonge jongen, gebruind en met gel in zijn haar, in een keurig gestreken streepjesoverhemd, een spijkerbroek die er nieuw uitzag en Italiaanse schoenen. Ik zei dat ik namens Coco kwam en hij knikte en gebaarde dat ik door kon lopen. Ik ging naar binnen en hij bracht me naar een heel ruime kamer in heldere kleuren. Een enorm schilderij boven de schoorsteen trok sterk mijn aandacht: het was een echte Zóbel zo te zien. Hij vroeg of ik iets wilde drinken, een glas whisky misschien. Ik knikte zonder iets te zeggen. Hij liep naar een barmeubel en kwam terug met een fles en twee glazen.

'Is dit jouw huis?' vroeg ik om maar iets te zeggen.

'Ja. Dat wil zeggen, van mijn ouders. Ze zijn met vakantie,' verklaarde hij.

'Zoals iedereen,' zei ik.

Met bevende hand schonk hij de whisky in de glazen en reikte er mij een aan.

'Heb je het pakje bij je?' vroeg hij.

Ik haalde een heel zwaar pakje uit mijn rugzak dat Coco me had gegeven. Hij vroeg of ik even wilde wachten. Ik knikte en toen hij de kamer uit was dronk ik het glas in één teug leeg. De jongen was binnen een minuut terug met een glunderende uitdrukking die zijn gezicht deed oplichten. Blijkbaar was de spanning vanwege de onzekerheid over de inhoud van het pakje weg. Hij ging in de stoel zitten en keek deels verbaasd en deels onderzoekend naar me alsof hij mijn aanwezigheid nu pas opmerkte. Die dag liep ik er verkleed als Monica bij, met een heel kort minirokje en een T-shirt met rafels dat me twee maten te klein was. Bovendien had ik mijn haar getoupeerd. Ik merkte dat de jongen zijn ogen niet van mijn benen kon afhouden en ik bedacht dat ik misschien anders gekleed naar deze afspraak had moeten gaan.

'Hou je van muziek?' vroeg hij zomaar.

'Ja, natuurlijk,' antwoordde ik.

'Mijn vader is dirigent, hoewel ik betwijfel of je weet wie hij is.'

Hij noemde de naam van een tamelijk beroemde dirigent. Ik zei van wel, dat ik hem kende – hoewel niet persoonlijk natuurlijk – dat ik hem zelfs weleens had zien dirigeren. Ik legde uit dat mijn moeder lid van de Asociación Filarmónica van Madrid was en dat ik als kind altijd met haar naar concerten in het Real ging. Hij leek erg verbaasd over mijn muziekkennis. Kerels lijken te denken dat je IQ automatisch tien punten zakt als je een minirokje draagt.

'Je zou de cd-verzameling van mijn vader moeten zien,' suggereerde hij. 'Kom mee...'

Hij stond op en gebaarde met zijn hand dat ik hem moest volgen. We liepen door een lange smalle gang waarvan de muren met donker linnen waren beplakt, die leidde naar een enorme sobere en netjes ingerichte kamer. Ik zag een kruisbeeld boven het bed, een detail dat me aan de kamer van mijn moeder deed denken. Buiten het smalle bed stonden er twee leren stoelen die er heel comfortabel uitzagen met daartussen een klein tafeltje. Een hele wand was bedekt met planken waarop een indrukwekkende verzameling cd's was opgestapeld.

'Is dit de kamer van je vader?' vroeg ik.

'Ja, ze slapen apart.'

'Die van mij ook.'

Hij vertelde dat hij 's zomers, als zijn ouders met vakantie waren, in de kamer van zijn vader trok omdat het de koelste en rustigste kamer van het huis was. Die van hem keek uit op de binnenplaats, vertelde hij, en door het lawaai van de buren en de hitte kon hij onmogelijk slapen. De afgelopen twee zomers was hij niet weg geweest uit Madrid, omdat hij zich voorbereidde op het toelatingsexamen voor de diplomatenopleiding, dat in september was. Niet dat hij dit jaar veel hoop had om te slagen, terwijl het al de derde keer was dat hij een poging waagde.

'Ik denk dat ik het uiteindelijk moet opgeven en dan heb ik geen flauw idee wat ik moet gaan doen. Ik hoop dat mijn vader ergens een baantje voor me kan vinden.'

Ik ging in een van de stoelen zitten en begon nieuwsgierig de ruggen van de cd's te bekijken. Ik pakte er een die het meest mijn aandacht trok: de Goldberg Variaties, gespeeld door Glenn Gould.

'Kun je die opzetten?' vroeg ik.

'Wat mij betreft... kun je hem zelfs meenemen. Daar merkt niemand iets van. Mijn vader krijgt ze toegestuurd van de platenmaatschappijen, omdat hij in de *ABC* en in allerlei tijdschriften schrijft,' zei hij. 'Kijk maar, er zijn er waar het cellofaan nog omheen zit. Hij heeft ze niet eens opengemaakt. Wat raar dat een meisje zoals jij, dat er zo uitziet, van die muziek houdt... O ja, je hebt me nog niet gezegd hoe je heet.'

'Bea.'

'Ik heet Paco. Wil je nog een whisky?'

'Oké.'

Toen hij met de fles en twee glazen terugkwam vond hij me gehurkt op de vloerbedekking terwijl ik de cd's zat te bekijken. Ik zag in een oogwenk dat daar een klein fortuin aan cd's stond. De jongen ging naast me zitten, schonk ons allebei wat in en begon toen een gesprek over componisten dat al heel snel een monoloog werd: binnen een paar minuten noemde hij een indrukwekkend aantal namen, data, werken en artistieke stromingen. Maar hij toonde geen enkel enthousiasme voor wat hij vertelde, het leek eerder het mechanisch herhalen van een van buiten geleerd lesje. We praatten nog wat over muziek en dronken. Op een zeker moment legde hij zijn hand op mijn schouder. De whisky begon te werken en ik had moeite om de namen op de ruggen van de cd's te lezen. Hij trok me naar zich toe en ik giechelde zenuwachtig. Hij bracht zijn mond naar de mijne en probeerde me te kussen. Ik draaide mijn gezicht weg, voorzichtig maar duidelijk. Toen trok hij me steviger tegen zich aan. Ik probeerde me los te maken, maar dat maakte het alleen maar erger, want mijn T-shirt was, zoals ik al zei, heel strak en kort, bedekte nauwelijks mijn navel, zodat de zwartsatijnen beha die ik aanhad (eigendom van Monica, natuurlijk) duidelijk zichtbaar was toen ik me bewoog. Hij pakte mijn armen stevig vast en probeerde me te kussen terwijl ik me zoveel mogelijk verweerde en probeerde me die zak die begerig boven op me lag van het lijf te houden. 'Kom nou, doe niet zo kinderachtig,' fluisterde hij in mijn oor. We vochten, hij gooide me op de grond en kwam boven op me zitten zodat ik me niet meer kon bewegen. Hij legde mijn armen boven mijn hoofd en hield die met één hand in bedwang terwijl hij met de andere tussen mijn dijen probeerde te komen. Ik zwoer bij mezelf dat als ik hier goed uitkwam ik nooit van mijn leven meer iets anders dan broeken zou dragen (en dat heb ik ook gedaan). Ten slotte verzamelde ik al mijn krachten, concentreerde die op mijn benen en gaf hem een knietje in zijn maag zodat hij geen adem meer kreeg. Gebruikmakend van zijn verwarring lukte het me overeind te komen. Ik greep de fles en sloeg hem ermee op zijn hoofd. Ik wist uit ervaring dat als ik hem sloeg ik niet moest ophouden voor hij bewusteloos was, want anders werd het nog erger. Ik wist dat mannen hun zelfbeheersing verliezen als ze blind van woede worden, dat de klappen hen opwinden, als bij stieren, en dat het beter is hen niet op te hitsen. Dat wist ik omdat mijn moeder dat steeds herhaalde als ze het over mijn vader had. Na de klap aarzelde hij een paar seconden en probeerde overeind te komen, zodat ik hem nog eens sloeg maar nu harder. Deze keer kwam er een straaltje bloed te voorschijn dat langzaam over zijn voorhoofd liep. Toen viel hij flauw.

Ik bleef een hele tijd onbeweeglijk staan met de fles in mijn hand, bevangen door een soort hypnotische angst. Gedurende een paar minuten leek de tijd stil te staan. Ik geloof dat ik geen spier van mijn lichaam bewoog, zelfs niet knipperde met mijn ogen, niet in staat mijn bewustzijn terug te krijgen, mezelf uit te leggen wat ik zojuist had gedaan. Toen ik mezelf weer in de hand had, was het eerste wat ik deed de fles aan mijn mond zetten en een flinke slok nemen. Toen ging ik voorzichtig naar die Paco toe om te zien of hij nog wel ademde en alleen bewusteloos was. Ik duwde zachtjes tegen hem aan zodat ik hem kon omdraaien en zag toen de bult van zijn portefeuille in zijn rechterbroekzak. Ik trok hem eruit en keek wat erin zat. Ik vond tienduizend peseta, die ik in mijn beha deed. Op zoek naar andere dingen om mee te nemen opende ik het laatje van het nachtkastje, waar papieren in zaten, een pakje condooms en het bundeltje dat ik die knul die bewusteloos op het tapijt lag vanmiddag zelf had gegeven: een compact en zwaar pakje waar de verpakking van krantenpapier nog omheen zat, maar niet meer de touwtjes die Coco eromheen had gedaan ter versteviging. Ik maakte het voorzichtig en nieuwsgierig open en vond een pistool, het tweede dat ik in mijn hand hield in mijn leven.

Mijn vader had vroeger een pistool dat hij in een lade van zijn bureau verborg. Al van kleins af aan, van heel klein, vanaf de eerste keer dat mijn vader mijn moeder sloeg, of misschien mij, droomde ik ervan die la te openen, het pistool te pakken, 's nachts naar zijn slaapkamer te gaan en tijdens zijn slaap op hem te schieten. Zelfs toen ik ouder was speelde ik meer dan eens met de gedachte het op hem, of op mijn moeder of op mezelf af te vuren. Maar ik heb nooit geweten of ik het ook echt gebruikt zou hebben als de gelegenheid zich had voorgedaan, want op zekere dag was het uit die la verdwenen. Waarschijnlijk was mijn vader erachter gekomen dat ik het had ontdekt en dat ik er soms mee speelde. Of misschien had hij het weggedaan omdat hij zichzelf niet vertrouwde, bang was om zich in een vlaag van woede te laten gaan en op ons te schieten, wie weet. Ik durfde hem vanzelfsprekend niet rechtstreeks te vragen waar het was gebleven.

Pistool of revolver – ik weet niet wat het verschil was tussen het een en het ander – het was een zwart glimmend wapen dat in tegenstelling tot dat van mijn vader geen magazijn had. Het was rechthoekig en compact, met een handgreep van gevernist hout, kleiner dan dat van mijn vader en niet zo zwaar. Het lag tamelijk goed in mijn hand. Ik streelde het heel voorzichtig en ook een beetje angstig, moet ik toegeven. Ik ging voor een spiegel staan die aan de muur hing en richtte op mijn eigen beeld.

Met verward haar en verkreukelde kleren liep ik de trap op naar het portaal van Monica's huis, twee enorme loodzware tassen meezeulend. Het was al avond. Ik kwam de twee buren van het poedeltje tegen (dat begon een obsessie te worden), die me vroegen – heel vriendelijk, dat wel – waar ik heen ging. Toen ik antwoordde dat ik naar Monica ging vroegen ze naar Charo en haar man. Ze hadden hen al dagen niet gezien, waren ze misschien niet in Madrid? Ik vertelde dat ze de zomervakantie doorbrachten op Mallorca met de kinderen, hoewel ik wist dat Monica hun dat al had verteld.

'En laten ze dat arme meisje alleen thuis?' vroeg de buurvrouw.

'Ze moet studeren,' zei ik heel serieus.

Ik ging de lift in en merkte dat de buren achter mijn rug fluisterend wegliepen.

Monica deed de deur open. Ik viel in haar armen en vertelde met horten en stoten tussen mijn tranen en snikken door wat er was gebeurd: dat ik het pakje had afgegeven zoals afgesproken, dat de jongen me had proberen te verkrachten, dat ik hem met een fles whisky op zijn hoofd had geslagen en dat het allemaal afschuwelijk was geweest. Monica omhelsde me liefdevol om me te kalmeren en toen zag ze de tassen.

'Wat heb je daar? Je hebt hem toch niet in mootjes gehakt...?'

'Nee, natuurlijk niet,' zei ik mijn tranen drogend met de rug van mijn hand, 'ik had geen geld voor de taxi terug, dus moest ik zijn portefeuille wel leeghalen. Daarna besloot ik, toen ik toch bezig was, alles mee te nemen wat ik kon dragen, ik heb de koelkast geplunderd en alles wat erin stond in twee boodschappentassen gedaan. Ik vond ook nog een paar gouden kettingen van zijn moeder en een walkman. Niet veel bijzonders.'

Ze keek me met open mond aan.

'Heb JIJ dat gedaan?' vroeg ze en de manier waarop ze dat jij uitsprak maakte me duidelijk dat ze me daartoe niet in staat had geacht.

Op dat moment kwam Coco erbij, die alleen maar naar ons had staan kijken, hoewel ik niet precies wist hoe lang hij al in de gang stond. Hij zei met een stem die flink wat hoger klonk dan normaal, dat ik gek was, dat ik geen idee had van de gevolgen van wat ik had gedaan. Ik deed net of ik die overdaad aan decibellen niet opmerkte en zei heel rustig dat hij zich daar geen zorgen over hoefde te maken, omdat ik goed had opgelet geen dingen van waarde mee te nemen. Het was dus ontvreemding en geen diefstal, dat wil zeggen wettelijk gesproken niet belangrijk.

'Het is als stelen in El Corte Inglés. Daar ga je niet voor naar de gevangenis,' zei ik hem.

'Je weet niet wat je hebt gedaan,' zei hij terwijl hij bezorgd zijn hoofd schudde, 'ik denk dat je ons aardig in de nesten hebt gewerkt.'

'Jij bent degene die mij in de problemen brengt!' antwoordde ik verontwaardigd. 'Waarom laat je me verdomme door Madrid lopen met een geladen blaffer? Je had me weleens kunnen waarschuwen!'

Probeer je psychiater, de psychiater die je vader betaalt, maar eens uit te leggen hoe moeilijk het is om met hem te praten, met iemand die niet hetzelfde heeft meegemaakt als jij. Leg hem maar eens uit dat je je ziek voelt, dat het ontwenningsverschijnselen zouden kunnen zijn of een doodgewone depressie, want je bent nu al twee dagen aan het huilen en die brok in je keel is af en toe zo beangstigend dat je je moet opsluiten in de badkamer zodat Monica je niet ziet huilen. Als ze vraagt waarom je zo bedroefd bent zou je haar duizend-en-één redenen kunnen geven, of geen enkele. Je bent bedroefd omdat je denkt dat je Monica niet meer begrijpt, en je denkt dat zij jou ook niet begrijpt. Eerlijk gezegd denk je dat niemand jou kan begrijpen. Het is zo dat de verschillen tussen jullie de laatste tijd steeds pijnlijker en duidelijker worden. Het is alsof je zes lange jaren een veilig toevluchtsoord voor jezelf hebt proberen te creëren dat opeens is ingestort. En doordat de stellage waarop je die hele denkbeeldige relatie hebt opgebouwd bloot is komen te liggen besef je nu dat hij van tere rietstengels en niet van stalen balken was gemaakt zoals je had gedacht. Je denkt dat je zo'n wanhopige behoefte hebt aan liefde dat je alle mogelijke moeite doet om je vriendin vast te houden, ook al ben je bang voor haar, veracht je haar soms, en haat je haar zelfs. Maar jammer genoeg is het waar dat je ook van haar houdt. Je houdt waanzinnig veel van haar en eigenlijk nog nooit zoveel als nu. Je denkt dat het onmogelijk is om haar niet meer te zien omdat je gevoelens heel primair zijn: je houdt van je vriendin net zoveel als je van je vader en je moeder had moeten houden, irrationeel en kinderlijk. Je weet dat relaties idealiter gebaseerd moeten zijn op een heleboel gemeenschappelijke ideeën, opvattingen of interesses, maar jij baseert ze alleen op je wanhopige behoefte aan liefde en om je geliefd te voelen offer je alles op, zelfs je principes en je eigen veiligheid. Maar je weet dat je bij je vriendin en haar vriend langzaam wegkwijnt als een lampje dat uitgaat. Je deelt niets meer met Monica, je begrijpt haar niet meer, je moet niet meer om haar lachen. En aan de andere kant is de gedachte om niet meer bij haar te zijn onverdraaglijk, want wat blijft er dan over in je leven? Je probeert een heleboel dingen te verwerken, niet te oordelen, niet geobsedeerd te raken door het idee dat je ouders er verantwoordelijk voor zijn dat je zo ongelukkig bent, om te vermijden dat je de mogelijkheid om ooit nog eens gelukkig te worden van hen laat afhangen. Ja, je weet wel dat je objectief achterom moet kijken, om weer het meisje te worden dat je was en dat je vanbinnen nog steeds bent. Maar als je haar op een dag vindt? En als je haar niet bevalt of zij jou niet? En als ze weigert om weer te gaan slapen nadat je haar wakker hebt gemaakt? En als ze besluit de hele nacht voor de tv te blijven zitten? Je zegt iedere dag weer tegen jezelf dat het belangrijk is om door te gaan, altijd maar door te gaan, en te vergeten, maar het lukt je niet. Er zijn dagen dat je er niet meer tegen kunt. Je begrijpt niet waarom het bezoek aan je vader je zo'n pijn heeft gedaan, waarom je je het geschreeuw van je moeder zo aantrekt, waarom je niet de komische kant kunt zien van haar grillen, zoals je vader doet. Je probeert de psychiater uit te leggen dat je bang bent, dat je jaloers bent op Coco, dat je niet zeker weet in welke problemen je verzeild bent geraakt. Je uitleg is verward en bovendien doorspekt met termen die de psychiater niet begrijpt: Coco is een 'gerecyclede proleet' die op chic gaat en 'dealt' en 'zwendelt' en Monica is een 'gerecycled kutwijf', hoe ze ook probeert zich voor te doen als 'indie' en 'undergrunge' en je begint er genoeg van te krijgen dat Monica en Coco zich alleen maar vermaken als ze 'high' zijn en er is een vent in La Metralleta die blijkbaar op je valt en Monica zegt dat het een 'smeris' is maar jij denkt dat het alleen maar een yuppie is met een 'hemelse trip'... Je probeert hem uit te leggen dat het iedere dag slechter met je gaat, zowel lichamelijk als geestelijk, maar de dokter begrijpt je niet als je het hebt over 'een black-out' en langzamerhand raak je steeds verder in de knoop en zit je opgescheept met een warboel van gedachten en kom je er niet meer uit. Nee, je weet niet meer hoe het allemaal is begonnen en wanneer je verstand begon te haperen of hoe je je gedachten weer op een rijtje moet krijgen en hoe je erachter komt waar het is misgegaan. Want je weet dat het niet goed gaat, maar je weet ook niet wat er precies fout gaat. En de arts raadt je aan om meer oefeningen te doen en hij geeft je een recept. Probeer het maar eens, altijd hetzelfde liedje, of zo ging het tenminste bij mij en dat gebeurde op 23 juli toen ik mijn wekelijkse afspraak met de psychiater had.

Ik was zonder iets te zeggen naar het consult gegaan, ervan profiterend dat ze nog sliepen. Na de discussie van de vorige avond had ik geen zin om rekenschap af te leggen van wat ik deed. Toen ik terugkwam was Monica wakker en kreeg ik natuurlijk de welbekende preek te horen. Ze zei dat we zoveel mogelijk moesten voorkomen om overdag door het gebouw te lopen, zodat de portier niet doorhad dat we bij haar logeerden. Ik antwoordde dat Coco ook was weggegaan om een van zijn zaakjes te regelen, zodat ik niet de enige was die de buren gezien konden hebben. Ik legde uit dat ik naar de psychiater was geweest en toen zei zij niets meer, want zij was er altijd voor geweest dat ik professionele hulp zocht om niet nog eens die eerste scène van de zelfmoord te herhalen. Hoewel Monica altijd wel volhield dat mijn moeder degene was die echt een psychiater nodig had. Toen ik haar even later mijn recept liet zien, maakte ze bijna een sprongetje van blijdschap. Het bleek dat de psychiater me een kalmeringsmiddel had voorgeschreven dat vermengd met alcohol psychotrope effecten had, zodat we die volgens Monica zelf zouden kunnen nemen, of zouden kunnen verkopen. Onnodig te zeggen dat het niet bij Monica opkwam dat ik de behandeling moest volgen zoals op de bijsluiter stond, namelijk een pil innemen bij de maaltijden en geen alcohol drinken. Ze geloofde niet dat ik dat echt nodig had.

We hadden het niet over de vurige kussen op het toilet van La Metralleta. Als ze dronk deed ze veel dingen waar ze later spijt van had of die ze vergat. Daarom durfde ik er haar niet naar te vragen. Ik heb nooit het recht gehad om vragen te stellen.

De tic om me naar psychiaters te sturen kwam van mijn moeder. Zij moest altijd medicijnen slikken vanwege haar epilepsie en was ervan overtuigd dat alle ziektes met pillen en specialisten genezen of ten minste in de hand gehouden konden worden. Hoewel ik de ziekte van mijn moeder nooit zo serieus heb genomen. Ik ben eerder geneigd te denken dat ze het eigenlijk als wapen gebruikte om ons een schuldgevoel te bezorgen, omdat ze vond dat ze te weinig aandacht van ons kreeg. Ik heb maar twee andere aanvallen van mijn moeder meegemaakt die net zo erg waren als de eerste: allebei op kerstavond. Op die dag sloot mijn vaders kantoor heel vroeg, voor de middag, en het was de gewoonte dat het personeel daarna samen het kerstfeest vierde. Op die dag van het jaar werd de hiërarchie vergeten en in een sfeer van algehele gelijkheid flirtten de advocaten met de receptioniste en wisselde de chef van de boekhouding vertrouwelijkheden uit met de liftjongen. Met dat excuus kwam mijn vader gewoonlijk licht aangeschoten en veel later thuis dan mijn moeder gepast vond. Zij klaagde dan dat hij naar alcohol stonk. Hij antwoordde dat het feit dat zij zich niet kon amuseren geen reden voor anderen was om dat ook niet te doen. Dan ging zij huilen. En zo ging het ieder jaar.

Twee keer kwam mijn vader later thuis dan verwacht. De kalkoen was koud geworden in de oven en de blaadjes van de krulandijvie werden al zwart door de azijn. Mijn moeder huilde tranen met tuiten, ze snauwde beledigingen en verwijten, terwijl ik me achter haar rug verschool en niet wist of ik verontwaardigd of kwaad moest zijn. Zij zei (schreeuwend) tegen hem: 'Mooi is dat om zo laat thuis te komen, het laat je koud dat je dochter en ik de godganse dag bezig zijn geweest met de maaltijd en dan komt meneer om elf uur 's avonds thuis na een zogenaamd heilig feest te hebben gevierd, god weet waar en met wie.' Hij (ook schreeuwend) antwoordde haar: 'Herminia, laten we in 's hemelsnaam voor de verandering op kerstavond in vrede feest vieren. Je weet toch dat ik dit soort scènes met onze dochter erbij niet prettig vind.' Zij (nog harder) antwoordde dan weer: 'Ja, onze dochter... nu maak je je wel zorgen om haar! Alsof je zo in het kind bent geïnteresseerd. Je ziet haar amper...! Bovendien komt het meisje er zo wel achter met welk type man ze in de toekomst niet om moet gaan.' Als het niet dit soort zinnen waren, dan kwam het daar wel op neer. Verwijten die minstens één keer per week te horen waren. Litanieën die geen zin meer hadden, omdat ze al zo vaak waren herhaald. Maar ik wist wel dat ik nooit met een man als hij of welke andere ook om zou gaan. In die tijd wilde ik non worden. Het enige voorbeeld van een alleenstaande vrouw dat ik kende.

Die eerste dramatische kerstavond was ik twaalf jaar en toen ik de stuiptrekkingen van mijn moeder zag en besefte wat ze doormaakte, toen ik met kloppend hart en bevende handen het nummer van de dokter weer moest opzoeken, haatte ik mijn vader omdat hij haar dit aandeed en haar in zo'n toestand bracht.

Precies dezelfde scène herhaalde zich drie jaar later. Maar toen kwam mijn vader dronken thuis, niet zomaar aangeschoten, nee: laveloos. Ik realiseerde me heel goed door zijn dikke tong en zijn waggelende gang wat er met hem aan de hand was. Toen mijn moeder op de grond viel na de welbekende ruzie en de beledigingen met veel decibellen, scheen hij zich geen zorgen te maken, ik weet niet goed of het door de alcohol kwam dat hij de aard van de situatie niet besefte of doordat hij op een punt was gekomen dat de aanvallen van mijn moeder hem niet langer bang maakten, alleen maar moe. Deze keer was ik het die mijn moeder vasthield en het servet in haar mond stopte, maar tot mijn verbazing rende hij niet naar de telefoon zoals ik had verwacht, maar liep hij onzeker en wankelend naar zijn kamer. 'Wat doe je nou?' zei ik, 'laat je mama zo liggen?' 'Zorg jij maar voor haar,' antwoordde hij. 'Jullie hebben alle twee toch genoeg van mij? Nou, regelen jullie het dan maar alleen.' Mijn moeder lag nog steeds bewusteloos in mijn armen. Het was een korte aanval geweest. Ik schreeuwde luidkeels naar mijn vader dat hij een klootzak was en dat ik hem intens haatte. Toen draaide hij zich midden in de gang om en kwam met veel kabaal op mij af. 'Zo spreek je niet tegen je vader,' brulde hij, 'begrijp je? Je spreekt zo niet tegen je vader.' En voor ik het wist stond hij voor me. Hij gaf me een keiharde draai om mijn oren. De tranen sprongen in mijn ogen terwijl mijn moeder uit mijn armen op de grond viel. Ik hoorde hoe haar hoofd op het linoleum van de keuken klapte en ik vreesde het ergste. Ik haatte mijn vader op dat moment zoals ik nog nooit iemand had gehaat, de nonnen niet en de aanstellerige meiden op school ook niet. Ik geloof dat ik eigenlijk nooit meer iemand anders zo heb gehaat. In die tijd hadden mijn moeder en ik al wat afstand van elkaar genomen, maar even voelde ik weer die symbiose, dat gevoel een deel van haar te zijn, te behoren tot een leger dat optrekt tegen een gezamenlijke vijand.

Het huisrecept voor het maken van pillen was heel gemakkelijk. De speed werd in een vijzel fijngestampt en vermengd met wat heroïne en een kinderaspirientje. Dit mengsel deed je in een van tevoren leeggemaakte Termalgin-capsule. En *voilà*. Het was zo simpel dat ik niet dacht dat het echt zou werken.

Coco had me tot in de puntjes uitgelegd wat ik moest doen. Ik kreeg uitgebreide instructies over het soort vragen dat ik mijn klanten moest stellen om eventuele agenten in burger te ontmaskeren. Bij de minste twijfel, zei Coco, verkoop je niet. Aan iemand boven de vijfentwintig verkoop je niet. Volgens Coco was ik de ideale dealer omdat ik er juist helemaal niet zo uitzag: mijn uiterlijk zou besluiteloze klanten aantrekken en mijn onschuldige voorkomen zou geen verdenkingen wekken. Waarom had Coco het alleen over mijn schoonheid als die voor hem van praktisch nut was? Ik wilde graag dat iemand me gewoon knap vond zonder er iets van te verwachten.

We hadden in heel La Metralleta al rondverteld dat ik XTC verkocht. Zodat ik naar de gewone hoek ging om op mijn klanten te wachten. Ik was rustig: alles was de eerste keer goed gegaan, dus waarom zou het de tweede keer niet net zo gaan. Ik had me er al bij neergelegd en ik geloof dat ik het in wezen wel leuk vond. Ik troostte me met de gedachte dat er tenminste iets op aarde was wat ik goed kon.

Ik zag hem over de dansvloer aankomen en stond als versteend. Wat moest hij hier. Een yuppiesnob op de moderne toer (spijkerbroek, katoenen T-shirt, tandpastaglimlach, lichaamsbouw van een Amerikaanse atleet en getrainde biceps; het uiterlijk van iemand die van de prins geen kwaad wist). Hij liep naar Monica toe met een grote glimlach die wel een witte vlag leek. Javier López de Anglada in eigen persoon vereerde La Metralleta met zijn keurige verschijning! Hij was Monica's eerste officiële vriendje geweest toen zij zestien jaar was en hij tweeëntwintig. Ze waren bijna een jaar met elkaar gegaan, ook al zagen ze elkaar niet veel en leek zij niet zo erg in hem geïnteresseerd te zijn. Ik heb altijd gedacht dat Monica hem als excuus gebruikte om meer vrijheid te hebben en op die manier naar believen in en uit te lopen, want Charo adoreerde Javier (ik haatte hem natuurlijk) en sinds hij over de vloer kwam was ze veel toegeeflijker met het tijdstip van thuiskomen van haar puberdochter. Charo bleef maar zeggen hoe keurig en beschaafd Javier wel was en hoe keurig en beschaafd zijn familie. (Ik moet vermelden dat Javiers moeder tot de Spaanse adel behoorde en dat haar naam voorkwam op de jaarlijkse lijst van bestgeklede vrouwen.)

Nadat Monica het had uitgemaakt, bleef Javier haar maar brieven sturen. Hij was bezeten van zijn ex-vriendin, en zij had gebruikgemaakt van zijn verliefdheid en de vriendschap jaren laten voortduren omdat het haar goed uitkwam. Het is altijd prettig om iemand te hebben die gek op je is en ook nog zwemt in het geld. Maar ik geloof dat er nog iets was wat zij niet onderkende: dat ze die slaafse aanbidding die door de jaren heen niet veranderde eigenlijk wel ontroerend vond. Toen Javier op zijn tweeëntwintigste klaar was met bedrijfskunde had hij een leidende functie gekregen in een van de bedrijven van zijn vader en hij verdiende een astronomisch salaris. Hij zag er op zijn vijfentwintigste al serieus en stijf uit, een beetje stupide, zoals mensen die het te jong hebben gemaakt. Ik zag hoe hij haar op haar wang zoende en zij haar armen heel natuurlijk om zijn middel sloeg, zonder zich af te vragen wat die lieve Javier in 's hemelsnaam in dit etablissement deed, waar hij net zo uit de toon viel als Alfredo Landa in een danstent, en ik twijfel er niet aan dat hij daar voor Monica was. Ze zagen elkaar nog regelmatig en gingen af en toe met elkaar naar bed. Ze had me eens lachend verteld dat Javier een enorm apparaat had en toen ik daaraan dacht had ik het gevoel dat ik stikte in een soort stille donkere en niet te plaatsen leegte.

Een paar lichte tikjes op mijn schouder leidden mijn aandacht van dat tafereel af. Ik draaide me om en stond weer tegenover die lange die me scheen te achtervolgen. Hij noemde me blondje en vroeg of ik niet wist waar hij iets kon vinden om 'een beetje in de stemming te komen'. Ik werd niet zenuwachtig.

'Te oordelen naar de manier waarop je naar me kijkt zou ik zeggen dat ik je al genoeg in de stemming breng,' zei ik. 'Ja, het is een Belcor.'

‘Wat?’

‘Mijn beha. Je kijkt er zo naar.’

Hij lachte.

‘Bedankt voor de informatie. Belcor. Daar ga ik aandelen van kopen.’

‘Je kunt beter Levi’s kopen. Die gaan omhoog, geloof ik,’ suggereerde ik, terwijl ik op zijn kruis wees. ‘Als je me nu wilt excuseren, ik denk dat ik even ga dansen.’ En ik verdween naar de dansvloer en ging op in de schaduwen als een negatief van mijzelf.

Ik vond het heel gemakkelijk om brutaal te zijn om een doodeenvoudige reden: ik was er totaal niet in geïnteresseerd iets met hem te beginnen en daarom kon ik schaamteloos allerlei dubbelzinnige opmerkingen maken, want de indruk die ik op hem maakte deed er totaal niet toe. Ik was verlegen – ik ben verlegen – en daarom dachten de mensen dat ik niet bijster slim was, maar met twee drankjes op kon ik net zo gevat zijn als Monica, hoewel ik over het algemeen niet veel gelegenheid kreeg om dat te laten merken.

Ik denk dat ik wanneer Monica me over haar nachten met Javier vertelde net zo jaloers was als Caitlin wanneer sommigen van haar vriendinnen over hun ervaringen met mannen vertelden. Ik denk dat we in wezen allemaal hetzelfde voelen, omdat we tenslotte allemaal hetzelfde in elkaar zitten: waterstof, helium, zuurstof, methaan, neon, argon, koolstof, zwavel, silicium en ijzer, de basiselementen van het heelal, elementaire moleculen die vanaf het begin der tijden bestaan en die in onderlinge verbindingen complexere moleculen hebben gevormd. De ontwikkeling van het leven is een onafwendbaar wonder, een wonderbaarlijke combinatie van elementen volgens een traject met weinig weerstand. Gezien de condities op de primitieve Aarde moest er wel leven ontstaan; op dezelfde manier als waarop ijzer in een vochtige omgeving onvermijdelijk oxideert. Iedere andere planeet die zowel fysiek als chemisch op de Aarde lijkt ontwikkelt leven. Wij zijn allemaal onvermijdelijk, we hebben allemaal dezelfde oorsprong, we zijn allemaal een wonder op zich. Energie en moleculen zijn leven. Liefde en frustratie staat gelijk aan jaloezie. Wonderen die bij mij elementaire en onvermijdelijke reacties oproepen. Vrouwen zijn werelden op zich, werelden bewoond door miljoenen levende wezens – microscopisch kleine cellen en microben, bacteriën en parasieten die voor ons lichaam hetzelfde betekenen als onze lichamen voor de Aarde – werelden die op elkaar lijken maar toch ver van elkaar af liggen. Wij zijn allemaal werelden, planeten die draaien om een energiebron: liefde of het gebrek daaraan.

Kerkhofbaan.

Ik verkocht XTC in Madrid, mijn vriendin verkocht het in Edinburgh: de stad is altijd hetzelfde, die reist met je mee. Waar ik ook was, ik raakte verstrikt in illegale handeltjes en werd aangetrokken door vrouwen met een arrogante minachting voor wetten waarin ze niet geloofden. Ik zeg dat omdat Monica die zomer door de verkoop van die pillen kon rondkomen en later was het een van de belangrijkste bronnen van inkomsten van het meisje met wie ik samenleefde: Caitlin.

Caitlin en ik hadden altijd geldproblemen. Ik moest zogenaamd van mijn beurs leven, maar die beurs was nauwelijks voldoende om de huur te betalen, als ik die had moeten betalen. Maar omdat ik die niet betaalde, leek het logisch dat ik het eten en de rekeningen op mij nam. Hoewel we het nooit hadden besproken, deden we het zo vanaf het eerste moment. Dus om de eindjes aan elkaar te kunnen knopen gaf ik Spaanse les aan kleurloze en saaie universiteitsstudenten, leeghoofden met puisterige gezichten, en werkte ik zo nu en dan als serveerster in een bar naast ons huis. Ik verdiende niet veel, niet zoveel als Cat, want de bar waar ik werkte had niets speciaals en bovendien kookte ik niet, maar de plek beviel me wel. De muziek was altijd heel bescheiden en de baas was een rustige kerel die nooit te veel praatte en zich niet bemoeide met wat hem niet aanging. Rond etenstijd liep de zaak vol met verkoopsters van Boots die met neergeslagen ogen op hun komkommersandwiches zaten te kauwen terwijl ze romannetjes lazen die door Lady Di's stiefgrootmoeder waren geschreven. 's Middags kwam er soms een groepje rustige studenten of dertigers die een spelletje darts deden. Caitlin, dat heb ik al verteld, werkte als *chef* in een hippe tent die in *The List* stond aangegeven als een van de interessantste gelegenheden van de stad. Cat werd volgens de gangbare normen goed betaald omdat de bedrijfsleidster, een vals loeder met roze geverfd haar, heel goed wist dat haar kokkin een van de grootste attracties was voor de vrouwelijke klanten. Maar hoewel ze goed werd betaald, nam dat niet weg dat het toch maar een schijntje was, zoals overal in de horeca. Dus Cat vulde haar inkomsten aan met het dealen van XTC dat ze onder haar vele bewonderaarsters en een eindeloos aantal vrienden verkocht.

In Glasgow was de handel in XTC zo winstgevend geworden dat de maffiabendes die de pillen distribueerden onderling op straat vuurgevechten hielden. In Edinburgh had het nog niet zo'n omvang aangenomen, maar het zag ernaar uit dat het daar binnenkort dezelfde kant op zou gaan. Op feesten stond er altijd wel een broodmagere vent of tante in de buurt van de keuken of het toilet om het onmisbare pilletje onder de gasten te verspreiden. In Cream en in Taste, de twee clubs die de technotempels van het noorden waren geworden, danste de massa eensgezind op het ritme van één dreun, één muziek, één drug, één enkele geest die de gelovigen verbroederde.

Dealen was erg riskant. Het werd niet als een licht vergrijp gezien zoals in Madrid. Dagelijks waren er invallen in Cream, Taste, Negotians, The Honeycomb en La Belle Angèle.

Er werden een paar clubs gesloten, andere werden geopend en de discogangers volgden hun dj's in hordes van de ene club naar de andere zoals een uitverkoren volk zijn profeet in ballingschap volgt.

De slimmeriken onder de dealers verdienden goud en de minder geslepen handelaars belandden in de gevangenis. Cat zat daar ergens tussenin. Ik deed of ik niets van haar activiteiten wilde weten, ik herhaalde keer op keer dat ik genoeg had van drugs, dat ik me in Madrid al zo in de nesten had gewerkt en dat ik dat in Edinburgh niet opnieuw wilde doen. Maar het probleem was dat het steeds moeilijker voor ons werd het einde van de maand te halen, zodat ik geen andere keus had dan concessies te doen en het op zijn beloop te laten, uit noodzaak en omdat ik Cats doen en laten niet te veel wilde controleren. Ik wist dat ik Cat woedend maakte als ik haar vertelde wat ze wel en niet moest doen.

Op donderdag had Cat vrij en gingen we meestal uit. Eerst naar Negotians om iets te drinken en met Barry te praten en vervolgens dansen in een of andere club waar Aylsa als dj werkte. Ik nam een pilletje en vloog naar de dansvloer om me mee te laten voeren door techno en MDMA. Dans, vergeet alles, houd op iemand te zijn, versmelt met de massa die met je danst. Houd op te bestaan als individu, houd op voor jezelf te denken en je zult ophouden te lijden terwijl de tijd verstrijkt, minuut voor minuut. Op die momenten begreep ik waarom mannen en vrouwen over de hele aardbol, ondanks alles, graag willen geloven in hogere machten die het menselijke te boven gaan. Te midden van die extreme opwinding voelde ik me voor korte tijd opgaan in een bovennatuurlijk, goddelijk leven dat me opnam en volledig absorbeerde. Als de morgenster bij het aanbreken van de dag werd mijn identiteit uitgewist door een groter licht.

Op donderdag nam ik dus altijd mijn vaste pilletje en de rest van de week was ik bezig de engel die het mij had gegeven te martelen door haar met schijnheilige verwijten te overladen.

Hypocriet die ik was. Ik deed niets anders dan Cat ervan beschuldigen dat ze pillen verkocht, maar vervolgens was ik zelf niet in staat te overleven zonder die pillen. Ze maakten me gelukkig, ze maakten dat ik mezelf vergat, dat ik van Cat hield en dat ik dacht dat het leven de moeite waard was. Ik was niet dezelfde zonder die witte ronde hulpjes. Ondanks alles nam ik er nooit meer dan twee per week (donderdag altijd, zaterdag soms) Ik wist dat alles wat stijgt ook weer daalt en dat het ergste van elke klim de afdaling is.

Ik had de pillen nodig, ik kon niet meer zonder. Soms dacht ik aan mezelf en aan het leven dat ik had geleid en ik had de indruk dat ik een getekende vrouw was, die nooit meer een normaal leven zou kunnen leiden, en dat ik, hoe ik ook mijn best deed, nooit meer van mensen zou kunnen houden of ook maar enig begrip voor de meesten op zou kunnen brengen. Ik dacht dat mijn hersens al waren aangetast en dat ik de rest van mijn leven regelmatig door periodes van onbeheersbare huilbuien en ernstig verlies van zelfrespect zou worden overvallen. Ik voelde me alsof ik vanbinnen een soort schakelaar had die, eenmaal aangezet, het slechtste in mij opriep en op verschillende manieren in werking kon worden gesteld. Er waren diverse aanleidingen waardoor ik van streek raakte: allerlei geschreeuw, woedende verwijten of plotselinge onaangename of schijnbaar ongemotiveerde opmerkingen, zoals Cat deed als ze haar geduld verloor. Dan voelde ik me weer alsof ik acht jaar was en kwamen de tranen, gevolgd door gejammer en gesnotter. Daarna begon ik te beven en na tien minuten was ik alleen nog maar een zielig hoopje ellende en herinnerde ik me nauwelijks waarom ik huilde. Die aanvallen konden door de minste of geringste futiliteit worden uitgelokt. Bijvoorbeeld als ik moe en in een pesthumeur thuiskwam omdat m'n botten in de hobbelende bus door elkaar waren geschud terwijl mijn hoofd nog tolde van de domme vragen van mijn leerlingen, die studenten met acne, bij wie ik zonder veel succes iets van de Spaanse grammatica in de tussenholte van hun vier neuronen probeerde te pompen. Ik kwam thuis en vond er zoals gewoonlijk een puinhoop. Cat lag opgerold op de gammele bank vol vetvlekken stompzinnig naar een of ander spelletje op de televisie te kijken met de afstandsbediening in de ene hand en een blikje bier in de andere. Ik verweet haar scherp haar futloze gedrag. 'Kun je niet zelf iets verzinnen? Wil je je hele leven blijven aanklooien? Je hebt verstand, verdomme, en je hebt tijd. Je werkt nog geen vier avonden per week. Je zou de tijd die je overhebt aan een studie kunnen besteden of proberen iets te veranderen aan het leven dat je nu leidt.' Ze draaide zich om en keek me strak aan, haar twee groenachtige ogen fonkelden van woede en ze herinnerde me eraan dat zij ook werkte en ook moe was en dat ik als ik iemand anders zocht, die maar op straat moest gaan zoeken maar niet moest proberen een vrouw van haar te maken die ze niet was, dat ik dan beter van persoon kon veranderen in plaats van een persoon te veranderen. Ze beschuldigde mij ervan dat ik dominant en hysterisch was. 'Het verbaast me niets dat niemand je kan uitstaan, dat mijn vrienden een hekel aan je hebben,' zei ze. 'Het verbaast me niets dat je geen enkele brief krijgt uit Spanje. Met dat karakter van je verbaast het me niets dat niemand iets om je geeft. Wat me wel verbaast is dat ik het al zo lang met je uithoud.' En zo ging ze door, vuurspugend, gefrustreerd, verbitterd, moe, ze was het zat. De tranen sprongen in mijn ogen en plotseling als in een flits ging er een lichtje bij me branden: pats, ik zag het allemaal heel scherp. Niemand kon me uitstaan, niemand zou me ooit kunnen uitstaan, want ik was een onuitstaanbaar wezen, niet in staat mijn opwellingen en rothumeur in bedwang te houden, want ik was getikt. En dat kon ook niet anders met zo'n vader en zo'n moeder. Zowel door erfelijke belasting als door mijn opvoeding moest mijn hoofd wel op tilt slaan. Ik werd overspoeld door zelfmedelijden en de communicatiewegen tussen de neuronen in mijn hersens raakten geblokkeerd.

Maar er waren andere momenten waarop ik me echt gelukkig voelde. Er waren geweldige dagen dat Cat en ik thuis platen opzetten en ik danste op de klanken van Saint Etienne, absurde dansen van Isadora Duncan improviseerde en op de toppen van mijn tenen dwars door de keuken bewoog met mijn handen omhoog, hoger en nog hoger tot ik met mijn vingertoppen bijna het plafond raakte. Caitlin, eeuwig en altijd met een glas whisky in haar hand, zat in een hoekje te lachen om mijn gekke gedoe terwijl ze haar benen met katachtige gratie over elkaar sloeg en weer naast elkaar neerzette.

Soms maakten we kerrieschotels en andere exotische gerechten (waarvan paella er een was), terwijl we luisterden naar MCSolaar en ik Caitlin steeds weer geduldig en tevergeefs de opeenvolgende stappen van het recept probeerde bij te brengen. We experimenteerden met specerijen en kruiden en amuseerden ons door er ingrediënten bij te doen die niet in het kookboek stonden. Cat sneed uien, waste borden en messen, terwijl ze heupwiegend op het ritme van de muziek een noordnoordwestelijke koers volgde tussen het gasstel en de gootsteen en ik met de pan zwaaide als een tovenaarsleerling, met verward en bezweet haar dat rook naar allerlei geuren en bakluchtjes. Soms onderbrak ik mijn gastronomische pogingen om Caitlin kleine kruidige kusjes te geven die naar olie en rook smaakten. Elk waterdruppeltje dat met tussenpozen en muzikaal uit de kraan glipte veranderde in een lumineuze hertelling van een seconde, glinsterend onder de tl-verlichting. Ik keek naar Caitlin en werd overweldigd door een tederheid die zo heftig was dat het pijn deed.

Ja, bij tijden aanbad ik Cat. Niet om haar schoonheid of haar gevoel voor humor, maar vooral omdat ze zo goed was, misschien was ze wel de eerste in mijn leven die door en door goed was. Ik wist dat ze me niet gebruikte, dat ze van me hield, dat ze echt van me hield, dat ze bij me zou zijn als ik haar nodig had, dat ze me nooit bewust pijn zou doen. Zelfs niet onbewust? Maar bij andere gelegenheden kon ik het niet laten met een loep naar haar te kijken vanuit het vervormend prisma van de rationele analyse en dan zag ik al haar fouten uitvergroot. Ze is niet slim, dacht ik. Niet zo slim als Monica. Ze is niet zo snel van begrip, heeft niet haar reactievermogen. Ze is niet sterk. Ze gaat de strijd niet aan. Ze kan niet vechten voor wat ze wil. Ze weet niet eens wat ze wil. Ze is niet volwassen. Het kindstemmetje bijvoorbeeld dat ze opzette als ze aanhalig werd, maakte me wanhopig, die kirrende geluidjes die voor mij bestemd waren. Ik hoef geen kind, zei ik, ik heb niemand nodig voor wie ik moet zorgen. Ik heb juist iemand nodig die voor mij zorgt. Maar ze leek het niet te begrijpen en ging door met spinnende geluidjes. Als ze me zag snikken op bed gleed ze naast me, mysterieus als een teder luipaard en ging achter me liggen. Dan vroeg ze fluisterend als een kind van drie wat me scheelde, of ze iets voor me kon doen en daar werd ik dan nog gedeprimeerder van. Vooral omdat ik haar tien minuten daarvoor door de telefoon had horen praten met een van haar vele vriendinnen, uit dat legioen onbekenden die in het restaurant om haar heen fladderden, een lievere vrouw die met haar naar bed was geweest of die ooit nog eens met haar naar bed zou gaan, die haar knokige lichaam in een of ander donker hoekje van het café tegen zich aan zou drukken en dan was haar stem die van de vijfentwintigjarige Cat, zonder het scherpe timbre, zonder het gelispel en zonder de slepende klinkers die ze tegen mij gebruikte. Soms probeerde ik haar uit te leggen dat ik wanhopig iemand nodig had die me begreep, maar dat zij die communicatiemogelijkheid afsneed. Hoe zou ik immers dingen kunnen uitleggen aan iemand die niet de leeftijd leek te hebben om het allemaal te begrijpen? Maar ze begreep me niet of wilde me niet begrijpen, of misschien had ze geen andere manier om degenen van wie ze werkelijk hield te benaderen. Maar het enige wat ik met mijn kat bereikte was dat ik steeds verder van haar verwijderd raakte, tot mijn verdriet, want ik had nog nooit zo'n behoefte gehad aan iemand die naar me luisterde nu ik Monica niet meer naast me had die instemmend knikte als ik mijn depressieve monologen even onderbrak en die grapjes maakte over mijn boze gedrag en mijn tranen.

Die stemmingswisselingen verbaasden mij ook en bevestigden voor mezelf hoe wankel mijn geestelijk evenwicht was. In feite toonden die ups en downs alleen maar aan wat ik al wist, wat de psychiaters mijn moeder hadden verteld: dat ik manisch depressief was met schizoïde trekken in mijn persoonlijkheid. Maar definities zeggen niets. Je kunt die warboel van onderling verbonden gevoelens, die mengelmoes van onsamenhangende herinneringen die mijn hersens vormden niet definiëren.

Soms was het me duidelijk dat Caitlin genoeg van me begon te krijgen. Ik merkte dat ze het beu was en koel deed. Ik kon me voorstellen wat Aylsa en Barry zeiden en de meisjes die met haar probeerden te flirten in de bar, die manwijven met stekeltjeshaar en soldatenlaarzen, die roddelden en stookten en dat blonde hoofdje volstopten met ideeën: die griet past niet bij je, ze houdt niet van je, ze is een egoïste die alleen aan zichzelf denkt (was ik dat ook niet?), een neuroot die je niet gelukkig kan maken, die een vreselijk karakter heeft en jij verdient beter (wat zij verdiende was blijkbaar een radicale militante lesbische activiste). Hoe wil je dat zij uit haar depressie komt – zouden ze zeggen – als ze alleen maar kan navelstaren? Eigenlijk doet ze niets liever dan wegzakken in haar eigen problemen. Geloof ons nou maar, ze is onverbeterlijk. Als je met haar doorgaat zul je niet alleen haar niet kunnen helpen, maar er uiteindelijk zelf ook onderdoor gaan.

Ik huilde bijna elke dag. Ik deed 's morgens mijn ogen open en zag het donkere panorama van die stad van mist en kastelen voor me. Het was bijna nooit licht. De lucht was een enorm grijs geheel van donkere stapelwolken en mistflarden met aan de lopende band onweersbuien en vol luchtvervuiling. Als ik mijn ogen opendeed zag ik dat staalgrijs, alles om me heen was al meteen bij de eerste ademhaling als een landschap in clair-obscur. Ik herinnerde me hoe het licht in Madrid volop door de ramen naar binnen drong, hoe we het ook tegen probeerden te houden met gordijnen en jaloezieën, hoe de zonnestralen door de kieren naar binnen kwamen en het stof in gouden stuifmeel veranderde. Dat lichte en heldere Madrid leek in mijn herinnering, vanwege het contrast, horizontaal en eindeloos. Ik keek met slaperige ogen om me heen, dacht aan Madrid en zag ons huis, dat van Caitlin en mij, de vloer bedekt met troep en papier, de afgebladderde muren en de stoffige meubels die Caitlin in de loop der jaren her en der had verzameld. De bekleding was vaal en het hout gespleten. In Madrid zou ik uit bed zijn gesprongen om melk en de krant te kopen, ik zou huppelend naar de kiosk op de hoek zijn gegaan en onderweg zou ik hebben moeten uitwijken voor dames die hun hondjes met wollen dekjes uitlieten, voor als duiven koerende jonge paartjes, voor in schooluniform geklede meisjes die zich met ondeugende sprongetjes naar de bushalte haastten. In Edinburgh daarentegen was de straat ijzig en ongastvrij en je kon er niet huppelen omdat er ijzel lag. De mist kleefde aan het vochtige plaveisel, wind en sneeuw werkten samen om je achteruit te duwen en alle lagen kleding die je over elkaar aan moest doen om je tegen de kou te beschermen (T-shirt, trui, jas, muts, das, wanten) maakten een onhandige logge beer van je. Soms hing er zo'n dichte mist in de stad dat je nauwelijks je eigen adem kon zien. De kou isoleerde, straten lagen er verlaten en uitgestorven bij, de hoge torens van de Victoriaanse gebouwen wierpen lange sombere schaduwen op het natte wegdek, de mensen sloten zich op in hun huizen met stenen muren en centrale verwarming en degenen die eruit moesten om te werken kropen in hun auto, in elkaar gedoken, zwijgzaam en in gedachten verzonken, erop gericht om maar zo warm mogelijk te blijven.

Monica had me eens uitgelegd dat het menselijk lichaam een entropisch systeem is, dat wil zeggen dat het de neiging heeft met zo min mogelijk energie te functioneren. Het bewijs van die redenering vond ik in mijn eigen depressie. Het zou me zoveel moeite gekost hebben daaruit te komen, de confrontatie aan te gaan met mijn eigen demonen en angsten, weer moed te vatten en iets te doen om en voor mezelf dat ik mijn vrije tijd liever huilend doorbracht, ineengedoken onder het dekbed, meegesleept tot in het diepst van mezelf door een donkere golf herinneringen en akelige gedachten, terwijl ik met de tranen op mijn wangen luisterde naar oude platen uit de jaren tachtig, macabere nachtmerries die het huis nog somberder maakten. Minimalistische basgitaren en monotone refreintjes die eindeloos werden herhaald. *I play at night in your house… I never loved this life… I drown at night in your house… Pretending to swim…*

Ik had geen vrienden, behalve Cat natuurlijk. Geen enkele. Niemand die ik kon opbellen om over mijn problemen te praten. Niemand om een biertje mee te drinken in een pub. Ik kreeg geen brieven uit mijn eigen land, geen telefoontjes, met uitzondering van de kaarten van mijn moeder, die altijd alleen maar formeel waren. Soms liet ze weleens iets van verwijt of zelfs van genegenheid doorschemeren, maar het was duidelijk dat ze zich niet echt open durfde op te stellen. Ze ondertekende altijd met 'veel liefs, mama'. Mijn vader schreef nooit. Ik had weliswaar nooit veel vrienden gehad, maar in de tijd met Monica had ik me dat niet eens gerealiseerd. Zij vulde de hele ruimte die ik had om te delen, er was geen plaats voor iemand anders en ik miste het niet. Nu stierf ik van verlangen om iets voor iemand te voelen. Caitlin ging 's avonds werken en daarna naar Cream om nog iets te drinken en ik bleef alleen thuis en las een boek. Ik had met haar mee kunnen gaan, maar niemand kon me daar uitstaan en ik voelde me ook tot niemand aangetrokken. Ik hoorde de regen tegen de ramen kletteren en het was alsof de ruiten met me meehuilden. *I drown at night in your house… Pretending to swim…*

Waar je ook gaat, de stad reist met je mee. Ze kan warm en stralend zijn, ze kan vochtig en donker zijn, maar in wezen is ze altijd hetzelfde, een minuscuul puntje binnen een ander minuscuul puntje, bewoond door onzichtbare wezens, versies van eenzelfde model, steeds weer nieuwe combinaties van een paar chemische elementen. In Madrid en in Edinburgh dansen mensen op dezelfde muziek, krijgen hallucinaties door dezelfde drugs en zoeken hetzelfde: seks, liefde, redenen om het nog een nacht langer vol te houden. Waar je ook gaat, overal zie je ze, allemaal synchroon bewegend op de klanken van de muziek, en misschien komt het ritme niet voort uit de melodie maar maakt die juist een maatgevoel los dat we allemaal gemeenschappelijk hebben. Onze voorouders dachten dat ze met eten en drinken hun lichaam aan een godheid overdroegen. Welk verschil bestaat er in wezen tussen bacchanalen en saturnaliën, tussen La Metralleta en Cream? In die gelegenheden dronken broodmagere jongeren, donkere röntgenfoto's van zichzelf, de hele nacht door, werden doof door dezelfde ingeblikte muziek en verloren het contact met de vloer, met het leven. Ik gaf mijn lichaam over aan Bacchus, aan Dionysus, aan wie dan ook, om even te vergeten dat ik mijzelf gedurende de rest van mijn bestaan nog moet verdragen.

Theoretisch sloot La Metralleta om zes uur 's morgens. Maar in de praktijk bleef het tot zeven uur of half acht open, want de bende wilde eruit halen wat erin zat voor ze besloot het pand te verlaten. Eerst gingen de lichten aan, dan ging de muziek uit en daarna was het wachten tot de zaal leegstroomde. Sommige onwillige dronkelappen bleven in hun stoelen zitten en het personeel moest groepjes van de ene hoek naar de andere drijven. Intussen dronken wij aan de bar ons laatste glas leeg. Ik had tamelijk veel pillen verkocht, hoewel niet zoveel als de vorige keer, omdat ik de hele tijd die lange bij me had gehad die geen oog van me af kon houden en ik regelmatig heel omzichtig jongeren had moeten wegsturen als ze naar me toe kwamen. Dat was ik Coco en Monica net bij de bar aan het uitleggen toen Javier bij ons kwam staan. Hij begroette me met een kort knikje (in zijn ogen was dat voor mij wel genoeg, denk ik) dat ik net zo flauwtjes beantwoordde.

'Ze gaan sluiten,' zei hij tegen zijn ex-vriendin. 'Zal ik je naar huis brengen?'

Monica zei dat ze zijn uitnodiging graag aannam als hij tenminste ook Coco en mij meenam.

'Als er niets anders op zit...' zei hij.

We verlieten La Metralleta. Het begon al licht te worden en de dag brak aan met een roze gloed die onze vermoeide gezichten ondanks de kringen onder onze ogen plotseling toch nog een zachte uitstraling gaf. Javier liep al vooruit naar zijn auto en Coco benutte dat om Monica iets in haar oor te fluisteren.

'Ik ga liever met een taxi. Hij daar is een idioot,' zei hij zachtjes, maar niet zo zacht dat ik het niet kon horen.

'Hij is een heer,' zei ze.

'Precies: een idioot. Een sukkel met familiewapen en een mastertitel bedrijfskunde.'

We stapten allemaal in de auto. Coco en ik achterin en Monica ging naast Javier zitten. Hij keek iedere keer dat hij schakelde naar haar als een lam dat naar de slachtbank gaat. Coco en ik deden net of we het niet in de gaten hadden en de rit verliep in een stug stilzwijgen. Eindelijk kwam de auto bij het gebouw waar Monica woonde. Voor het portaal stonden vier Vespa's met daarop vier jongelui die op iemand leken te wachten. De gepensioneerde buurman die net naar buiten kwam en zijn gehoorzame hondje aan de lijn meetrok – hij liet hem elke morgen om zeven uur uit, daar kon je de klok op gelijk zetten – stond verbaasd te kijken naar die gemotoriseerde bijeenkomst. Toen Coco de brommers zag sprong hij op en slaakte een kreet van verbazing. Hij leunde naar voren en tikte Javier op zijn schouder.

'We zijn van idee veranderd,' zei hij ogenschijnlijk rustig, maar in tegenspraak met zijn onvaste stem. 'Rijd ons ergens naartoe waar we kunnen ontbijten.'

Monica liet een bescheiden protest horen.

'Maar ik heb slaap...'

'Doe wat ik zeg, snel!' drong Coco aan.

Op een van de brommers herkende ik Paco. Hij had mijn klappen met de fles overleefd. Op een andere brommer zat de jongen uit het chalet, aan wie ik het eerste pakje van Coco had moeten brengen. Hij keek in mijn richting en wees naar mij: hij had me herkend. Hij waarschuwde de anderen, die onmiddellijk hun Vespa's startten en de achtervolging van onze auto inzetten.

'We zijn de klos,' zei Monica, die nu pas zag wat er aan de hand was.

'Rustig maar, dit is een GTI 16 V,' zei Javier, die wanhopig probeerde indruk op haar te maken en de gaspedaal diep intrapte. 'Op die snertbrommertjes halen ze ons zeker niet in.'

De auto reed inderdaad met een noodgang en ging met razende snelheid door de bochten, zo hard dat Coco en ik voortdurend tegen elkaar aan werden gegooid, eerst naar de ene en dan naar de andere kant van de achterbank. Wij reden door een rood licht. Achter ons hoorde je een doffe klap gevolgd door piepend remmen. Coco en ik draaiden ons om om te kijken wat er gebeurde: een van de Vespa's die ons achtervolgden was tegen een auto gebotst die van de andere kant kwam. De brommer lag op het asfalt, op z'n zijkant met woest ronddraaiende banden, en een paar meter verderop lag de bestuurder, onbeweeglijk op z'n buik, terwijl een menigte nieuwsgierigen om hem heen zwermde. Monica begon enthousiast in haar handen te klappen en feliciteerde Javier uitbundig. Hij leek in zijn nopjes.

'Ik zei al dat je op mij kunt vertrouwen. Je zit in de beste auto van Madrid met de beste chauffeur aan het stuur.' Natuurlijk hadden wij de Vespa's in vijf minuten afgeschud, dankzij het ongeluk, dat ons goed van pas kwam, en vijf minuten later reden we al op de Gran Vía, maar Monica leek niet meer zo blij. Haar gezicht was betrokken en spierwit zodat haar huid doorzichtig leek als vloeipapier.

'Ik ken die gozers...' zei Javier de stilte doorbrekend. 'Ze komen vaak in Pachá... Een van hen heeft met mij gestudeerd op Icade. Ik weet niet in welk wespennest je nu weer zit, Monica. Ik begrijp echt niet hoe zo'n slimme tante als jij in zulk slecht gezelschap verzeild is geraakt en altijd in rare situaties terechtkomt.' Deze laatste bewering onderstreepte hij met een duidelijke blik naar degenen die op de achterbank zaten, oftewel Coco en mij. Wij deden alle twee of we de insinuatie niet hadden gehoord.

Monica luisterde naar hem alsof het haar koud liet. Javiers pogingen om haar weer op 'het rechte pad' te brengen waren eigenlijk pathetisch. Na een tijdje vroeg ze of hij ons bij Vips wilde afzetten en het was iedereen duidelijk dat Monica absoluut niet van plan was om haar ex-vriend met ons mee te laten ontbijten. Javier stopte bij een stoplicht. Monica stapte uit en hield het portier open zodat wij ook konden uitstappen. Toen we waren uitgestapt boog ze zich voorover in de auto en nam afscheid van Javier met een tongzoen die de arme jongen de adem benam en Coco ogen op steeltjes gaf. Toen kwam ze eruit en sloeg het autoportier dicht.

Met z'n drieën liepen we Vips in en gingen aan een plastic tafeltje zitten. We bestelden drie koffie bij de ober. Toen legde Coco me de situatie uit. Waarom was het niet bij me opgekomen dat die hufter alleen maar lid kon zijn van een commando van de CEDADE?

'Nou ja, dat van commando is bij wijze van spreken. Zij hebben geen idee wat een organisatie is. Het zijn vier verwende jongetjes die eruitzien als neonazi's maar er net zo goed als hare krisjna's bij konden lopen: want ze vervelen zich. Ik weet eigenlijk niet waar ze zich mee bezighouden. Ik denk dat ze klappen uitdelen aan travestieten en dergelijke idioten.'

Waarschijnlijk dachten de leden van dat groepje dat een respectabel commando niet zonder wapens kon, zodat ze zich indertijd tot Coco wendden, die toen cocaïne aan een paar van hen verkocht, om te vragen hoe ze aan pistolen konden komen. Coco, die wist met wat voor sukkels hij te doen had, besloot ze zelf aan hen te verkopen, voor het dubbele van de prijs waarvoor hij ze bij Chano kon kopen. Een prima deal. In feite wist Coco zeker dat het om geregistreerde pistolen ging en daarom was hij op zijn hoede: hij had echter nooit gedacht dat die stommelingen de wapens zouden gebruiken. Maar door dat met de fles (en Coco noemde dat nadrukkelijk 'de scène van Bea', alsof het allemaal mijn schuld was, alsof hij er niet op had aangedrongen dat ik ging, juist ik, om die verrekte pistolen af te leveren) zaten we alle drie flink in de nesten. We moesten een ander onderkomen zoeken, want we konden natuurlijk niet terug naar Monica's huis, waar een paar gewapende idioten ons bij de deur stonden op te wachten. Coco schatte dat we een week of zo moesten onderduiken, tot alles weer was geluwd. Als het nodig was zou hij met die lulletjes praten om het misverstand uit de weg te ruimen.

'Nou oké, op zoek naar een pension dus,' zei Monica. 'Wat een geluk dat ik de creditcard bij me heb. Hij is van mijn vader en hij zal er wel achter komen, maar er zit niets anders op.'

'Misschien hoef je hem helemaal niet te gebruiken,' zei ik. 'We hebben het geld dat ik vannacht heb verdiend. Ik denk zo'n 12 000 peseta. En we hebben ook nog XTC. Ik heb niet alles verkocht. Die kunnen we altijd verkopen.'

Monica leek zich niet al te veel zorgen te maken. Ze wekte de indruk dat ze het als een nieuw avontuur beschouwde, een onbelangrijk incident waar we ook wel uit zouden komen. Het enige waar ze zich zorgen over maakte was dat de buren erachter kwamen. Daarom was het allerbelangrijkste op dit moment niet naar haar huis terug te gaan. Zij en Coco bespraken waar we het beste naartoe konden. Ik bemoeide me er niet mee, omdat ik in Madrid geen ander onderkomen kende dan mijn eigen huis (of exacter gezegd, dat van mijn ouders) en dat van Monica (ergo, dat van Charo Bonet). Monica drong erop aan naar een of ander pension op de Gran Vía te gaan, een absurd idee volgens Coco. Volgens hem zou Monica het nog geen tien minuten uithouden in zo'n hol met in- en uitlopende hoeren en dealers waar je sliep tussen verkreukelde lakens met de nog tastbare resten van gelegenheidsontmoetingen die afgehandeld waren voor drieduizend peseta per half uur.

'Ik heb een beter idee. Vertrouw maar op mij.'

We betaalden, liepen naar buiten, namen een taxi en Coco zei tegen de chauffeur dat hij ons naar de Calle Libertad moest brengen.

Het was een vreemd hotel, met een piepkleine ingang en een bord waarop stond: 'Dit hotel beschikt over een alarmsysteem dat rechtstreeks verbonden is met de politie.' Als je naar binnen ging kwam je echter in een vrij ruime luxueuze hal, die overvol en opzichtig was ingericht. Op de vloer lag namaakmarmer en de balie was van namaakmahonie. Aan de rechterkant stond een roodfluwelen bankstel en daarachter was een trap met een glimmende koperen leuning. Dat geheel voorspelde niet veel goeds. Een portier in een tamelijk versleten rococolivrei lag aan de balie te dommelen tussen sleutelrekken en zwijgende telefoontoestellen. Coco liep zelfverzekerd op hem af en kondigde aan dat hij een kamer wilde reserveren. De vent keek Monica en mij argwanend aan.

'Zij zijn toch niet minderjarig, hè?' vroeg de portier aan Coco terwijl hij met zijn hoofd op ons wees.

Ik werd rood maar Monica keek hem alleen maar strak aan zonder van kleur te verschieten. Coco schudde zijn hoofd en tekende onverschillig het inschrijvingsformulier dat de portier naar hem toe schoof.

'Kamer 313,' zei de vent met eentonige stem en onbewogen gezicht. 'Hier is de sleutel. Derde verdieping.'

Ik durfde niet te zeggen dat een kamer waar tweemaal een drie in voorkwam een slecht voorteken was. We stapten de lift in en de deuren gingen zachtjes achter ons dicht.

De kamer leek wel uit een film van Sara Montiel. Op het bed lag een zijden damastachtige sprei die paste bij de vloerbedekking en de fluwelen fauteuils. Zware gordijnen filterden het licht van buiten en gaven het vertrek een rode gloed. Het allerergste: er zat een spiegel tegen het plafond.

'Je hebt ons naar een rendez-voushotel gebracht!' schreeuwde Monica half verbaasd half geamuseerd uit.

'Het verbaast me dat je het niet kent. Ik dacht dat een meisje als jij alle hotels in Madrid wel zou kennen,' merkte ik op.

Ik vroeg Coco hoe hij dit hotel kende. Hij gaf geen antwoord, maar legde uit dat hij op het idee was gekomen ons hierheen te brengen omdat het niet duur was, maar ook omdat hij wist dat niemand in het hotel bezwaar zou maken als hij twee meisjes meenam naar zijn kamer. Hij stelde voor dat we, nu we toch het bed met z'n drieën moesten delen, de gelegenheid maar moesten aangrijpen om er 'een onvergetelijke nacht' van te maken. Monica lachte alsof het idee haar wel aanstond.

'Geen denken aan,' zei ik. 'Als ik het leven van wellustelingen zoals jij zou willen opvrolijken zou ik wel poseren voor de *Interviú*.'

'Kom op Bea... Geef maar toe dat je nog maagd bent,' zei Monica nog steeds lachend.

'En jij een stomme trut,' antwoordde ik.

Ik liep naar de badkamer en knalde de deur achter me dicht. Die bestond alleen maar uit spiegels; het bad, de wasbak en het bidet waren van marmer, de handdoekenrekken van glimmend koper en de handdoeken natuurlijk rood. Dat ontbrak er nog maar aan.

Het heelal heeft een uitgestrektheid van dertig miljard lichtjaren, een voor ons eenvoudig onvoorstelbare tijd en ruimte. De zon doet er ongeveer 250 miljoen jaar over om een baan om het centrum van de Melkweg te maken. Nog maar vier zonnemaanden geleden leefden er dinosaurussen op onze planeet. Als ik daaraan denk en aan het weinige of niets dat Monica voorstelt te midden van deze onbegrensde enormiteit aan protonen en neutronen en donkere materie, had het me onverschillig moeten laten wat ik voor haar voelde, wat zoveel voor mij betekende maar wat in wezen niets voorstelde. Monica telt nauwelijks mee, ze bestaat praktisch niet vergeleken met de Aarde, de Buitenplaneten, het Zonnestelsel, de Proxima Centauri, de Orionnevel, de Melkweg, de Lokale Groep, de Lokale Supercluster en ten slotte het Heelal, in dit grootse heelal waar sterren exploderen als ze sterven. Is het niet wonderbaarlijk dat een minuscuul klein puntje zoveel belang opeist? Is het niet ongelooflijk dat in een uitgestrektheid van dertig miljard lichtjaren de schittering van een zo belachelijke aanwezigheid als Monica het enige belangrijke voor mij was? Is het niet verbijsterend dat het hele heelal in haar was geconcentreerd?

Monica maakte die grapjes over mijn maagdelijkheid omdat ze helemaal niet achterlijk was en in mij kon kijken. Zij wist toen al, daar ben ik zeker van, dat ik van meisjes hield en prikkelde me in de hoop dat ik haar dat op een dag zou opbiechten. Zo eenvoudig was het niet dat het er alleen maar om ging of ik nu wel of niet van vrouwen hield. Ik hield van haar. Van haar, en van haar alleen, herkenbaar midden in dat monsterlijke enorme cryptogram dat het heelal is. En als zij een man was geweest, zou ik ook van haar hebben gehouden.

Want het wezen is belangrijk. De eenmalige combinatie van waterstof, helium, zuurstof, methaan, neon, argon, koolstof, zwavel, silicium en ijzer die een mens onderscheidt van alle anderen.

En dat weet ik nu, omdat ik jaren later, in 1995, met een man naar bed ben gegaan.

Ik leerde Ralph kennen op de universiteit. Ik had de eerste twee jaar bijna zonder het te beseffen doorlopen en vrijwel zonder met een van mijn medestudenten contact te maken. Het derde jaar koos ik een specialiteit: een seminar gewijd aan vrouwenliteratuur. Ik had indertijd de schrijfsters gelezen die ik bewonderde, Virginia, Jean, Djuna, Dorothy, Jane, Carson, Sylvia, Charlotte, Doris en ik denk dat het in het begin net zo ging als met het katholieke geloof in mijn kinderjaren, ik vond een Doel, met een hoofdletter, een hoger doel om me op te richten, een ambitie die verder reikte dan mijn eigen bestaan, die uitging boven mijn dagelijkse routine met een verlangen naar onsterfelijkheid. Ik had verwacht constructieve en welwillende personen te ontmoeten, die enthousiast en vastberaden een plan voor de toekomst wilden maken. In plaats daarvan zat er een leger fanatiekelingen op mijn cursus, allemaal gekleed in zwarte broek en militaire laarzen, die saai en oninteressant waren, net zo benauwend als de silhouetten van de gebouwen van de stad waarin ze leefden: mijn medestudenten. Ik was ongemerkt in een sekte terechtgekomen.

Het lukte me niet te integreren, in het begin niet toen ik nog naar iedereen lachte en geforceerd groette in een wanhopige poging in de smaak te vallen bij mijn medestudenten; en ook later niet toen ik al in een diepe depressie zat en niemand meer groette of toelachte. Die meisjes (en ik zeg die meisjes omdat er bij mijn weten geen mannelijke studenten in onze groep waren) dromden samen in kleine groepjes, clubjes van twee of drie meisjes die altijd bij elkaar zaten, die opgewonden samen fluisterden tijdens de lezingen en elkaar hielpen bij het opstellen van hun respectieve werkstukken. De tl-buizen die aan het plafond hingen zetten ons in een vaal licht, wat onze vermoeide gezichten met kringen onder de ogen geen goed deed. In onze studiegroep moeten we met een stuk of vijftien zijn geweest en in de aula ging ik altijd op de laatste rij zitten. Als ik naar voren keek zag ik een soort regiment van vier rijen tafeltjes, kleine voorovergebogen meisjes in het zwart, van wie ik alleen de kaalgeschoren nekken zag of een enkele lange paardenstaart. De hinderlijk flikkerende tl-verlichting en het lange monotone verhaal van de docente brachten me in een soort trance. De lesuren gingen voorbij zonder dat ik het merkte, ik wist niet waar het over ging of hoe laat het was.

Ze waren allemaal serieus en vegetariër, deden aan yoga en mentale training en organiseerden met vrome toewijding wekelijkse bijeenkomsten waar ze discussieerden over onderwerpen die al duizend keer waren besproken, seminars met als thema: *De vrouwelijke stem, Voorbij de mythe van schoonheid, Seks, rol en geslacht* of *Revolutie van binnenuit*, waar ze niemand heen wisten te lokken, behalve het kleine groepje dat al was bekeerd. Ze hadden totaal geen gevoel voor humor of ironie en hun betogen, tot vervelens toe herhaald, waren gebaseerd op saaie opeenhopingen van feiten, data, statistieken en opdrachten. Ze konden allemaal, of ze nu toehoorster of spreekster waren, pronken met een wonderbaarlijk geheugen dat gezien werd als echte intelligentie. Ze verveelden me vreselijk.

Vanaf het begin kwam ik tot een weinig hoopvolle conclusie: dat de strijd bij voorbaat was verloren, dat ik daar niet zou vinden wat ik zocht. Ik besloot toe te geven aan het gevoel van slaperigheid dat me steeds tijdens de colleges overviel en me niet uit te sloven of mee te doen. Mijn medestudenten begonnen me te negeren zodra ze merkten dat ze me niet mee konden krijgen naar de bijeenkomsten buiten het instituut. Sommigen kwamen geregeld in de bar van Cat en ik hoopte in hun ogen iets van jaloerse herkenning te zien.

Desondanks ging ik door met mijn studie, omdat ik vanwege mijn beurs goede cijfers moest halen en ik wist dat als ik met voldoende mogelijkheden voor de toekomst naar Madrid terug wilde keren ik dat alleen kon doen met een academische titel op zak. Bovendien vond ik het niet moeilijk goede cijfers te halen. Ik hoefde alleen maar achter de computer te gaan zitten en alle onbenulligheden die door mijn hoofd gingen op te schrijven. Als ik haast had verzon ik met het grootste gemak data en feiten. Mijn werkstukken zaten vol hoogdravende zinnen waar mijn mentoren enthousiast over waren. Ik schreef bespiegelende stukken bezaaid met citaten om te laten zien dat ik een intelligente en belezen studente was. Ik deed mijn best conclusies te trekken en ideeën te ontwikkelen waarvan ik wist dat mijn leraren die zouden waarderen en die ik zelf heimelijk onzin vond. Ik voelde me een huichelaarster. Ik wist dat ik nog niet de helft gaf van wat ik in mij had. Maar ik werd ook overvallen door twijfel over mijn eigen kunnen. Als zij wat ik deed zo goed vonden en ik vond het zelf waardeloos, zouden ze het dan net zo goed gevonden hebben als ik serieus aan mijn werkstukken had gewerkt, als ik ijverig en eerlijk was geweest? Misschien niet. Misschien was het beter alles maar zo te laten en zinnen van anderen over te blijven nemen terwijl ik mijn eigen mening voor me hield. Ik bleef een heleboel boeken verslinden en die pretentieuze onzin schrijven waar mijn lerares lyrisch over was. Ik voelde mezelf opgeblazen en leeg als een ballon en het leek of ik ieder moment uit elkaar kon spatten.

Thuis hadden we geen computer en ik moest die op de universiteit gebruiken, zodat ik meer tijd in dat gotische gebouw doorbracht dan mij lief was. Ik at in een hoekje van de overvolle mensa en probeerde niet te veel op te vallen, ik voelde me niet op mijn gemak tussen dat academische rumoer, maar het was onvermijdelijk dat ik toch een paar mensen leerde kennen. Vroeg of laat kwamen ze naast mij zitten en zich voorstellen. Ik probeerde vriendelijk en aardig te zijn, maar ik deed zo min mogelijk moeite om tot een gesprek te komen. Meestal kwamen ze niet opnieuw naast mij zitten en de dag daarop zag ik hen met hun dienblad rondlopen op zoek naar aangenamer gezelschap. Ik kreeg de naam onsympathiek te zijn. Daar was ik me van bewust, maar het kon me niet veel schelen. De enige manier om verder te gaan was volgens mij om niet te veel vrienden te maken, het niet toe te laten dat ze me beter leerden kennen, want later zouden ze me verachten omdat ik zo anders was. Kortom, ze zouden me pijn doen.

Mettertijd viel mij iemand op die op het eerste gezicht anders was dan de rest. Ook hij at altijd alleen, verborg zijn gezicht in een boek; ook hij leek niet geïnteresseerd om contact te maken. Hij was niet bijzonder knap, dat is waar, maar ik vond hem interessant. Hij was iemand van onbestemde leeftijd, te modern om al dertig te zijn, maar met een gezicht dat ouder leek dan in de twintig. Hij was stevig, rond, niet erg lang en had iets van een rugbyspeler met zijn vierkante stevige lichaam. Hij had kortgeschoren platinablond geverfd haar waartussen zwarte wortels te zien waren en zijn gelaatstrekken waren even gedrongen als zijn ledematen: platte neus, volle lippen, diepliggende ogen, wenkbrauwen die te dicht bij elkaar stonden. Als hij las, fronste hij geconcentreerd zijn voorhoofd en zag je maar één wenkbrauw. Af en toe keek hij afwezig op alsof hij over iets nadacht, maar na een minuut ging hij weer lezen met hernieuwde interesse. Er was een bekend detail waardoor ik meteen sympathie voor hem voelde: hij keek net zo over zijn bril als Monica dat deed.

Het viel me op dat hij altijd iets oranjekleurigs droeg. Hij had verschillende truien, van die sweatshirts met een capuchon, met verschillende motieven op zijn rug of borst. Zijn trui was oranje of zijn T-shirt was oranje of zijn sokken waren oranje, maar altijd zat er iets vlammends in zijn kleren. Zijn kortgeschoren haar met een Kuifje-lok en zijn felgekleurde truien deden me denken aan de jongens die in de club kwamen waar Cat werkte en vanaf het begin dacht ik dat die jongen gay was. Na een maand kreeg ik zin om hem te leren kennen, omdat ik vermoedde dat wij veel gemeen zouden kunnen hebben.

Ik was al bijna een jaar in Edinburgh en had buiten Cat geen enkele vriend.

Ik wist niet hoe ik contact met hem moest maken, want hij was er niet zo een die naast je in de eetzaal kwam zitten en ik durfde niet rechtstreeks naar hem toe te gaan en me voor te stellen, maar op de een of andere manier moest hij mijn voortdurende blikken wel hebben opgemerkt en beseft hebben dat hij mijn belangstelling had gewekt. Op een koude morgen in januari met de ijsbloemen op de ruiten van de eetzaal stonden we toevallig naast elkaar met onze respectieve dienbladen voor de bar van het buffet. Ik mag aannemen dat het geen toeval was. Wij lachten verlegen naar elkaar en wisselden wat banaal geleuter uit over de waardeloze kwaliteit van het eten. Ik zei dat ik geen aardappelen meer kon zien en de salades van thuis miste en dat was voor hem aanleiding om zoals ik hoopte te vragen waar ik vandaan kwam. Ik noemde Madrid. Daar ben ik nog nooit geweest, zei hij. Is het leuk daar? Ik knikte niet al te enthousiast met een vage hoofdbeweging omdat ik niet denigrerend over zijn stad wilde doen en hem niet wilde vertellen, omdat ik hem niet kende, hoe fantastisch mijn stad was en hoe erg ik die miste.

Er volgden meer ontmoetingen na die eerste. Afgemeten en stijfjes. Onze gelegenheidspraatjes duurden elke dag wat langer. Mettertijd leerden we elkaar beter kennen en tastten we heel langzaam het terrein af. Niet dat ik ongeduldig zijn komst afwachtte in de mensa, maar mijn hart klopte sneller als ik ergens in de verte een oranje vlek bespeurde die na een tijdje langzaam zijn vorm aannam. Soms kwam hij naar me toe om een praatje te maken. Soms liep hij regelrecht naar zijn hoek. Geleidelijk aan begon ik wat meer vertrouwen te krijgen en ging naar hem toe, terwijl ik spottende grapjes maakte over zijn T-shirts en zijn haar, waar hij sportief en gevat op reageerde. Ik vertelde hem dat oranje in Spanje de kleur van de gasflessen was. Hij legde me uit dat hij het droeg omdat het de kleur van Detroit was, van industrial en techno en gewoon omdat hij het leuk vond. Ik ook. Ik denk dat we een onbezorgde felle noot goed konden gebruiken in dat eentonige landschap – water, mist, wolken, schaduwen, klimop en mos – van het winterse Edinburgh.

Hij heette Ralph. Hij studeerde kunstgeschiedenis. We werden vrienden. Na een tijdje wisten we, zonder dat er afspraken voor nodig waren, hoe laat we elkaar konden treffen en ontdekten dat we eenzelfde gevoel voor humor hadden. We vonden het leuk grapjes te maken over de verschillende groepjes waarvan het wemelde in de mensa: de filosofiestudenten, puntbaardjes en versleten spijkerbroeken; die van medicijnen, gebreide wollen vesten en hoornen brillen; die van film, te kleine truien en Adidas uit de jaren zeventig; die van kunst, snobs die rijst aten met twee penselen als stokjes. En die van mijn studiegroep, kort haar, soldatenlaarzen en tien kilo te zwaar. Ralph kon iemand met een enkele zin afmaken en zijn scherpe tong kende geen uitzonderingen: hij lachte om alles en iedereen. Ook mij nam hij er af en toe tussen en dan maakte hij grapjes over mijn accent, of over mijn probleem met de s. *Darling*, zei hij, *ad yu gonna take the baz?*, mijn Madrileense tongval overdreven imiterend.

Mijn humeur verbeterde. Ik had een vriend gevonden. Of dat dacht ik. Ik vertrouwde hem niet zo erg, maar ik merkte tenminste een soort herkenning, eenzelfde manier om de dingen te zien en situaties aan te voelen, zoals ik sinds Monica niet meer had gekend en wat ik bij Caitlin vanzelfsprekend niet had. Altijd als ik door het café van de faculteit liep klopte mijn hart een beetje sneller bij de gedachte zijn gele haar en oranje T-shirt te zien verschijnen.

Hij praatte zo vaak over de muziek waar hij van hield dat hij mijn nieuwsgierigheid wekte. Sinds Monica had ik niemand gekend die zo geïnteresseerd was in muziek, van het allernieuwste op de hoogte wilde blijven en geen noot wilde missen van wat er net op de markt was. Hij had het over *jungle* waar hij bij het opstaan naar luisterde om op gang te komen, over de *trance* die hij tijdens het lezen op had staan, over *lounge* waarop hij soms danste als hij alleen thuis was. Ik snapte er niets van, maar ik vond het leuk.

Ik weet niet wat Ralph deed als hij niet met mij was. Ik weet niet hoe hij zijn avonden doorbracht, want hij vertelde nauwelijks iets over zijn privé-leven en hij had het nooit over wat hij deed of niet deed als ik niet bij hem was. Hoe zouden zijn vrijdag- en zaterdagavonden eruitzien? Ik zag hem nooit in een van de clubs waar we vaak naartoe gingen, niet in die voor gays en ook niet in die voor hetero's, en dat terwijl ik mijn ogen goed openhield sinds ik hem kende en speciaal op elk oranje puntje lette dat ik in het duister van die sombere en lusteloze clubs dacht te zien... Een van de dingen die ik het meest miste in Edinburgh waren de designbars. De clubs die ik hier kende leken me in vergelijking daarmee even triest als een regenachtige begrafenis, ook al hadden we de beste dj's van de wereld. Misschien was er ergens in de stad wel een chiquere tent, maar als dat zo is ben ik er nooit geweest. De laatste keer dat ik de hand van een binnenhuisarchitect bespeurde was in Madrid, vier jaar geleden.

Vier jaar geleden hielden wij van bars en onze prioriteiten waren heel elementair. We konden achtervolgd worden door een neofascistisch commando, de atoombom kon vallen, uitgaan deden we toch. Het was duidelijk dat we ons uitgaansgebied moesten verleggen omdat de lui van de CEDADE ons logischerwijze zouden zoeken op de gebruikelijke route van Coco. Dus geen Iggy, Vía, of La Metralleta die avond. We gingen naar een bar op de Castellana.

Het was een dure bar voor dure mensen, dat bleek al meteen toen we een voet over de drempel hadden gezet: helder licht en elegante decoratie, glanzende bar, oppervlakken met golvende lijnen, krukken met spiraalvormige poten van Philip Starck die eruitzagen of ze in elkaar zouden storten zodra iemand erop ging zitten. Het blauwachtige neonlicht gaf een spookachtig uiterlijk aan bekende gezichten van mensen die in het dagelijks leven duidelijk vielen onder de noemer ontwerper, artiest, zanger, model of graaf.

'Wat een truttentent,' klaagde Monica.

'Ik vind het hier wel leuk,' zei Coco.

'Jij vindt alles leuk wat er duur uitziet. Je bent een bluffer en het straalt van je af dat je uit Carabanchel kom,' antwoordde zij.

'Ik wil je er wel op wijzen dat mijn vader geld zat heeft.'

'En wie is je vader dan wel, als je moeder weduwe is?'

'Je vergist je. Dat zegt zij. Ik ben een onwettig kind. Zij raakte zwanger van de zoon van de familie bij wie ze werkte en om van haar af te zijn hebben ze haar op straat gezet met een stapel poen. Daar heeft ze de bakkerij mee opgezet.'

'Hé, geen ruzie maken, het is een leuke tent op zijn eigen manier,' onderbrak ik. 'En bovendien kan een beetje afwisseling af en toe geen kwaad.'

En om dat te bewijzen liep ik naar de dansvloer.

Een stuk of wat onherkenbare gedaantes bewogen daar druk heen en weer en uit de speakers boven hun hoofden dreunde zacht salsamuziek, die hoewel tamelijk voorspelbaar, of misschien juist wel daarom, uitnodigde tot dansen. Ik sloot mijn ogen en liet me meeslepen door de ritmische klanken van de samba in mijn hoofd, terwijl ik elliptisch met mijn heupen en schouders wiegde in precies dezelfde slingerbeweging als een metronoom. Na een tijdje tikte iemand me op mijn schouder en draaide ik me om. Monica.

'Kom mee,' fluisterde ze in mijn oor. 'Ik heb iets voor je.'

Ze liep automatisch heupwiegend voor me uit en de menigte week uiteen als de wateren die zich op bevel van Mozes scheidden.

We kwamen bij Coco, die bij de deur van het herentoilet op ons stond te wachten. Met zijn drieën gingen we een wc-hokje in en sloten de deur. Monica ging op het deksel van de wc zitten, haalde heroïne, een lepeltje, een aansteker en een naald uit haar tas. In het begin begreep ik niet waar ze al die spullen voor nodig had.

'Vertel me niet dat je een shot gaat nemen,' riep ik ontzet uit toen ik begreep wat de bedoeling was. Ze zei dat ze meestal niet spoot omdat ze wist dat de littekens op de armen haar zouden verraden, maar dat ze heroïne eigenlijk liever spoot dan rookte, omdat het meer effect had. Ze deed een beetje heroïne op een lepeltje, verwarmde de onderkant met een aansteker en zoog toen de gesmolten heroïne op met de naald.

'Wil je het proberen?' vroeg ze.

'Je weet best dat ik dat niet wil.'

'Dan niet.'

Ze gaf hem aan Coco. Die spoot eerst en daarna deed zij het. Het duurde nog geen drie minuten. Ik wendde mijn hoofd af om dat nogal griezelige tafereel niet te hoeven zien. Wat ik niet begreep was waarom Monica zo graag wilde dat ik toekeek bij al haar overtredingen (de overval, het uitstapje naar Celsa, haar shots...). Misschien had ze me nodig als verplicht tegenwicht, misschien wilde ze me overhalen haar te volgen in die duizelingwekkende afdaling. Terwijl ik hierover nadacht begon iemand als een gek op de deur te bonzen. Monica ging naar buiten terwijl ze haar beha dichtmaakte, alsof ze in het toilet niet met drugs maar met seks bezig was. Buiten stond een enorme vent in pak ons op te wachten met de spieren van een cybercop en de blik van een huurmoordenaar, die Monica bij haar arm greep, uit het toilet trok en door de hele discotheek sleurde. Coco en ik volgden stomverbaasd en pas toen we bijna bij de deur waren begrepen we wat er aan de hand was.

'Man, waar ben je verdomme mee bezig?' zei Coco.

Als enig antwoord greep de gorilla Coco bij zijn nek, die zich met geweld losrukte. Vervolgens smakte de gorilla hem tegen de deur zodat Coco met zijn gezicht tegen de deurpost sloeg. Daarop gaf Coco hem een elleboogstoot in zijn buik. De kerel gaf hem een duw en Coco viel ruggelings op het trottoir.

'Ik wil jullie hier niet meer zien,' zei de uitsmijter en gooide de glazen deur van de bar voor onze neus dicht.

We gingen op een bankje zitten en bespraken waar we heen zouden gaan. Ik vond dat we naar het hotel moesten gaan. Coco zei dat het nog te vroeg was, dat de avond nog jong was. Monica zei niets en keek alleen met een troebele blik naar een onbepaald punt in de verte. Ten slotte stelde ik een plek voor: Miami, een discotheek waar housemuziek werd gedraaid en die precies om drie uur openging (het was tien voor drie) en waar ik weleens met Monica was geweest. Er kwamen hordes rijkeluiskinderen en het zou gemakkelijk zijn om daar pillen te verkopen. Coco vond het een goed idee. Hij kende de disco en kon het tamelijk goed vinden met een van de serveersters, zodat gratis drank gegarandeerd was.

'Ik ben blij dat je zelf beslissingen begint te nemen. Je wordt volwassen, meisje,' zei Coco.

'Volgens mij vind jij haar al volwassen genoeg. Meer hoeft voor jou denk ik niet,' voegde Monica eraan toe met een sinistere stem die ons deed schrikken en die uit het diepst van haar keel leek te komen.

Toen we bij Miami aankwamen liep Coco rechtstreeks naar de bar om met de bevriende serveerster te praten. Ik begrijp niet hoe hij zich verstaanbaar kon maken, want het gedreun van de housemuziek verhinderde elk normaal gesprek, maar hij slaagde er toch in haar duidelijk te maken dat we XTC hadden zodat zij dat kon rondvertellen.

Vervolgens stelde hij voor dat we naar het toilet zouden gaan om een paar lijntjes te snuiven. Hij leek niets geleerd te hebben van de scène waarin we net de hoofdrol hadden gespeeld. Het begon op een ritueel te lijken. Ga een wc-hokje in, maak een paar lijntjes, voor Bea en Monica van cocaïne, voor Coco versneden met heroïne. Snuiven, snuiven. Een lichte prikkeling in de neus, een stroomstoot naar de hersens. Ik herkende de stiletto waarmee Coco de lijntjes versneed. Dezelfde die Monica hem had gegeven.

'Je moet toegeven dat het mooi is, het mes.'

'Hou het maar,' zei Coco. 'Je verdient het.'

'Man, dat mes heb ík je gegeven en een cadeau kun je niet weggeven,' protesteerde Monica.

'Kom op, liefje, niet zo aangebrand. Het zal Bea goed van pas komen. Je weet hoe je het moet gebruiken als het nodig is, hè schoonheid? Je drukt op deze knop, zo, en dan springt het lemmet eruit. Dan val je aan, zonder angst, met de scherpe kant naar boven, en dan steek je het mes er zeker en zonder aarzelen diep in tot aan het heft.'

Een van mijn karakteristieke zenuwachtige lachjes ontsnapte me. Er liep een rilling over mijn rug bij de gedachte een mes in iemand te steken, iets wat ik in de verste verte nooit van plan was te doen en ook bij het vermoeden dat Coco praatte over iets wat hij waarschijnlijk wel had gedaan.

'Nu ben je mij een cadeautje schuldig,' zei Coco toen hij mij het mes in mijn handen stopte. 'Als je een mes krijgt moet je altijd iets teruggeven. Anders brengt het ongeluk.'

Monica, sceptisch als altijd, vroeg ons of we op wilden houden met die onzin. Ik stak het mes in de achterzak van mijn broek.

We gingen het toilet uit en liepen naar de bar. Coco vroeg twee whisky's aan zijn vriendin, de serveerster, die best aardig leek.

'Ik ben totaal stoned,' zei Coco. 'Ik heb een bad trip, ik zie sterretjes. Ik moet even bijkomen.'

'Neem een van onze bekende capsules,' stelde Monica voor. 'Het is tenslotte grotendeels amfetamine.'

'Ik pas. Ik heb al te veel gehad om nu nog rare mengsels aan te durven...'

'Doe niet zo schijterig, je lijkt Bea wel,' zei ze. 'Bovendien, onkruid vergaat niet.'

'Oké, Bea, wil je mij een van die Termalgin-capsules geven?'

Ik gaf hem er een en die nam hij in met een slok whisky. Daarna vroeg hij er nog een.

Die eeuwige Termalgin-capsules... Paracetamol-capsules. In Edinburgh moest je ze altijd bij de hand hebben om de symptomen van de onvermijdelijke verkoudheden 's winters te kunnen bestrijden. Maar in maart waren ze niet meer nodig. De kou verdween en daarmee de tranende ogen, de snotneuzen, de geïrriteerde kelen en de hoofdpijn. Het werd maart in Edinburgh en de dagen werden lichter. De nog schuchtere zonnestralen ontlokten een turkooizen glans aan de bladeren en de stad bood de aanblik van een elegante statige dame, imponerend en hooghartig met haar gebouwen die ons vanuit de hoogte van haar stenen torens zwijgend veroordeelden.

Op een middag in maart zei Ralph dat ik eens bij hem langs

moest komen om naar zijn platen kijken. Hij woonde niet ver van de universiteit. We zouden lopend kunnen gaan nu het weer beter was geworden. 'Bij wie woon je?' vroeg ik hem. Ik was verbaasd toen hij zei dat hij alleen woonde, omdat ik geen enkele andere student kende die zich dat kon veroorloven: iedereen woonde op kamers in gedeelde flats of in studentenhuizen. Ralph had me verteld dat hij eenendertig was. Overigens kende ik verder weinig studenten van zijn leeftijd. Ik nam aan dat zijn familie wel geld zou hebben als hij het zich kon veroorloven om alleen te wonen en ik wilde niet te veel vragen stellen, omdat ik vond dat het mijn zaak niet was.

Hij woonde in Baker Street, niet eens zo ver van mijn huis eigenlijk. Een plek die even goed of slecht was als welke andere ook. We gingen over een groezelige trap naar boven. Hij deed de deur open en ik was nog niet binnen of ik aanschouwde de hemel.

Het eerste wat me verbaasde was dat het zo netjes en schoon was in huis. In Edinburgh kennen ze de maniakale Spaanse gewoonte niet om elke dag schoon te maken en vanaf het begin had de vervallen en lugubere sfeer in de huizen waar ik kwam me verbaasd. Vochtplekken op het plafond, stapels rondslingerende troep, vloerbedekking die nog nooit een stofzuiger had gezien. De versleten interieurs van de huizen in Edinburgh gaven je een gevoel van verwaarlozing en nalatigheid dat zich aan je botten hechtte net zoals de kou. Maar het appartement van Ralph was anders dan al die andere schamele onderkomens, die studentenappartementen die ik kende met hun overduidelijk tijdelijk karakter.

De vloerbedekking was gezogen en zo te zien had iemand de planken afgestoft. Het hele appartement was ordelijk en zag eruit om door een ringetje te halen. Maar wat me opviel, wat me tot bijna vergeten dimensies van gelukzaligheid bracht, wat lang vervlogen herinneringen opriep die diep in mijn brein lagen opgeslagen, waren de platen en de boeken. Er waren er veel, heel erg veel. Honderden, misschien wel duizenden, die tegen elkaar aan op planken van de vloer tot aan het plafond, als een rij soldaten in een leger van aantekeningen en woorden stonden opgesteld. Ik ging met mijn wijsvinger van de ene naar de andere kant van elke plank, verrukt, gefascineerd, enthousiast en verbaasd herhaalde ik, geboeid door de hele reeks letters op de ruggen van de boeken zachtjes de namen van iedere auteur: Malouf, Machiavelli, Marais, Mauriac, Melville, Milton, Mishima… Ralph was zo systematisch…

En de platen. Vinylplaten die niet meer worden gemaakt. Platen van groepen waar ik het bestaan bijna van was vergeten.

Ska, punk, gothic, sinistere muziek. Lounge, ambient acid jazz, triphop. Grunge, blues, rock-'n-roll, indie. Son, guaracha, bolero, vallenato. Raï, sufi, soka, zen. Samba, tango, merengue, calypso. Raga, reggae, bebop, new age. Toiki, suku, forro, gamelan. Gnawa, bhangra, qawwali, sefharad… Noem maar op, het stond er. Van alles, zelfs Sinatra en Tony Bennet. Klassieke orkesten en bolero's, platen van raï-muziek, van Lokus Kanza en Ruychi Sakamoto en van anderen van wie de naam me niets zei.

Ik voelde me als Hans en Grietje toen ze het peperkoekhuisje ontdekten.

Ik was zo opgegaan in het bekijken van die schat daar in huis dat ik niet meer aan mijn gastheer had gedacht tot ik zijn warme adem in mijn nek voelde. Hij omarmde me met zijn berenlichaam en legde zijn handen op mijn borsten. 'Maar wat ben jij van plan?' vroeg ik hem. 'Merk je dat niet?' antwoordde hij met een diepe holle stem die gemaakt klonk en die hij voor sexy moest houden. 'Maar ben jij dan niet gay?' vroeg ik en zodra ik die vraag had gesteld drong het tot me door dat het wel een heel rare vraag was in deze omstandigheden. Hij draaide me alleen om, zodat we oog in oog kwamen te staan. Hij lachte. Hij zei verder niets, kwam alleen maar dichterbij met zijn vragende lichaam. Ik bood geen weerstand toen zijn lippen de mijne naderden en wist heel goed dat de voornaamste reden dat ik me door hem liet kussen zijn indrukwekkende boeken- en platenverzameling was, meer dan wat ook.

Ik dacht dat ik mijn tweede Monica had gevonden.

Hij kuste goed en onze vochtige tongen strengelden zich ineen als twee palingen in een rivierbedding. Mijn ademhaling werd sneller en ik voelde een onbekende warmte in mijn tepels en liezen. Zijn handen onderzochten mijn lichaam begerig en ongeduldig als een schatgraver en toen hij bij mijn rug kwam trommelde hij met zijn vingers van boven naar beneden over mijn wervelkolom, wat een spoor van koude rillingen bij me naliet. Hij deed een been naar voren en schoof dat tussen de mijne. Ik voelde een harde bult tegen mijn onderbuik. Ik hoorde onze hortende ademhaling, de ene boven de andere uit als een symfonie van hijgen op maximale sterkte die in de stilte van de middag explodeerde. In het Engels kan ik het beter beschrijven dan in het Spaans. *I fancied him.* Ik vond hem leuk, ik verlangde naar hem. Ik had dezelfde onhoudbare behoefte aan hem als ik op mijn dertiende jaar had gehad, toen ik mezelf voor het eerst op dieet had gezet, aan de plakken chocola die in de etalages van de banketbakkerijen lagen. Ik wilde hem met grote happen verslinden, er helemaal van genieten. Ik verlangde zo naar hem, zo plotseling, dat ik niet eens meer kon nadenken over de verborgen redenen achter die absurde gril, omdat ik niet naar hem hoorde te verlangen, omdat ik al een relatie had.

Vergeleken met de onweerstaanbare en katachtige zachtheid van Cat was Ralph een natuurramp, als een onstuitbare tornado die op zijn weg huizen meesleurde en maïsvelden verwoestte, als een buiten zijn oevers tredende stroom, als een hagelstorm. Wat zou het voor zin hebben gehad weerstand te bieden? Hij hield mijn handen op mijn rug met zijn ene hand en trok me tegen de boekenkast. Hij begon de weg van mijn linkeroor naar mijn borst te likken, en bleef rustig treuzelen bij mijn hals terwijl hij met zijn vrije hand mijn broek losmaakte. Toen die op de grond viel trok hij mijn slipje met een ruk naar beneden en deed mijn benen uit elkaar. Hij maakte zijn wijsvinger nat met slijm en begon mijn clitoris te masseren van boven naar beneden. Ik voelde hem opzwellen.

Het voelen van zijn verlangen activeerde het mijne, zoals de nabijheid van een brandende lucifer een andere aansteekt. Het was duidelijk dat mijn lichaam reageerde, dus moest ik hem ook begeren. Een deel van mij had hem allang begeerd, een ondergrondse stroom van verlangen waarvan ik het bestaan zelf had genegeerd. Seks is seks, dacht ik. Er zal niet zoveel verschil zijn, wees maar niet bang. Miljoenen mensen doen het elke dag. Het zal je geen pijn doen. Laat je gaan. *Go with the flow.*

'Zullen we niet eens naar bed gaan?' bracht ik in een heldhaftig gefluister uit.

In elkaar verstrengeld vielen we op bed en rukten elkaar ongeduldig de kleren van het lijf. Naakt was zijn stevige lichaam indrukwekkend, op het intimiderende af. Alles aan hem was groots, zijn anatomie bijna monumentaal: borstkas, bovenbenen, onderarmen, hals en zijn lid natuurlijk. Als uitgebeiteld in steen, bewerkt. Hij ging op me liggen, steunde op zijn armen alsof hij opdrukoefeningen deed tijdens de gymnastiekles. Hij kwam in me zonder me pijn te doen, zonder geluid te maken. Het verbaasde me hoe gemakkelijk het ging. Je hoeft niet bang te zijn voor iets waar je niets van weet. Niet voor seks, niet voor liefde en niet voor de dood. Ik paste me aan zijn ritme aan. Dat was niet moeilijk. Het verschilde eigenlijk niet veel van een gymnastiekles. Hij maakte de buigingen en ik de bruggen. Naar boven, naar beneden, naar boven, naar beneden. Doe je ogen dicht, denk er niet aan met wie je het doet, laat je drijven in een zee van gevoelens waarvan de golven met de seconde hoger worden en opeens breken de dijken en stroomt het water over. Daarna moe maar voldaan naast elkaar liggen, parelend van het zweet, de stilte doorbroken door ons opgewonden gehijg. Proberen weer op adem te komen, naar lucht happend als een pasgevangen zeebaars.

We deden het drie keer achter elkaar. En we zouden het nog vaker hebben gedaan als ik niet op de klok had gekeken en wist dat Cat ieder moment kon thuiskomen.

Ik nam afscheid van hem, terwijl ik hem op mijn tenen bij de voordeur een haastige kus op zijn lippen gaf, als een berouwvolle vlinder. Ik wilde hem niet zeggen dat het mijn eerste keer was geweest. Hij had het niet gemerkt. Het had geen pijn gedaan en ik had ook niet gebloed waardoor hij het had kunnen weten. Toen ik jong was hadden ze me zo vaak gewaarschuwd voor dit moment dat ik lange tijd had gedacht dat je na de eerste keer wekenlang in bed moest blijven om van de wond te genezen. Ik zag mezelf al in het ziekenhuis liggen met een bosje rode rozen, vuurrode rozen op mijn nachtkastje. Maar de nonnen en mijn moeder hadden me voorgelogen: soms valt het verliezen van je maagdelijkheid niet eens op. En als hij iets had gemerkt, zei hij er niets over. In ieder geval was ik nu geen maagd meer. Alleen technisch gesproken zou je me zo kunnen beschouwen.

De volgende morgen stond ik op met zijn geur op mijn huid. De hele dag zat ik bezeten en zo nieuwsgierig als een hond aan mijn huid te snuffelen. Ik probeerde zijn geur vast te houden, voor eeuwig te bewaren en te begraven in mijn neusslijmvlies, want ik wist dat ik die geur na een tijdje zou verliezen en dat het dan onmogelijk zou zijn me die nog precies te herinneren. Ik zou weten dat hij naar ceder en sinaasappel rook maar dat was alles, ik zou die bekende kriebel in mijn neus niet langer hebben. Hoewel ik me die ochtend erg moe voelde was ik in een uitstekend humeur, ongebruikelijk voor mijn doen. Ralph had zijn humeur op mij overgebracht, zijn humeur kleefde aan mijn huid samen met zijn geur. Ik liep door de gangen van mijn huis, of ik zou moeten zeggen Cats huis, bijna op mijn tenen alsof ik van geluk boven de vloer zweefde. Ik wist niet hoe lang dat zou duren, wanneer het zou verdwijnen, wat ik me er na een week nog van zou herinneren, maar op dat moment was het gevoel nog zo levend dat ik alleen maar mijn ogen dicht hoefde te doen om Ralph weer voor me te zien, als een foto.

Cat had me gezegd dat zij wist of een vrouw met een man was geweest, omdat een vrouw zelfbewuster was nadat een man de liefde met haar had bedreven. Door de sleur van het samenwonen waren onze intieme ontmoetingen aanzienlijk minder geworden en kon ik er een paar dagen overheen laten gaan om weer met haar samen te zijn. Ik voelde me een bedriegster, ook al loog ik niet. Ik verhulde alleen de waarheid en dat is niet hetzelfde. Ik wilde haar niet kwijt. Ik mocht dan met een ander naar bed zijn geweest, veel dingen missen, maar ik wilde haar niet verliezen.

De relatie met Ralph was iets onverwachts. Ik had de voordeur van mijn huis dichtgedaan, maar ik vermoed dat ik, omdat ik onbewust naar iets verlangde, had vergeten de ramen te sluiten in de ijdele hoop dat Ralph zou binnenkomen.

In het hotel werd ik wakker van het verraderlijke ochtendlicht dat door de kier tussen de gordijnen viel en zich in de kamer verspreidde. Langzaam werd ik wakker uit een droom die ik me niet meer herinnerde maar die een vaag spoor in mijn gedachten had achtergelaten. Alsof ik door een gang van pijn was gegaan, die lang, smal en donker was, zonder deuren of ramen, een tocht waar ik een zwaar hoofd aan had overgehouden, vol verstoorde dromen en brokstukken van uiteengespatte herinneringen. Naast mij lag Monica vredig te slapen. Ik legde mijn arm om haar heen en probeerde me te concentreren op haar ritmische en regelmatige ademhaling. Ik rook haar geur, een mengeling van zweet, feromonen en dure parfum, die zwaar, zoet en penetrant was en die voor mij vertrouwd was geworden. Monica zuchtte in haar slaap en maakte zich zachtjes los uit mijn omarming. Opeens voelde ik het gewicht van een warme arm die als een omgevallen boomstam op mij neerkwam. Het was Coco. Zijn hand ging naar beneden tot op mijn borst. Hij begon een van mijn tepels te strelen. Ik maakte me los en probeerde overeind te komen. Bliksemsnel legde hij zijn enorme handen op mijn beide schouders en duwde me terug op het kussen. Zijn gezicht kwam donker voor het mijne, zijn zure adem was een klap in mijn gezicht en een paar druppels speeksel vielen op mijn lippen. Ik begon om me heen te slaan en te bijten. Hij wierp zich boven op me en hield me met zijn benen in bedwang. Ik geloofde niet dat het serieus was en zei zachtjes, zodat Monica niet wakker zou worden, tegen hem dat hij ermee moest ophouden, dat ik het niet leuk vond, dat ik geen zin had in dit spelletje. Ik merkte dat zijn stijve pik tegen mijn lies wreef. Toen begon ik te gillen.

'WAT BEN JE VERDOMME AAN HET DOEN?'

Dan gaat alles in sneltreinvaart, als in een video die vooruitspoelt: Monica wordt wakker, rekt zich uit en wrijft de slaap uit haar ogen. Coco's ranzige adem en mijn beeld worden verduisterd. Ik spartel en stomp hem met mijn vuisten. Ik wil dat Monica reageert en me helpt, de seconden lijken eeuwig. Zijn lichaam op dat van mij. Versmolten in zwart. Dan gaat Coco achteruit, laat me los en gaat naast mij liggen.

'Jezus, Bea, je lijkt wel hysterisch.'

'En jij bent een schoft.'

'En jij een trut, verdomme.'

We zeiden niets meer. Een gespannen stilte volgde op dat kabaal. Coco kwam overeind en liep naar de koelkast. Hij pakte er een flesje whisky uit, draaide de dop eraf en dronk het bijna in één teug leeg.

'Toe maar. Coco, neem nog maar wat, dat is wat je nodig hebt,' zei Monica. 'Misschien haal je dan nog meer van zulke rare dingen in je hoofd.'

'Bemoei je met je eigen zaken, alsjeblieft,' antwoordde Coco.

'Nou... wat kan mij dat verrekken,' zei Monica kalm. 'Maar, zoals je zult begrijpen ben ik er nou niet bepaald dol op om midden in de nacht wakker geschreeuwd te worden.'

'Jouw hysterische vriendin...' zei hij.

'Ik ben helemaal niet hysterisch,' onderbrak ik hem.

'Nee, alleen maar geremd,' merkte Coco op.

'WILLEN JULLIE ALLEBEI EENS JULLIE GROTE BEK HOUDEN, GODVERDOMME?' onderbrak Monica ons.

Dat deden we. Coco pakte nog een flesje en dronk dat op. Ik rolde mij tegen Monica's buik aan en dacht dat ik nooit meer in slaap zou komen, maar ik was bijna onmiddellijk vertrokken.

Ik sliep lang, eindeloos lang. Ik werd wakker met een houten kop. Mijn mond was kurkdroog en het scherpe middaglicht drong onbarmhartig door mijn netvlies heen. Ik had een stevige kater. Ik liep met wankele stappen zigzaggend naar de badkamer terwijl ik tegen de meubels op botste.

In de badkamer trof ik Coco, die op het bidet zat met zijn hoofd in zijn handen. Ik zei niets tegen hem en liep regelrecht naar de wasbak om wat water te drinken. Na in de spiegel naar mijn bleke gezicht met wallen onder mijn ogen te hebben gekeken, waste ik het met koud water en probeerde het wat op te frissen en de slaperige uitdrukking weg te werken. Toen viel het me op dat Coco zich al die tijd niet had bewogen en ik kreeg een naar voorgevoel. Ik riep hem bij zijn naam. Hij reageerde niet. Ik schudde hem door elkaar en zijn lichaam zakte op de marmeren tegels ineen als een zandkasteel.

Ik zag allemaal stomverbaasde Bea's om mij heen die weerspiegeld werden in de hele badkamer en even had ik de illusie dat het een nachtmerrie was. Het leek of die wanden weerkaatsten, onder mijn voeten, boven mijn hoofd en van alle vier de muren op mij afkwamen als een martelkamer en dreigden me levend te verpletteren.

Ik liep terug naar het bed en maakte Monica wakker. Ze keek me met glazige ogen aan en scheen niet te begrijpen wat ik tegen haar zei. Toen sprong ze overeind en ging naar de badkamer. Coco lag nog steeds op dezelfde plek, languit op de witte vloer. Monica bukte zich, riep hem bij zijn naam en schudde hem door elkaar. Maar hij reageerde niet.

'Wat heeft hij?' vroeg ik alsof Monica een dokter was.

'Geen flauw idee,' zei ze. 'Het kan door die klap op zijn hoofd komen of een reactie zijn op wat hij gisteren allemaal heeft geslikt. Of een alcoholvergiftiging... Weet ik veel. Maar het ziet er niet best uit. Hij reageert helemaal niet. Ik weet niet eens of hij ademt of niet. We zullen een ziekenauto moeten bellen.'

Ik liep naar de telefoon. Monica's stem onderbrak me voor ik de hoorn van de haak had genomen.

'Niet hiervandaan,' zei Monica. 'Buiten. En pak je spullen bij elkaar. Let op dat je niets laat liggen.'

'Wil je daarmee zeggen dat je van plan bent hem hier alleen achter te laten?'

'In deze toestand merkt hij niet of we er nu wel of niet zijn,' antwoordde ze scherp. Ze trok haar broek aan.

'Ik snap het niet. Jij hebt met hem geneukt. Ik zeg niet dat je stapelgek op hem hoeft te zijn, maar het houdt wel een zekere verantwoordelijkheid in.'

'Bea, als het slecht met hem gaat, als hij op weg naar het ziekenhuis het loodje legt, of al eerder, zitten wij in een gigantisch moeilijk parket, ik weet niet of je dat begrijpt. Wat deden wij met z'n tweeën in een hotelbed met een vent die een chemische bom in zijn lijf moet hebben? We bellen de ziekenauto en dan zoeken zij het maar uit.'

'Ik kan mijn oren niet geloven, ik kan het niet geloven...' mompelde ik.

'Weet je nog dat hij je zo-even bijna heeft verkracht in ditzelfde bed?' onderbrak ze me.

'En weet jij nog dat het je niet eens zoveel kon schelen. Ik word gek van jou: je geeft alleen maar om jezelf, om niemand anders. Als er met mij iets zou gebeuren zou je me vast en zeker net zo laten vallen als Coco.'

'Je vergist je,' zei ze, 'jij zou de enige zijn die ik nooit in de steek zou laten.'

Ze trok haar T-shirt en gympen aan, pakte rustig haar tas en liep naar de deur. Met de deurknop in haar hand draaide ze zich om.

'Doe maar wat je wilt. Ik ga naar beneden om te bellen. Ik denk dat de ziekenauto er over vijf of tien minuten is. Jij kunt hier blijven en voor zuster van liefdadigheid spelen als je dat zo graag wilt. Als je me nodig hebt, weet je me te vinden: ik ga naar Javier.'

Ze liep de kamer uit en smeet de deur achter zich dicht.

Toen Monica weg was ging ik weer naar de badkamer. Ik hoopte dat ik Coco staand of zittend zou aantreffen en dat alles een misverstand was geweest of een slechte grap of een nare droom. Maar Coco lag nog op dezelfde plek als waar ik hem had achtergelaten. Ik ging naast hem zitten en sprak tegen hem, legde hem uit dat ik wist dat hij me waarschijnlijk niet kon horen, maar omdat ik op de televisie had gezien dat sommige mensen in coma konden horen wat er om hen heen gebeurde, hoopte ik dat hij me zou kunnen verstaan. Ik zei tegen hem dat de ziekenauto onderweg was en dat ze hem, als het mee zat, in het ziekenhuis een buprenorfine-injectie zouden geven en dat hij dan binnen drie dagen weer helemaal de oude zou zijn. Toen ik hem dat allemaal hardop uitlegde besefte ik opeens dat ik niet zo vriendelijk hoefde te zijn, dat Monica gelijk had. Tenslotte had die klootzak geprobeerd me te overrompelen, om maar te zwijgen over het feit dat hij mijn beste vriendin had afgepakt, mijn enige vriendin. Ondanks alles vond ik hem toch wel aardig, was ik ontroerd toen ik zijn mes kreeg, had hij me complimentjes gemaakt en me als een volwassene behandeld. Ik mocht hem wel op een bepaalde manier, maar op dat moment drong het tot me door dat ik het altijd opnam voor degenen die ik haatte.

Ik liep terug om mijn tas te pakken en toen zag ik Coco's jasje dat hij over de rugleuning van een van de stoelen had gehangen. Ik stopte mijn hand in de binnenzak en haalde zijn portefeuille eruit. Er zat een aantal bankbiljetten in. Ik had de onaangename indruk dat Coco die niet meer nodig zou hebben. Ik stopte ze in mijn broekzak, kleedde me vliegensvlug aan en vertrok.

Toen ik de Calle Libertad afliep zag ik de ziekenauto aankomen.

Het was een snikhete zomerdag. Het zweet parelde op mijn voorhoofd. Het was windstil en het felle warme zonlicht deed de kleuren vervagen en de grijze gebouwen kregen een dreigende aanblik in die helle gloed. Het asfalt leek te dampen. Er waren geen voetgangers, geen vogels en geen honden, alleen een intense stilte: het hele leven leek stil te staan in de roerloze middag. Ik liep naar de Calle Pradillo en ging het enige café in dat open was en waar ze gelukkig airconditioning hadden. Volgens mijn horloge was het drie uur 's middags. Ik wilde iets eten maar ik had het gevoel dat ik onmogelijk iets naar binnen zou kunnen krijgen, omdat het leek of ik een zware steen op mijn maag had liggen, dus bestelde ik een Coca-Cola. Toen liep ik naar de telefoon en draaide het nummer van Javier: ik hoorde het antwoordapparaat en hing meteen op. Ik wist niet wat ik moest doen, ik wist niet waar ik moest slapen, maar ik wist wel dat ik absoluut niet terugging naar mijn moeder. Ik had iets meer dan twintigduizend peseta op zak en nog wat pillen die ik kon verkopen.

In Miami was bijna niemand en de aardige serveerster die verveeld achter de bar stond herkende me niet tot ik vertelde dat ik een vriendin van Coco was. Toen zag ze het pas. Ik zei dat ik XTC wilde verkopen, waarop zij zei dat dat moeilijk was omdat er 's zomers door de week bijna geen klanten waren.

'Als je pillen wilt verkopen kun je beter naar La Metralleta gaan,' raadde ze me aan. 'Daar is het altijd druk. De junks die daar komen hebben zelfs geen geld om met vakantie te gaan.

Ik bedankte haar en ging weg.

La Metralleta was inderdaad propvol. Een meute jongeren bewoog zich wild op de dansvloer en maakte ongecoördineerde bewegingen zonder erg op de maat te letten. Bij de bar bestelde ik een whisky en nadat ik eerst tegen de Morticia look-a-like had gezegd dat als er iemand om XTC vroeg zij ze naar mij toe kon sturen, liep ik naar mijn vertrouwde zuil.

Die zuil was essentieel als ondersteuning van het dak van die disco maar ook van mijn lichaam, die allebei ieder moment in elkaar konden storten. Toen ik al bijna was vergeten wat ik daar deed kwam er een jongen met een Pavement-T-shirt naar mij toe voor XTC. Ik herkende hem want ik had hem al eerder pillen verkocht. Daarna werd de avond een lange cybernetische droom: de vele blauwachtige lichten die een aanslag waren op je netvliezen, het oorverdovende kabaal van synthesizerklanken, de duisternis die de lichamen in dat rokerige hol deed vervagen. Af en toe kwam er iemand met me praten. Sommigen stelden stupide vragen, een enkeling probeerde te flirten en weer een ander wilde drugs. Aan de meesten kon ik wel een pilletje kwijt. Ik begon te denken dat ik ervoor geboren was. Opeens ontdekte ik te midden van die mensenmassa mijn aanbidder, de lange dertiger, die bij de bar stond. Hij lachte naar me en kwam door die wirwar van lichamen op een katachtige manier op de maat van de synthesizermuziek naar me toe. Voor ik het wist stond hij naast me.

'Gisteren was je er niet,' zei hij. 'Ik was al ongerust.'

'Sta je iedere avond op me te wachten?' vroeg ik.

'Natuurlijk. Wil je iets drinken?'

Ik dacht even na. Ik wist niet waar ik vannacht naartoe moest. Ik had de hele middag door het Retiropark gezwalkt, wat gedommeld in de schaduw van een boom en was daarna de Castellana afgelopen tot ik opeens tot de ontdekking kwam dat het al donker was en besloot naar Miami te gaan. Als die discotheek dichtging was ik van plan op een bankje op het Plaza de España te gaan slapen of na te denken of om contact op te nemen met Monica. Misschien had die snuiter wel een appartement met een gerieflijke bank waar ik vannacht zou kunnen slapen... Ik keek hem aan en ontdekte tot mijn verbazing dat ik hem wel leuk vond. Zijn gezicht had iets kwijnends, iets op zijn manier bijzonder teergevoeligs, iets ik weet niet wat voor vrouwelijks waardoor hij bijna mooi werd, ook al weet ik niet of hij dat ook was. Een gladde haarlok viel op zijn kaarsrechte neus die midden in zijn gezicht stond. Ik voelde instinctief een soort wederzijdse herkenning toen ik naar hem keek, begrip zonder woorden. Het kwam bij me op dat ik me kon laten meeslepen in de warme stroom van zijn vriendelijkheid en zijn ontwapenende glimlach. Even dacht ik dat hij misschien anders dan de anderen was. Maar toen bedacht ik wat er zeker zou gaan gebeuren, hoe hij zijn kleverige lichaam tegen dat van mij zou proberen te drukken, me met zijn onvermijdelijk kleffe handen overal zou betasten zoals al die anderen hadden gedaan. Op mijn horloge gaven de wijzers kwart over zes aan.

'Nee dankjewel,' antwoordde ik en probeerde vriendelijk te zijn, 'ik moet naar huis om mijn make-up eraf te halen. Als het een beetje mee zit duurt dat maar twee uur. Het is een snelle manier om af te vallen.'

Hij lachte.

'Doe niet zo gek, je hebt helemaal geen make-up op je gezicht.'

Hij stak zijn hand in zijn jasje, haalde zijn portefeuille eruit, deed die open en gaf me zijn visitekaartje. Dat stopte ik in de zak van mijn spijkerbroek.

'Bel je me?'

'Ik weet niet...' antwoordde ik. 'Als ik een gaatje vrij heb in mijn ongelooflijk drukke sociale leven en als ik een telefoon bij de hand heb en als er niets op de televisie is, misschien, heel misschien...'

Ik ging naar buiten. Weer een nieuwe ochtend om te trotseren terwijl het geleidelijk aan lichter werd en de dag aanbrak als een rooksliert die smaller wordt en verbleekt tussen de daken. Het visitekaartje van die vent brandde in mijn zak. Ik wist zijn naam niet eens en hij de mijne ook niet. Ik haalde het kaartje te voorschijn: Pablo San José, arts. Ziekenhuis zus en zo… Arts! Hij was geen politie en wij waren drie paranoïde figuren. Als ik terugging was ik verzekerd van een slaapplaats. Ik draaide het kaartje een paar keer om tussen mijn vingers en verscheurde het toen in een heleboel witte stukjes. Ik wilde niet voor de verleiding bezwijken.

Ik vond hem wel leuk. Ik had met hem naar bed kunnen gaan en dan was Cat er waarschijnlijk niet geweest en wie weet was ik dan misschien wel een meisje zoals zoveel andere geworden, vrouwelijk en heteroseksueel. Maar ik geloof dat het heel begrijpelijk is dat het vooruitzicht een man boven op je te krijgen na twee pogingen tot verkrachting binnen een week me niet erg aanlokte. Maar, ik herhaal, ik vond hem leuk. Zijn vasthoudendheid, zijn gevoel voor humor, zijn vriendelijkheid hadden me wel wat gedaan. Ik kan van mannen en vrouwen houden. Het geslacht maakt me niet uit.

Jongetjes dragen blauw en meisjes roze. Roze is de kleur van de emotie. Blauw van de werkkleding. Monteuroveralls, stewardessenpakjes. Blauw. Stropdassen van zakenlui, balpennen om rekeningen mee op te maken. Roze. Omslagen van liefdesromans en bonbondoosjes. Mannen zijn rationeel en vrouwen sentimenteel.

Je wordt als mens geboren. Twee dagen later krijg je gaatjes in je oren. Je krijgt roze babyschoentjes. Nu ben je een meisje. Je gaat naar een meisjesschool. Je krijgt een rok en vlechtjes. Je wordt veertien jaar. Je eerste lippenstift. Nu ben je een vrouw. Je wordt vijftien. Schoenen met hakjes. Je bloost voor de jongens bij de bushalte. Je loopt niet de honderd meter. Je luistert niet naar heavy metal. Nu ben je een idioot.

Wat heb ik op de universiteit geleerd? Wat heb ik geschreven in mijn werkstukken? Het concept geslacht wordt bepaald door sociale manipulatie. Opgedrongen normen en waarden die los staan van biologische factoren. Als man of vrouw geboren worden houdt geen onomkeerbare gedragsregels in. Wij gedragen ons als zodanig door onze opvoeding. De seksuele rolpatronen worden geleerd op grond van culturele gebruiken. Die zijn niet aangeboren. Vrouwen zijn niet vrouwelijk omdat ze hoge hakken dragen. Mannen zijn niet mannelijk omdat ze een stropdas dragen.

Ik werd vijftien jaar en ging niet meer naar de mis. Ik werd achttien en kuste Monica. Toen ging ik naar Edinburgh. Daar millimeterde ik mijn haar en kocht commandolaarzen. Op straat wist niemand of ik een meisje of een jongen was. Dat was de laatste grensoverschrijding. De laatste grensoverschrijding.

Ieder klein detail van mijn lichaam kan op twee manieren worden uitgelegd, naargelang je vrouw of mens wilt zijn. Mijn vagina kan de poort van plezier of van leven zijn. Mijn borsten bronnen van melk of erotische zones. Mijn navel met piercing kan een lokmiddel zijn of het teken van een toekomstige verbinding tussen mijn leven en dat van een ander die van mij afhankelijk is. Als ik een vrucht draag, zal mijn lichaam dan vol leven zijn of gewoon ingenomen, verwoest?

Strikt genomen zou je kunnen zeggen dat als ik de liefde bedreef met Ralph, hij het was die mij bezat, die mij nam. Toch was ik degene die dat deed, was ik het die hem in mijn binnenste opnam, want hij kwam in mij. Ik voelde hem als de ander, onmisbaar en aanvullend tegelijk. Door hem in me op te nemen, dacht ik, zou hij me aanvullen. Hemel en Aarde, Licht en Duister, Leven en Dood, Chaos en Orde. Ik hoefde me niet elk ogenblik af te vragen wie ik in wezen was. Ik voelde hem als het ontbrekende deel van mij, de echte Beatriz die ik ooit, heel lang geleden was kwijtgeraakt in een verloren kinderlijk paradijs dat ik niet meer kon terugkrijgen. Later, toen ik die oertoestand had verlaten, die staat van genade waarin het trauma van de afsplitsing nog niet bestond, werd ik een wezen dat van zijn wederhelft was gescheiden. Bij het verdriet over de scheiding kwam het zinloze van de poging, het nooit te bevredigen verlangen om die leegte op te vullen, het wanhopige van een weerzien door de onmogelijkheid terug te keren tot die oerstaat, dat evenwichtige en positieve geheel waarin alles aanwezig was en niets ontbrak. Als ik daaraan dacht leken onze omhelzingen steriel en absurd. Ik verlangde naar de volmaaktheid van dat begin, een toestand van kracht en autonomie die voorafging aan het mannelijke en het vrouwelijke. Ik wilde niet de helft van iemand zijn. Ik voelde een diepe nostalgie naar een ideaal dat ik in me droeg, dat misschien nooit had bestaan. Ik denk dat ik die Totaliteit zocht door middel van seks, dat ik pijnlijk hunkerde naar een hereniging waarvan ik bij voorbaat wist dat die onmogelijk was, een zuiver verlangen naar samensmelting. Waarom zouden we proberen een raakvlak te vinden als we uit onverenigbare heelallen voortkwamen?

De vrouw die van Ralph hield, hield ook van Cat en ik weet dat het moeilijk is te begrijpen voor wie het niet zelf heeft meegemaakt dat ze op dezelfde manier van de een als van de ander hield. Dat er niet zoveel verschil was in wat we deden. Dat de fysiologie nooit bepaalde hoe we de liefde bedreven. Dat ik als mens werd geboren en van mensen hield.

Als ik bij Cat was scheidde een deel van mij zich af in minuscuul kleine atomen. Ik loste op, werd vloeibaar vuur, liet me op lavagolven meevoeren om te versmelten met haar binnenste. Ik ontsteeg mezelf en overschreed lichamelijke en chemische grenzen. Met Ralph daarentegen waren de dingen onder controle. We bewogen ons allebei gecoördineerd en synchroon, met bruuske en precieze bewegingen voort op een krijgshaftig ritme naar een gemeenschappelijk doel, als bij een sportwedstrijd.

Zij stelde voor, hij legde op. Zij kneedde mij naar haar smaak. Hij maakte mij tot een slangenmens, een evenwichtskunstenares, een recordhoudster. Zij was inniger, hij avontuurlijker, zij zocht het in kleinigheden, was verfijnd, hij barstte van energie. Zij was gewassen lakens, hij gebruikte condooms. Zij rukte op, hij viel aan.

En haar huid was weergaloos. Die alleen al te strelen was een genot. Dat voordeel had hij niet. Zijn huid was even ruw als zijn karakter.

Als ik bij haar was kuste ik haar met open ogen en streek met mijn vingers door haar warrige gouden haardos. Ik keek onderzoekend in haar heldere ronde ogen en zag daarin een vloeibaar, groen beeld van mijn eigen gezicht. Caitlin met ogen als water. Haar in mijn armen nemen, dat stukje huid kussen waar het gouden haar overging in wit zijdeachtig dons. Het zoetige parfum dat zich vermengt met een andere geur, de mijne. Haar hand die op mijn buik rust en haar vingertoppen die trommelend naar beneden gaan tot aan mijn dijen; de benen spreiden en de heupen naar voren schuiven om het voortgaan van haar vingers te vergemakkelijken; omrollen en ons rondwentelen in een kluwen van armen en benen; een definitieve impuls die mijn binnenste in een woest ritme doet trillen; de kamer om me heen die in kleine stukjes uiteenvalt en oplost; het blije samenzijn dat volgde op het gedeelde genot; de sporen van haar vingers die in mijn heupen stonden gedrukt als een violetkleurig stempel.

Met hem, met Ralph, voelde ik het wonderbaarlijke van mijn eigen gespannen lichaam, mijn kloppend hart, het wonder van het stromen van mijn bloed, mijn samengetrokken spieren. Ik voelde mij als een hardloopster op de honderd meter die met opeengeklemde lippen op de finish af stormt. Als ik bij haar was dacht ik aan hem en omgekeerd. Ik was onderworpen aan de slavernij van het orgasme.

Ik huilde niet meer elke dag en verschool me niet langer onder het dekbed om naar sombere platen uit de jaren tachtig te luisteren. Ik stond goedgehumeurd op, maakte kokette grapjes, had zelfs mijn eetlust weer terug, hoewel ik heldhaftige pogingen deed die in bedwang te houden om mijn superslanke figuur niet te verliezen. Caitlin merkte de verandering op en zei er zelfs iets over, maar ze vroeg niet naar de oorzaak. Misschien wilde ze die ook liever niet weten of misschien zocht ze geen verklaringen, zoals ze die ook niet zocht voor het plotselinge ontstaan van stormen of het vallen van de bladeren. De vreedzame Cat liet zich in het leven alleen leiden door de lichte aandrang van impuls en gewoonte en je moet de voorzienigheid dankbaar zijn voor haar rustige kalme aard, die haar leven tot een vredige plek maakte ondanks haar zogenaamd onconventionele gedrag, een levensloop waarin nooit onoverkomelijke hindernissen opdoken, want Cat nam alles voor lief wat op haar weg kwam: vrienden, werk, vriendin, ze maakte er geen woorden aan vuil en plaatste geen vraagtekens.

Katriona Mac Cabe bleef elke avond mijn woonkamer opsieren met haar televisieglimlach. Caitlin bleef haar vol bewondering en trots bekijken en vergat nooit mij eraan te herinneren dat die schoonheid haar vriendin was geweest. Maar Katriona interesseerde me niet meer. Dankzij Ralph had ik ontdekt dat Katriona onmogelijk iets achter het beeldscherm kon verbergen wat ik niet had.

Wat ik bij Ralph had gezocht was echter geen seks maar steun, en soms had ik er spijt van dat ik me had laten meeslepen, want ik dacht dat zijn opvatting over mij was veranderd doordat hij met mij naar bed ging. Ik wilde een deel van zijn geest hebben, zijn intelligentie absorberen. Ik zocht in hem een afspiegeling van Monica die me, net als zij vroeger, op de been hield en me uit die donkere put hielp waarin ik rondspartelde. Maar hij zag me meer als een geliefde dan als een vriendin en daarom gaf hij me niet het vertrouwen dat ik zocht. Van toen af vroeg ik me alleen maar af welke passen we moesten maken in het ballet dat we uitvoerden, een dans waarbij iedere danser zijn eigen bewegingen moest improviseren naarmate hij verder ging. Als hij aandrong, moest ik dan toegeven? Moest ik weigeren? Hoe? Moest ik soms zelf het initiatief nemen? In hoeverre? Wie zette de volgende stap naar voren of naar achteren? Wat betekende het je als een man te gedragen, en als een vrouw? Sinds ik zijn geliefde was had ik een rol aangenomen: ik was zijn tegenstelling en hij zou nooit, nooit meer op dezelfde manier naar me kijken. We hadden alles kapotgemaakt.

Hij wist natuurlijk dat ik met iemand samenwoonde, maar hij vroeg er nooit naar. Hij zei ook nooit dat hij van me hield, maakte nooit toekomstplannen en had het nooit over *ons* met betrekking tot de buitenwereld zoals Cat altijd deed. *Us* was geen voornaamwoord dat hij gebruikte. Ik dacht er vaak over na wat voor hem de reden kon zijn dat van ons in stand te houden. Seks natuurlijk. Maar er was meer. Ik denk dat ook hij gebukt ging onder de last van eenzaamheid en dat het hem goed uitkwam dat er iemand was om zijn vracht aan herinneringen af en toe wat mee te verlichten. We gingen met elkaar naar bed, dat was alles. Het stelde niet meer voor. Soms voelde ik me naast hem als naast een andere eenzame reiziger in een treincoupé, een rustige aardige vreemdeling tot wiens gezelschap ik voor niet al te lange tijd was veroordeeld.

Ik woonde samen met een meisje dat van me hield en had een vriend met wie ik een gelegenheidsrelatie had, misschien wel tegen mijn wil. Ik vond hem fascinerend, maar ik vermoedde dat dat gevoel niet wederzijds was, dus deed ik mijn best niet al te aanhankelijk te zijn. Ralph en ik bleven elkaar zonder afspraken vooraf ontmoeten in de eetzaal van de universiteit. Soms praatten we zomaar wat en gingen we allebei naar ons eigen huis. Andere keren stelde hij voor naar zijn huis te gaan en dan belandden we in bed, als terloops, zoals je een biertje neemt, alsof we er geen van beiden zo erg naar verlangden. We maakten nooit echt wat je noemt een afspraak. We gingen zelfs niet samen naar een pub om iets te drinken. Ik voelde een muur tussen ons maar had niet de kracht noch de middelen om die af te breken.

In het begin kwam de aarzelende voortgang van de relatie me goed uit, waarom zou ik het ontkennen, omdat ik me niet hoefde vast te leggen, geen beloftes hoefde te doen en geen verantwoordelijkheid hoefde te nemen. In feite deed ik mijn best afstand te bewaren. Maar vervolgens, naarmate mijn gevoel steeds sterker werd, naarmate ik mijn eigen overgave zag groeien begreep ik niet meer waar dat wantrouwen en die stiltes vandaan kwamen. Het verdriet overviel me verraderlijk, wanneer ik dacht aan zijn routine, die mij zo vreemd was, aan die lang vervlogen uren, behoeften en relaties waar ik naar raadde maar die ik niet nader kon duiden, aan zijn leefgewoonten die voorafgingen aan onze geschiedenis en die haar zouden overleven. Ik stelde me voor wat Ralph zou doen zonder mij. Hij zou lezen, zijn platen ordenen, lange wandelingen maken door de Meadows… Ik kon me niet losmaken uit die valkuil van akelige beelden, want ik kon op geen enkele andere manier dichter bij hem komen. Ik verzon een vreselijk verleden juist omdat hij het er nooit over had: over alles wat ik niet wist, waarom hij zoveel verzweeg, dingen die hij weer achter iets anders verstopte en die hij, hoe onbelangrijk ook, evenmin ophelderde. Waarom hij midden in een zin ophield, nadacht over een triviale opmerking als iemand die spontaniteit vreest omdat die een waarheid zou kunnen onthullen. Waardoor ik ook weer mijn mond hield en geen vragen stelde. De muur van twijfels en reserves tussen ons was even sterk als de enorme leegte die ons scheidde. Alles wat we niet wisten, hij niet van mij en ik niet van hem. Waardoor ik verzuimde meer over Ralph te weten te komen, en over mezelf en wij twee over onszelf. De steeds langere stiltes tussen onze zinnen maakten dat alles duidelijk, de dingen die we elkaar niet durfden te vertellen. Het leek wel alsof er iets in de lucht bleef hangen, het heldere ongrijpbare besef dat me iets ontging.

Ik voelde hem zozeer als een deel van mij dat ik wel geamputeerd leek als ik niet bij hem was. Ik wilde hem op elk uur van de dag om me heen hebben, hem bijten, hem likken, hem verslinden, iets tastbaarders hebben dan het vage beeld dat ik me vormde als hij er niet was van halfvergeten gespreksflarden, onduidelijke fragmenten van diverse vrijpartijen en versluierde momentopnamen van zijn gebaren. Ik wilde de dingen niet langer behoedzaam ontvluchten uit angst hem terug te vinden in de echo van een stilte, in de holte van een open ruimte, in een toevallig opgevangen profiel op straat, in dure aftershaves die me in de bus aan hem deden denken. Ik wilde graag een kapel bouwen, een ruimte van verlangen, een eigen terrein, voor mezelf, met daarin beelden, rituelen en gebeden van liefde.

Alles wat er was tussen ons was seks, begreep ik. En toch voelde ik onze band als solide en intens. Waarom? Omdat ik de momenten die ik bij hem was in veelvoud beleefde. Eenmaal in het echt, zoals het in tijd en ruimte gebeurde. En vele, vele malen daarna: als ik die momenten in mijn hoofd herhaalde en opnieuw beleefde wat we hadden gedaan, zijn huid, zijn lichaam, zijn beharing, zijn penis, zijn stem. Ik voelde hem heel nabij, omdat Ralph vaak, heel vaak bij me was, ook als hij dat zelf niet wist.

Ik vond het niet prettig hem boven op me te hebben. Hij was zwaar, dat heb ik al gezegd. En ik stelde allerlei spelletjes en acrobatische houdingen voor om te vermijden dat ik zijn volle gewicht op me kreeg, want dan kon ik me niet meer bewegen en had ik het gevoel dat ik opgesloten zat. Ik werd panisch en kreeg geen lucht meer, zoals mijn moeder bij haar aanvallen. Als ik het Ralph probeerde uit te leggen zei hij elke keer alleen maar dat ik een rare tante was.

Raar? Je weet niet half hoe raar ik kan zijn, antwoordde ik op een dag. Wist je dat ik in Madrid een keer bijna een vent om zeep heb gebracht? Het verbaasde me dat van mezelf te horen, want in Edinburgh had ik het er nooit met iemand over gehad, zelfs niet met Cat. Deze verspreking van mijn kant maakte me duidelijk hoezeer ik een vriend nodig had, iemand met wie ik over mijn problemen kon praten, een spiegel waarin ik mezelf kon zien. Mijn geheimen kwamen door mijn poriën naar buiten. Maar ik verraadde me niet. Ik zei dat ik een grapje maakte en lachte, maar aan de uitdrukking op zijn gezicht merkte ik dat ik twijfel had gezaaid en dat van toen af de onrust in zijn binnenste bleef knagen.

We hadden goede vrienden kunnen worden, denk ik, maar de seks kwam ertussen en maakte ons tot tegenstanders. Er hing dreigend een aantal eisen boven ons hoofd die er niet waren geweest bij een vriendschap zonder seks. Hoewel hij deed alsof dat met Cat hem niets kon schelen, moest het hem natuurlijk wel iets doen, ik weet het. Waarschijnlijk had ik graag gewild dat dat van Cat hem echt iets kon schelen en dat hij van me had durven eisen dat ik ermee ophield en dat hij me een gezamenlijke toekomst had voorgesteld. Wie weet? Ik wilde dat hij iets meer van me wilde. Waarom? Uit trots? Ik had geen reden van hem iets anders te willen dan hij me bood, want ik wist heel goed dat de situatie perfect was zoals ze was en dat het een prima regeling was, een vriendin hebben en ook een geliefde, maar dan nog had ik meer gewild, had ik meer gewild van hem, hoeveel problemen dat *meer* me ook had opgeleverd.

Ralph ging met mij naar bed en legde me resoluut zijn wil op of probeerde het. Ik herinner me hoe hij zich woest liet gaan, zijn manie om mijn benen in bedwang te houden op het matras, mijn armen boven mijn hoofd vast te houden, de manier waarop hij tegen me aan beukte alsof hij door krachtige golven gedreven in een woeste stroom veranderde.

Cat daarentegen betekende het beminnelijke vlees dat zwijgend werd bezeten, zonder afspraken of onderhandelingen vooraf, de perfecte band, want ieder van ons wist uit eigen ervaring wat de ander wilde en nodig had. Elke avond onderzocht ik haar bekende geografie, haar duinen, haar meren, haar vlaktes zonder kompas, zonder vrees. Cat was er altijd en hield van me. Ze zou nooit weigeren met me naar bed te gaan.

Volgens het cliché had ik het beste van twee werelden. (Zijn er maar twee? En waar hoor ik dan bij?) Mijn leven speelde zich af tussen het ene en het andere bed. Contact. Mijn houvast op de wereld in de Edinburghse nacht, waar de dag om vier uur 's middags eindigt.

In die tijd voelde ik me een en al energie. Mijn bewegingen werden elastischer, zekerder. Ik was me goed bewust van de contouren van mijn lichaam onder mijn trui, mijn broek en mijn T-shirt. De seks gaf me een duidelijk beeld van mezelf, vanuit de verte, alsof ik een ander was. Ik had zelfs geen erg in de kou. Het verlangen in mijn binnenste straalde voldoende warmte uit. Ik droeg de beelden van mijn geliefden bij me alsof ik een magisch medaillon tegen mijn borst gedrukt hield. Dat was gisteren, bij wijze van spreken gisteren, maar het lijkt eeuwen geleden. Ik zocht hen uit eenzaamheid en ik herinner me hen in eenzaamheid.

Sinds ik de eerste keer met Ralph naar bed was gegaan, sinds ik me verdeelde tussen hem en haar kreeg mijn hart iets wazigs, ondefinieerbaars, warrigs. Want als me toen was gevraagd of ik lesbisch was of hetero, of zelfs biseksueel, wat waarschijnlijk het meest voor de hand lag, had ik het antwoord niet geweten. Ik voelde me even verloren als drie jaar daarvoor, toen ik doelloos door de straten van Madrid liep en mijn handen besmeurde met het bloed van een onbekende. Soms voelde ik me lady Macbeth: ik wist dat die vlekken nooit uitgewist konden worden, zoals in mijn hart ook de jaren thuis niet uitgewist konden worden, die relatie met mijn moeder die onherstelbaar was, of mijn liefde voor Monica.

Ik stond weer op straat en had geen flauw idee wat ik moest doen. Ik bedacht dat ik het beste ergens koffie kon gaan drinken om na te denken over wat er was gebeurd en wat mijn volgende stap moest zijn en dan Monica bellen. Vroeg of laat moest ik terug naar huis. Maar terug naar huis, na alles wat er was gebeurd, leek me onmogelijk. Ergens naar teruggaan leek me onmogelijk. Doorgaan leek me onmogelijk. Leven leek me onmogelijk. Als ik probeerde te denken, een of andere logische conclusie probeerde te trekken uit de ondoordringbare chaos in mijn hoofd, voelde ik alleen een oorverdovend gebons in mijn slapen. Ik dacht aan Coco, die misschien in een bed in het La Paz-ziekenhuis lag of misschien in het lijkenhuis. Ik sloeg een verlaten straatje in. Ik hoorde voetstappen achter me en kreeg het vreemde gevoel dat ik werd gevolgd. Ik keek om maar zag niemand. Ik liep door en kreeg plotseling een enorme klap in mijn rug, waardoor ik tegen een muur smakte en geen lucht meer kreeg. Voor ik het wist stond ik stijf tegen de muur gedrukt terwijl een man me in een wurggreep hield.

'Jij klein loeder,' zei een schorre zware stem, een rauw en onguur geluid waar ik kippenvel van kreeg.

Hij kneep mijn keel dicht en ik dacht dat als hij nog iets harder drukte hij mijn luchtpijp zou breken. Ik kon zijn regelmatige hartslag tegen mijn rechterborst voelen. Hij stonk naar tabak en zweet. Ik wist dat ik moest schoppen, al mijn krachten moest verzamelen om van die kerel af te komen, maar ik kon me niet verroeren, uit angst of omdat ik geen lucht meer kreeg. Plotseling herkende ik mijn belager: het was die vent die ik met een fles op zijn hoofd had geslagen. Ik was een stommeling geweest om naar La Metralleta te gaan. Die snuiter kende Coco goed, wist waar hij zich ophield. Hij was me gaan zoeken en had me gevonden.

Terwijl hij me in bedwang hield begon hij aan zijn riem te sjorren. Ik begreep wat hij ging doen. In zijn merkwaardige eergevoel zou hij niet rusten voor hij met geweld had genomen wat ik hem had geweigerd. Toen herinnerde ik me Coco's mes in mijn achterzak. Mijn armen waren vrij. Mijn enige kans was om kalm te blijven. Als ik te plotseling bewoog zou hij reageren en mijn aanval onmogelijk maken. Hij leek druk bezig met de knopen van zijn gulp. Ik probeerde zijn aandacht te trekken zodat hij me aankeek en niet op mijn handen lette.

'Luister,' zei ik zachtjes om hem niet te laten schrikken. Hij keek me verbaasd aan en ik begreep dat het goed ging. 'Luister, man, het spijt me wat ik heb gedaan, het spijt me echt, maar je liet me schrikken en...'

Hij zette zijn lippen op de mijne. Ik kuste hem terug terwijl ik wanhopig probeerde het mes te pakken. Dat was niet zo gemakkelijk. Dat verrekte mes zat heel diep onder in mijn zak. Ik dankte de hemel dat mijn broek zo ruim zat. Ik merkte een spoortje alcohol in de scherpe smaak van zijn speeksel. Hij hield me nog steeds in een wurggreep, maar verminderde de druk een beetje. Hij leek het te vertrouwen. Het ging door me heen dat hij mij misschien wel leuk vond of dacht dat ik hem leuk vond.

Ik had het mes eruit. Mijn arm viel opzij langs mijn lichaam. In gedachten probeerde ik de woorden van Coco te herhalen. Je drukt op deze knop, zo, en dan springt het lemmet eruit. Dan val je aan, zonder angst, met de scherpe kant naar boven, en dan steek je het mes er zeker en zonder aarzelen diep in tot aan het heft. Zonder na te denken. Ik stak het met al mijn kracht in zijn zij. Het bloed gutste eruit en verspreidde zich over zijn hemd. Ik voelde het kleverig en warm over mijn vingers druipen. Een scherpe kreet van pijn ontsnapte hem, maar hij liet me niet los. Ik stak nog een keer toe zonder dat ik het mes uit zijn lichaam had gehaald. Hij klapte dubbel en viel op de grond, waar hij in foetushouding bleef liggen.

Zonder om te kijken rende ik de straat uit met het mes in mijn hand.

Ik moet zeven of acht jaar zijn geweest toen het gebeurde. Mijn moeder had me naar de winkel op de hoek gestuurd voor een ons Yorkham. Op de terugweg stopte ik bij het park, dat eenzaam en donker was. Ik wist dat ik dat niet moest doen, maar de verleiding van de lege schommels was te groot. Een heel vriendelijke meneer kwam op de schommel naast me zitten. Hij vroeg me van alles en gaf me snoepjes terwijl hij mijn blote benen onder mijn plooirokje streelde. Toen pakte hij me bij de hand en nam me mee achter een paar struiken. Daar dwong hij me zijn penis te pakken. Toen het afgelopen was rende ik als een pijl uit de boog door de donkere straten naar huis zonder om te kijken. Tot die ochtend had ik nooit meer zo hard gerend. In mijn herinnering bleef ik urenlang doelloos doorrennen. Ik stopte toen ik bij de Calle Quintana kwam en ging op een bankje zitten. Het was bijna dag en toen ik mijn bebloede hand zag merkte ik dat ik het mes nog vasthad. Het licht weerkaatste op het blauwwitte lemmet waar nog opgedroogde bloedvlekken op zaten. Ik gooide het in een rioolput.

Ik ging naar een bar waar de muren behangen waren met garagekalenders vol blote meiden met enorme borsten en waar een groepje arbeiders hun eerste koffie die ochtend dronk. Er was er een die luidkeels over voetbal stond te praten en het had over goals en opstellingen, wat me als Chinees in de oren klonk. Hij zat me begerig aan te kijken en riep dat ik er leuk uitzag. Niemand maakte gelukkig ook maar de minste toespeling op de bloedvlekken op mijn T-shirt. Ik bestelde een koffie en vroeg de sleutel van het toilet, dat een smerig hok bleek te zijn dat naar urine stonk. Ik boog me voorover over de wc en braakte een bruin vocht uit, alle whisky met Coca-Cola die nog in mijn maag zat. Ik bleef een hele tijd zitten bibberen als een bang konijn. Toen het me weer lukte overeind te komen gorgelde ik met water om de vieze smaak in mijn mond kwijt te raken. Daarna deed ik mijn T-shirt uit en spoelde het uit in de wasbak. Het water dat er afkwam was eerst rood, toen roze en eindelijk helder. De vlek loste op tot er een grauwe schaduw op de stof overbleef. Vervolgens wrong ik het een paar keer goed uit om het wat droger te krijgen. De bleke magere vrouw die me vanuit de spiegel aankeek herkende ik nauwelijks. Met het nog natte T-shirt aan glipte ik snel de bar uit om de verplichte grappen over de bobbels van mijn tepels die aan het natte katoen kleefden niet te hoeven aanhoren.

Vanuit een telefooncel belde ik naar het huis van Javier. Ik herkende meteen zijn bekakte stem en vroeg naar Monica.

'Ze slaapt,' zei hij stug.

'Maak haar maar wakker. Het is dringend.' Het bleef een hele tijd stil en toen ik al bijna wilde ophangen kreeg ik Monica. Ze leek net uit bed te komen. Haar prettige stem klonk niet zo levendig en muzikaal als gewoonlijk.

'Waar ben je,' vroeg ze.

Ik legde haar in grote lijnen uit wat er was gebeurd. Ze noemde me een stommeling dat ik weer naar La Metralleta was gegaan. Ze leek echt kwaad, de toon in haar stem was opeens scherp geworden. Ze zei dat ik langs moest komen en dat we erover moesten praten.

Ik nam een taxi. Ik had al twee dagen niet geslapen en mijn handen beefden een beetje. Ik ving de argwanende blik van de chauffeur op die me in de achteruitkijkspiegel zat te begluren. De rest van de rit keek ik niet meer op en toen we er waren gaf ik hem geen fooi.

Javier woonde in een appartement op de Castellana en binnen vijf minuten stond ik voor de deur. Vanuit de taxi herkende ik Monica's gestalte, die op de stoep naast het gebouw op me stond te wachten en een sigaretje rookte. Ze zoende me toen ik aankwam.

'Je kunt beter niet boven komen,' zei ze. 'Javier vindt het niet prettig dat wij elkaar zien, dat weet je. Kom, we gaan ergens koffiedrinken.'

We gingen zo'n café in met een glimmende metalen bar en kelners met strikjes. Ik bestelde een sinaasappelsap, en een zwarte koffie voor Monica. Ze stak een tweede sigaret op en terwijl ze veel langer dan nodig de suiker door haar koffie roerde, stak ze een preek tegen me af die ze volgens mij had voorbereid. Ze had er uitgebreid met Javier over gesproken en er zelf ook over nagedacht. Wat er met Coco was gebeurd had haar aan het denken gezet. Ze vond dat ze er te jong maar op los had geleefd en dat het leven plotseling tussen haar handen door was geglipt. Ze voelde zich oud op haar negentiende en nu ging ze verlangen naar een ander leven dat ze niet had geleid maar dat ze altijd binnen haar bereik had gehad. Het leven dat Javier vertegenwoordigde: 's ochtends naar de golfclub, 's middags winkelen in Serrano, koffie bij Embassy, dineren in Lucio, al die dingen die ze altijd had afgewezen maar waarvoor ze eigenlijk in de wieg was gelegd. Het had geen zin, zei ze, om het milieu waar je uit kwam te verloochenen. Ze sprak resoluut, bijna enthousiast en ik merkte dat ze me meesleurde naar een glibberig terrein, een moeras met drijfzand waarin ik wanhopig met mijn armen bewoog om boven te blijven. Het kostte me moeite erachter te komen wat ze bedoelde maar tegelijkertijd zag ik duidelijk de tegenstelling tussen wat er over haar lippen kwam en wat haar ogen uitdrukten. Het perspectief dat Monica schetste kwam volstrekt ongeloofwaardig over. Ze kon Malasaña, de donkere barretjes, het ongure en slechte gezelschap ontvluchten, maar niet zichzelf.

'Weet je?' zei ze opeens zoals iemand het heeft over iets onbeduidends als de toevallige ontmoeting met een vroegere schoolvriendin of het idee een ander kapsel te nemen, 'Javier heeft me gevraagd of ik met hem wil trouwen.'

'Doe niet zo stom. Je bent pas negentien.'

'Nou en? Het hoeft dit jaar ook nog niet. Trouwens, heel veel mensen van mijn leeftijd trouwen, en zelfs nog jonger.'

'Je houdt niet eens van hem,' protesteerde ik in een poging het onderwerp af te doen door er een andere draai aan te geven.

'Toch wel een beetje,' antwoordde ze, 'tenslotte zijn we jaren met elkaar gegaan. Bovendien is liefde iets heel relatiefs.'

'Ja, ik zie wel dat liefde voor jou heel relatief is.'

Ze snapte de ironie niet of deed net alsof. Ze leek in een dag vijf jaar ouder geworden. Ze had twee rimpeltjes rond haar lippen bij het praten en ik zag dat die niet verdwenen als ze zweeg. Maar ze ging meteen weer verder. Wat dat met die Paco betreft had Monica de kranten doorgebladerd en er had niets over het incident in gestaan. Er zou bijna zeker niets gebeuren, want hij zou me niet aangeven. Hij kon immers niet zeggen dat hij me kende omdat hij daarmee zou toegeven dat hij illegaal een pistool had gekocht. En zelfs al zou hij me aangeven – wat vast niet zou gebeuren – dan hoefde ik me nog niet al te veel zorgen te maken. Ik had geen strafblad, ik was zo goed als minderjarig en had uit noodweer gehandeld. Natuurlijk, als iemand zijn mond voorbij praatte, als alles aan het licht kwam van het handeltje met de pistolen dat we hadden opgezet, dan waren we er goed bij, maar Monica vertrouwde erop dat dat niet zou gebeuren. Het beste kon ik naar huis gaan, vond ze, om af te wachten en me een tijdje niet laten zien. Ik moest maar naar El Escorial gaan als dat kon. Paco wist niet waar ik woonde, dus was het bijna onmogelijk dat hij me in een zo grote stad als Madrid zou kunnen vinden.

'Maar ze weten wel waar jij woont. Ze zullen je komen opzoeken.'

'Daar heb ik al over nagedacht, ik blijf de hele zomer bij Javier. In september zijn ze me wel vergeten. Ik heb met Coco vroeger wel voor hetere vuren gestaan en uiteindelijk is alles altijd op zijn pootjes terechtgekomen. De mensen praten niet, bemoeien zich er niet mee en denken er niet over na. Die eikel heeft een messteek gekregen, maar hij begon, dus hij wist wat hij riskeerde. Als jij niet als eerste toeslaat, doen ze het bij jou en ben jij de klos. Zo is het leven.'

'En als ik hem heb vermoord?'

'Als je hem hebt vermoord, des te beter. Dan houdt in elk geval iedereen zijn mond. En jij wordt niet in verband gebracht met die vent. Maar ik denk niet dat je hem van kant hebt gemaakt. Rustig maar.'

Ik zag haar sombere ogen en voelde een druk op mijn maag, een nostalgisch verlangen naar toenadering dat in tegenspraak was met de enorme afstand die zojuist was ontstaan. Ik probeerde dichter bij haar te komen en boog een paar centimeter naar voren, maar toen ik op het punt stond haar aan te raken trok ik terug. Ik dwong mezelf het nog een keer te proberen, maar stopte weer voordat ik haar zelfs maar had aangeraakt, alsof ik tegen een ruit op liep. Tussen Monica en mij was een soort niemandsland ontstaan, een duizelingwekkende afgrond, en ik voelde dat ze van heel ver weg naar me keek als ze praatte. Ik betaalde mijn sinaasappelsap en haar koffie en we liepen naar buiten. Ik zoende haar niet toen ik afscheid nam.

Monica was een kreng, zullen sommige mensen zeggen, anderen die lankmoediger zijn zullen zeggen dat ze onevenwichtig was, of niet wist wat ze wilde of wie ze was. Oké, ik ben altijd tegen een stel malloten opgelopen, maar heb ik die niet zelf opgezocht? Ik had altijd iets tegen kinderen uit normale gezinnen, de meisjes van school, die arme jongen die me in La Metralleta achtervolgde en vast heel aardig was, afgestudeerd en al met een baan. Als ik denk aan de mensen met wie ik ben omgegaan krijg ik soms het gevoel dat ik pech heb gehad, maar dan denk ik weer dat ik het heb opgezocht, dat het is alsof ik was uitgerust met een geheim veiligheidssysteem dat alleen geopend kon worden met een speciale cijfercombinatie en dat er daarom alleen maar mensen met bepaalde karakteristieken toegang tot mij hebben: mensen die hun verleden verloochenen en voortdurend voor zichzelf op de vlucht zijn, zoals Monica, zoals Caitlin, zoals Ralph.

Op een middag toen Ralph en ik op weg naar zijn huis door de Meadows liepen stonden we opeens oog in oog met Barry, die met zijn handen in zijn zakken naar de grond liep te staren. Natuurlijk kon Barry niets weten van de relatie tussen ons, maar ik voelde me toch betrapt en kreeg een gevoel van schuld en angst. Hier kwam mijn eeuwige katholieke geweten waarvan ik dacht dat ik dat het zwijgen had opgelegd weer om de hoek kijken en het kwam plotseling bij me op dat Barry alleen al door ons samen te zien wel moest vermoeden dat wij een relatie hadden, alsof het op mijn voorhoofd stond geschreven. Tot mijn verbazing richtte Barry zich niet tot mij maar tot Ralph, die hij met kort knikje groette.

'Hallo collega. Wat heb ik jou lang niet gezien.'

'Dat valt wel mee,' antwoordde Ralph laconiek.

'Hallo,' zei hij tegen mij en met een blik op Ralph. 'Kennen jullie elkaar?'

'Wij zijn studiegenoten. Op de universiteit, weet je wel,' kapte ik meteen af.

'O natuurlijk... Nou, ik ga naar Negotians, ik moet openen. We zien elkaar wel weer.'

‘Oké,’ zei ik.

‘Tot ziens,’ zei Ralph.

Wij hadden alle drie niet afstandelijker kunnen zijn.

Toen ik twee of drie dagen later van de universiteit thuiskwam zat Barry aan de keukentafel thee te drinken met Cat en Aylsa. Ik brandde van verlangen te weten te komen waar Barry Ralph van kende, maar ik durfde het niet te vragen en belangstelling te tonen voor iemand die officieel alleen maar een bekende was. Barry was mij echter voor, alsof hij gedachten kon lezen en begon over Ralph.

‘Die vent met wie ik je laatst zag was toch Ralph Scott-Foreman hè?’

‘Hij heet Ralph,’ bevestigde ik. ‘Ik kende zijn achternaam niet.’

‘Studeert hij literatuur?’

‘Nee, kunstgeschiedenis. Maar we kennen elkaar van een seminar over esthetica,’ loog ik. Ik wilde niet hoeven uit te leggen hoe ik hem had ontmoet, want ik had Cat nooit verteld dat ik vrienden had gemaakt op de universiteit.

‘Ik heb hem eeuwen niet gezien en me altijd afgevraagd hoe het met hem zou gaan.’

‘Ken je hem zo goed?’

‘Iedereen kent hem. Hij is de benjamin van de familie Scott-Foreman. Zijn vader was lord.’

‘En hoe ken jij de zoon van een lord?’ vroeg ik, plotseling net zo verrast als jaren geleden toen ik erachter kwam dat Coco vrienden had in La Moraleja.

Ze waren niet precies vrienden, legde hij uit. Toen Barry een jongetje was van dertien, hooguit veertien jaar, was hij dik bevriend geraakt met zijn neef die een paar jaar ouder was dan hij en zijn brood verdiende in een platenzaak en af en toe plaatjes draaide in discotheken – toen werden ze nog geen clubs genoemd – en op feesten van rijke mensen. Dat tweede werd veel beter betaald dan het eerste en algauw had zijn neef een hele lijst met klanten die zijn diensten aan elkaar aanbevalen: mensen uit de bovenlaag van de bevolking, met dubbele namen en protestants, opgeleid op *public schools*, die net zo accentloos Engels spraken als een omroeper van de BBC en met ouders die zich erop konden laten voorstaan weleens uitgenodigd te zijn op Balmoral. Barry vond het fantastisch om naar die feesten te gaan. Hij hielp zijn neef met het sjouwen van de apparatuur en de platen en vroeg daar niets voor. De kans die hij kreeg om die landhuizen die hij tot dan toe alleen maar kende van de televisie vanbinnen te bekijken en onbeperkt bier te kunnen drinken zonder dat iemand naar zijn leeftijd vroeg was voor hem genoeg.

Op een keer kreeg zijn neef de opdracht om de muziek te verzorgen op een heel bijzonder feest dat werd gehouden in de villa van lord Scott-Foreman, een landgoed van tweehonderd acres tussen Fetercairn en Stoneheaven, ongeveer twintig mijl van Aberdeen. Ze gingen erheen in het oude bestelautootje van zijn neef en hoewel ze intussen wel gewend waren aan prachtige landgoederen, stonden ze toch met open mond te kijken naar dat prachtige oord. Er liepen veiligheidsmensen rond, er waren alarminstallaties, perfect verzorgde tuinen, stallen, een zwembad en een heliport... Ze kregen het huis vanbinnen amper te zien, maar Barry dacht dat het wel op de residentie van de koningin zelf zou lijken.

Het feest werd gehouden in een soort pub of discotheek met bar, kelners, lichten en dansvloer, die pas was aangelegd in een van de kelders van het enorme huis, dat meer dan tweehonderd jaar oud moest zijn. Het was echter niet druk. Er waren hooguit veertig mensen. Jongens van gegoede families die ladderzat waren en verwende nette meisjes, hooghartige *sloane girls* met mooi verzorgde glanzende kapsels, gezichten zonder een spoortje acne en bevallige slanke lichamen (wat goede voeding en veel sporten al niet doet...) jonge vrouwen van een volmaakte schoonheid die zich niet verwaardigden om maar een woord te wisselen met die twee proleten die waren ingehuurd om het feest op te vrolijken. Het feestvarken echter, de jongste zoon van lord Foreman, bleek best een aardige jongen te zijn die veel van muziek wist en een hele tijd stond te praten met de neef van Barry en zo te zien erg geïnteresseerd was in de platen die hij draaide. De neef vertelde hem over de winkel waar hij werkte en tot zijn enorme verbazing verscheen de jonge Ralph daar een week later en kocht de halve winkel leeg alsof het de gewoonste zaak van de wereld was, alsof honderd pond (in die tijd) uitgeven aan platen een luxe was die iedere willekeurige jongen van achttien zich kon veroorloven. Vanaf die tijd kwam hij nu en dan naar de winkel en gaf altijd astronomische bedragen uit. Barry's neef, die heel goed wist dat hij in de ogen van de familie Scott-Foreman nooit meer dan katholiek uitschot uit Glasgow zou zijn, werd heen en weer geslingerd tussen de diepgewortelde haat die hij voelde voor dat stinkrijke jongetje en een onweerstaanbare sympathie vanwege het feit dat hij werd bewonderd. Die welgestelde jongen, die bedeesd, verlegen en keurig opgevoed was, leek zijn woorden op te zuigen en luisterde even aandachtig naar zijn aanbevelingen als een begijntje naar de preek. Die puber kon met zijn miljoenen het werk noch de kennis van Barry kopen, maar wel al zijn platen.

Op een gegeven moment kwam hij niet meer langs. Dat was Barry noch Brian eigenlijk opgevallen. Barry had weleens zoiets gezegd als 'We zien de kleine lord hier niet meer'. En Brian antwoordde ironisch: 'Ja, ik weet niet waar hij mee bezig is. Waarschijnlijk met de handel in blanke slavinnen en drugs.' Ze moesten alle twee hard lachen om die opmerking en spraken niet meer over hem tot een jaar later het bericht in de kranten verscheen dat lord Scott-Foreman was overleden, en er een soort soap begon die wekenlang de voorpagina's van de roddelpers haalde. In het kort kwam het ongeveer hier op neer: de sportauto van de lord was in een ravijn gestort. Niets aan de hand tot zover. Maar de bejaarde moeder van de overledene, die haar schoondochter haatte, omdat deze in het testament tot erfgename van het familiefortuin was benoemd, had erop gestaan dat er sectie werd verricht. Daarbij bleek dat er een ongewoon grote hoeveelheid barbituraten in zijn bloed zat. Het leek onwaarschijnlijk dat lord Scott-Foreman in staat zou zijn geweest om te rijden na die cocktail van pillen waardoor hij onvermijdelijk in een halfslaap moest zijn geraakt. Er werd dus verondersteld dat iemand het bewusteloze lichaam in de auto had gezet en het voertuig vervolgens het ravijn in had geduwd. Alle verdenking viel op zijn echtgenote. Toen kwam de hele vuile was van de familie naar buiten: verhalen over drankzucht, misbruik en mishandeling. Lord Scott-Foreman, ook al was hij dan lord, was een dronkelap die zijn vrouw regelmatig sloeg en haar op een keer thuis van de trap had geduwd, waardoor ze een miskraam had gekregen. Zij had daarentegen al jaren een relatie met een veel jongere man, die ervan werd verdacht medeplichtig te zijn aan de moord. Er werden onderzoeken en tests gedaan, maar niemand kon de vermoedens bewijzen. Het was waar dat er een alarmerende hoeveelheid barbituraten in het lichaam was gevonden, maar het was ook zo dat de overledene buitensporige hoeveelheden kalmeringsmiddelen slikte en dat hij die graag innam met alcohol. Er kwam een rechtszaak maar de lijkschouwer kon niet met zekerheid zeggen of de bestuurder bewusteloos was geweest op het moment van het ongeluk, hoe waarschijnlijk dat ook mocht lijken. Aylsa en Cat, die zich de geschiedenis vaag herinnerden, meenden dat de echtgenote, zoals gewoonlijk, alleen al werd verdacht omdat ze ontrouw was en dan ook nog eens met een jongere man. Wanneer het om een man was gegaan was er niet eens een rechtszaak geweest als de beschuldiging op zulke zwakke bewijzen berustte. In ieder geval werd de echtgenote ten slotte van alle aanklachten vrijgesproken. Maar het schandaal had de aandacht getrokken en moest haar ontzettend hebben aangegrepen, want vanaf die tijd trok zij zich terug uit het openbare leven en ze overleed korte tijd later aan een hartaanval, dat dacht Barry tenminste, die meende het bericht in de krant te hebben gelezen. Ralph had volgens Barry nog een broer, een heel knappe jongen die altijd werd gezien in gezelschap van oogverblindende dames, dol was op heibel en uitgaan en als hij het zich goed herinnerde een bekend figuur was in alle clubs van Edinburgh, Manchester en Londen, want hij zoop zich helemaal klem en Barry vermoedde dat hij de laatste jaren het fortuin dat hij had geërfd wel verspild zou hebben aan alcohol en drugs…

Ik stond langzaam van de tafel op om niet te laten merken dat ik van streek was. Ik wilde niet dat een van de aanwezigen in de gaten had hoeveel indruk die geschiedenis op me had gemaakt en dat ze zouden vermoeden wat ik voelde voor de hoofdpersoon. Ik verontschuldigde me en wendde vermoeidheid voor, wat niemand verbaasde, want ze waren al lang gewend aan mijn matige sociale gedrag. Ik ging naar de badkamer om de thee uit te spugen, een vloeistof die even zwartgallig en donker was als de geschiedenis die ik net had gehoord.

Ik had zojuist begrepen dat Ralph nooit van me zou houden.

Ralph zou nooit van me houden, Monica zou nooit van me houden... Monica had haar vriend met de dubbele achternaam verkozen, die geld had, status, een vaste baan, een vast inkomen en een penis tussen zijn benen.

Ik liep naar mijn idee urenlang over de Castellana en mijn benen brachten me zuiver willekeurig naar het Retiropark. Ik zocht een koele schaduwrijke plek bij het meer onder een treurwilg. De pijn had me verkrampt zoals angst alle dieren verkrampt, had me lamgeslagen, ik was niet in staat te reageren. Er gingen uren voorbij zonder dat ik er erg in had, de lucht veranderde van kleur, de paartjes om mij heen werden andere paartjes, er kwamen en gingen heren met honden en fietsers en de zwanen zwommen heen en weer over het meer op zoek naar broodkruimels.

Rilke heeft gezegd dat schoonheid berust op de hoeveelheid ellende die wij nog kunnen verdragen. Ik had vreselijke dingen verdragen, of niet. Vreselijk zijn de beelden op de journaals, verbrande lichamen in oorlogen, uitgehongerde kinderen, verkrachte vrouwen, onuitwisbare blikken vol haat op kindergezichten, die aangrijpende onhoorbare kreten die voortkomen uit de donkere diepten van de honger. Misschien waren er wel slachtoffers in de eerste en de tweede graad. Misschien deed het er allemaal niet toe, omdat we uiteindelijk toch allemaal dezelfde oorsprong hebben en hetzelfde einde. Als we sterven vallen we uit elkaar in waterstof, helium, zuurstof, methaan, neon, argon, koolstof, zwavel, silicium en ijzer en zullen we na miljoenen jaren de atmosfeer doorkruist te hebben terugkeren naar onze oorsprong de zon, een stervende ster, een waterstofbom die voortdurend explodeert.

De zon, de maan en de sterren komen altijd in het oosten op en gaan in het westen onder. Ze komen iedere avond weer op, iedere avond en maken steeds weer opnieuw dezelfde baan. Dat zouden ze blijven doen, dacht ik, ook al ging ik dood. Daarboven bestond een orde, een voorspelbaarheid, een bijna rustgevende aanwezigheid van sterren waardoor ik me onbeduidend voelde. Want wat er ook met mij zou gebeuren, de wereld draaide door en dat bewees de avond die nu onvermijdelijk viel, die de hemel violet en grijs kleurde zoals al triljoenen jaren gebeurde en nog triljoenen jaren zou doorgaan, als mijn lichaam al lang weer was opgenomen in de kringloop van de natuur en tot aarde, tot een plant, tot een dier was geworden.

Ik pakte mijn portemonnee en keek erin. Er kwamen een paar briefjes te voorschijn, een paar pilletjes in cellofaanpapier, een dosis cocaïne, de foto's uit de automaat... Onze drie gezichten die in vergetelheid zouden raken.

De hemel, die 's nachts een stralend schilderij was, beheerste mijn nachtelijke angst. De volle maan, dat kreng, waar ik vroeger zo bang voor was geweest heerste daarboven, goed beschermd door haar gevolg van sterren. Met al haar gezelschap maakte ze dat ik me nog eenzamer voelde. Het leek alsof ze me uitlachte. Als kind hadden ze me geleerd dat daarboven iemand woonde die van me hield, dat de wolken de stad van God bedekten. De sterrenhemel boven mijn hoofd wekte toen nog mijn nieuwsgierigheid op. Daar woonden in mijn jeugd engelen, heiligen en profeten en ik keek naar de hemel alsof ik een in licht geschreven antwoord verwachtte. Ik hoopte dat iemand in wie ik niet geloofde mijn smeekbeden zou aanhoren en mijn wanhoop zou begrijpen. Maar de hemel vertelde me alleen maar dat er een einde was gekomen aan een lange dag, dat het laat was, dat ik naar huis moest gaan. Dat daar niemand woonde, alleen een paar eenzame satellieten die veroordeeld waren om hun dagen te slijten in de kerkhofbaan.

Ik stond op en liep naar de uitgang. Bij de Puerta de Alcalá vond ik een telefooncel. En toen mijn vader opnam zei ik gewoon: 'Met Beatriz. Ik wil naar huis komen.'

Er is niets wat de Aarde en de Maan fysiek gesproken verbindt en toch trekt de Aarde de Maan voortdurend aan. De Maan beweegt in een elliptische baan om de Aarde. De Maan houdt van de Aarde, die op haar beurt weer van de Zon houdt, om ons te laten zien dat die kleine liefdesdrama's die wij dag in dag uit meemaken niet het erfgoed van de Mensheid zijn, zoals dat evenmin het geval is met familie - of werkverbanden waarin we van elkaar afhankelijk zijn. De Maan bepaalt de getijden en de levenscycli van vele dieren. De Maan is vrouwelijk omdat de cyclus van de Maan, die achtentwintig dagen duurt, even lang is als de menstruatiecyclus (een cruciaal feit voor een hartstochtelijk geslacht dat bezeten is van continuïteit). Het is statistisch bewezen dat er meer moorden gebeuren in nachten met volle maan. Het is dus niet vreemd dat ik als kind bang was voor de volle maan. Ik had gelijk.

Ralph verliet me ook bij volle maan. We zagen elkaar nog vaak 's middags, we kwamen elkaar tegen in het café, we hadden alledaagse gesprekjes alsof we elkaar nooit hadden omhelsd, alsof we niet samen bezweet in bed hadden gelegen na een orgasme. Alsof we geen geheugen hadden. Die zo absurde koelheid, die ik zonder meer accepteerde met de berusting waarmee je dingen voor lief neemt.

Het was op een avond dat Cat in de bar werkte en ik weer een van mijn sombere buien had. Plotseling voelde ik me alleen en aan mijn lot overgelaten, ver van Madrid, van huis, van Monica, verzonken in een leven dat ik niet begreep en waar ik geen deel aan had. Ik moest gewoon met iemand praten, iemand dicht bij me voelen, die grauwe oceaan oversteken, boven water komen en met mijn vingertoppen het licht raken. Op Cat kon ik nu niet rekenen, want het was verboden haar op haar werk te bellen, tenzij in geval van nood. Dus belde ik Inlichtingen en vroeg naar Ralphs nummer. Mr. Scott-Foreman, Bakerstreet 9. Hoe vreemd het ook klinkt, ik wist zijn nummer niet, ik had hem nooit opgebeld.

Zijn diepe zware stem, los van zijn persoon, gescheiden van zijn fysieke aanwezigheid kreeg een andere toon en klonk buitengewoon begeerlijk. Het overviel me met de directheid waarmee muziek de zinnen prikkelt. Plotseling kreeg ik de dringende behoefte hem dicht bij me te voelen, te dansen op het ritme van die melodieuze stem, me te laten meevoeren door zijn stroom van testosteron. Hoewel ik hem nooit eerder had gebeld en hij me ook nooit zijn nummer had gegeven leek hij niet verbaasd. Hoe gaat het? vroeg hij. Ik wachtte een paar seconden waarin ik de *ambient* op de achtergrond kon horen. Ik weet niet, zei ik ten slotte. Niet zo goed. Wat is er aan de hand? vroeg hij. Ik voel me alleen. We zijn allemaal alleen, antwoordde hij. Hoe eerder je daaraan went, hoe beter. Daar wil ik vanavond niet mee beginnen. Juist vanavond niet. Ik hoopte dat hij me thuis zou uitnodigen, maar hij zei niets. De synthesizers van The Orb namen weer bezit van de stilte. Wat ben je aan het doen? vroeg ik eindelijk. Ik werk aan mijn proefschrift, antwoordde hij, en daar moet ik weer mee verder. Pas goed op je zelf. Tot gauw. En hij hing op.

Ik ging naar buiten de straat op. Het vroor, de avond viel en de mist nam even snel bezit van de stad als de onrust van mijn lichaam. De contouren van de dreigende gebouwen losten op, de wereld leek helder en een beetje leeg. Ik liep door Edinburgh en voelde me als in een droom. Mijn referentiepunten – het kasteel, de brug, de berg – hingen in de lucht als een toneeldecor, geïsoleerd en onsamenhangend in de nevel. Ik was stuurloos in een onvolledig landschap, een soort schets van het Edinburgh dat ik kende, lantaarnpalen en torens dreven los van hun context in de lucht vol met lichtpuntjes.

Plotseling zag ik haar aan de hemel, enorm, als een voorteken, versluierd door tranen en door wolken en door de wasem van mijn eigen ademhaling. Het verhulde beeld van de volle maan. Absurd bijgeloof, maar het is een feit dat ik traditiegetrouw altijd vrijde bij volle maan sinds ik Cat kende. Altijd bij volle maan, behalve deze keer. O ja, ik had natuurlijk naar huis kunnen gaan en wachten tot zij er was. Maar ik wilde het niet met Cat doen, omdat ik gedeprimeerd was en geen zin had om te moeten lachen. Ik moest een absurd tot chromosoom gemaakt soort loyaliteit hebben die in mijn genetische aanleg zat en die me dwong om naar Ralph en alleen naar Ralph te verlangen, tenminste vanavond. Dus draaide ik me onderweg naar huis weer om, zigzaggend over de trottoirs, dronkaards ontwijkend, en dacht na. Mijn rivaal, mijn concurrent, mijn geliefde, de man die ik uit de grond van mijn hart benijdde om zijn geld, zijn rust en zijn koelbloedigheid, die ik miste, had me in de steek gelaten toen ik hem nodig had.

Aan de ene kant voelde ik me enorm schuldig dat ik hem elk uur van de dag mijn aanwezigheid wilde opdringen, dat ik zo bezitterig en claimend was, dat ik wilde dat hij voor mij zou leven. Maar had ik aan de andere kant niet zo vaak in boeken gelezen dat dat een universeel gevoel was, die obsessie voor het object van verlangen, die drang om de enige te zijn. We waren allebei laf geweest. Ik had niet gekozen tussen Cat en hem. Hij had niet gekozen voor mij.

Ik stelde mezelf de vraag. Beatriz, waarom? Als duidelijk is wat er aan de hand is, dat je eigenlijk al hebt gekozen, dat je bij de ware blijft, bij je katmeisje dat je zekerheid kan bieden en een solide band die jullie verenigt en die in de loop van de tijd is geweven door geleidelijk opgebouwde betrokkenheid over en weer. Waarom sta je niet achter die keus? Waarom blijf je Ralph bellen, waarom staar je je blind op wat je niet hebt? Waarom accepteer je verdomme niet dat wat niet kan, niet kan, en ook onmogelijk is.

Wat pijn deed, echt pijn, was die wond, geïnfecteerd door machteloosheid, dat willen maar niet kunnen dat aan me vrat. De kern van mijn spanning zat in het onderdrukte verlangen en de afgebroken ontmoetingen. Alles wat had gekund, maar niet kon, geven en nemen. *For all the lovers en sweethearts we'll never meet.* En ik vroeg me af: hoe durf ik van iemand te eisen dat ik de enige ben als ik dat zelf niet kan geven?

Ik stond stil voor een rode telefooncel en ging erin. Ik had het nummer van Ralph onthouden, in mijn geheugen gegrift met de inkt van verlangen. Ik deed er een muntje in en draaide de zeven cijfers. Hij nam op.

'Ik ben het weer. Ik wil je zien,' zei ik.

'Ik heb je al gezegd dat dat niet kan,' antwoordde hij.

'Is er iemand anders bij je?' vroeg ik.

'Niemand, ik ben alleen.'

Ellenlange stilte. The Orb bleef doorklinken in de verte als een soundtrack naar mijn gespannen verlangen. Na een tijdje hoorde ik zijn stem weer. 'Beatriz...' Haar naam klonk anders uit zijn mond, het was niet meer mijn naam, die mijn moeder me had gegeven, nu was het de naam die hij me gaf, die me in iemand anders veranderde alleen al door me zo te noemen, door de z van mijn naam in een s te veranderen. Beatrice... Hij wilde mijn Dante niet zijn.

'Beatriz, ik denk dat je te veel van me verwacht. Dat je iets verwacht wat ik je niet kan geven. Er zijn bepaalde dingen die ik me niet kan veroorloven.'

'Wat kun je je niet veroorloven?'

'Laten we het hierbij laten, Beatriz, ik wil er niet verder over praten. Ik wil het je niet uitleggen... En jij bent te slim om verder te vragen.'

Ik zei niets.

'Gaat het een beetje?' hoorde ik hem zeggen.

Ik zei niets meer. Ik legde de hoorn weer op. Hij had me nooit iets beloofd en hij had gelijk. Ik had zelfs niet het recht hem vragen te stellen.

Ik heb nooit recht gehad op vragen noch op antwoorden of op wat voor soort verklaringen ook. Ralph overviel me er niet mee, omdat ik gewend was andermans beslissingen zonder slag of stoot te respecteren, absurd gedrag te accepteren zonder vragen te stellen, zonder te eisen, zonder te claimen en te geloven dat ik het niet verdiende dat iemand van me hield, respect voor me had en me nam zoals ik was. Daarom vocht ik niet voor hem. Een voorbeeld: toen ik die laatste zomer in Madrid naar huis ging zoals Monica me had aangeraden, werd ik totaal niet opgevangen. Het leek hun geen barst te kunnen schelen of ik thuis was of niet en het kwam ook niet bij mij op dat het anders had gekund. Mijn moeder sloot zich dagenlang op in haar kamer onder het voorwendsel van migraine en mijn vader was er nooit. Hij vertrok om acht uur 's morgens naar zijn werk en kwam 's avonds laat pas weer terug. Het was een vreemde gang van zaken. Elke dagindeling, routine of systeem ontbrak. Er was geen tijd voor lunch of avondeten. Mijn moeder ontbeet en sloot zich dan de rest van de dag op in haar kamer. Een enkele keer ging ze uit – niet vaak – om met haar vriendinnen te kaarten en dan zei ze niet eens dat ze wegging. Blijkbaar had ze besloten me te negeren. Ik wist wanneer ze binnenkwam of wegging door het geluid van het deurslot en dan liep ik als een spook door het huis en maakte van de gelegenheid gebruik om haar medicijnkastje te plunderen en pillen in te slaan die me hielpen om het allemaal uit te houden. Ik weet niet of mijn moeder verwachtte dat ik zelf iets uit de koelkast zou pakken om te eten, ik weet niet of het haar iets kon schelen of ik wel of niet at. Maar nee, ik at niet. Ik at niet, ik sliep nauwelijks en voerde ook niet veel uit. Ik vegeteerde. Ik sloot me op in mijn kamer en lag op bed naar het plafond te staren terwijl ik nergens aan probeerde te denken, want mijn hoofd leek niet meer in staat te functioneren, alsof er vanbinnen door te veel druk een veer was gesprongen en het mechanisme niet meer werkte. Ik herkende mezelf niet meer, ik was mezelf kwijt. Als ik probeerde te lezen werden de letters vertekend, ze werden groter of kleiner als een olievlek op een stormachtige zee en als ik er met enorme inspanning in slaagde een paar woorden te ontcijferen was dat om te ontdekken dat de zin totaal geen betekenis voor me had. Als ik probeerde te schrijven verschenen er hanenpoten op het papier die ik niet als de mijne herkende en die ook geen samenhang hadden. Een enkele keer kwam het bij me op de televisie aan te zetten, maar dan leken de kleine mensachtige figuurtjes op het scherm niets met mij te maken te hebben en in een andere wereld te leven, op miljoenen lichtjaren van mijn werkelijkheid.

Ik kon ook niet slapen. Als ik het licht uitdeed voelde ik vanbinnen constant een angst die aan mij knaagde als een worm in een appel en ik lag te draaien en te woelen in bed. Soms viel ik even in slaap, maar dan werd ik plotseling met een schok wakker met een dreigend angstgevoel alsof iemand binnen in mij me waarschuwde dat ik op het punt stond gevaarlijk gebied te betreden.

Ondanks de pillen die ik van mijn moeder had gepikt kon ik niet slapen, maar ik kwam wel in een soort droomtoestand die de tijd deed vervagen: de dagen versmolten tot een absurde mengelmoes. Uren die volgden op uren die volgden op uren: een vormeloze opeenhoping van nutteloze minuten, terwijl ik opgesloten in mijn kamer de wijzers op mijn wekker onverbiddelijk zag doortikken en mijn warrige brein constant op een laag pitje doorbrandde als de as van een sigaret.

We woonden op de vijfde verdieping. Twee of drie keer per dag ging ik voor het raam van mijn kamer staan en stelde me een laatste sprong voor. Een paar seconden in duikvlucht en dan spat de schedel tegen de straatstenen uit elkaar. Ik keek naar beneden en de tegels leken groter en groter te worden, ze dreigden zo enorm te worden dat het leek of ik in die eindeloze grijze luchtspiegeling werd opgezogen.

Na een paar dagen, ik weet niet meer hoeveel, drie of vier of vijf of misschien een week of meer, besloot ik voor het eerst sinds ik weer thuis was te gaan douchen. Ik had sindsdien ook niet gegeten. Ik had het geprobeerd, maar telkens als ik naar de koelkast ging kreeg ik vreselijke braakneigingen alsof een dwergje in mijn keel met een draadje aan mijn maag trok om hem kleiner te maken.

Ik nam een hete douche, ook al was het midden augustus. Toen ik eronderuit kwam en me over de kranen boog om zeker te zijn dat ik ze goed had dichtgedraaid kreeg ik ineens een gevoel of ik samengeperst werd tussen de benauwende witheid van de tegels die om me heen dansten. Ik probeerde mezelf in de spiegel te zoeken om een referentiepunt te hebben, maar ik kon me niet vinden. Mijn eigen beeld had me verlaten. En toen voelde ik hoe de afvoer van het bad me onherroepelijk meetrok met het water, als in een draaikolk. Ik bood geen weerstand en liet me vallen, vallen, vallen.

Mijn vader vond me even later bewusteloos op de badkamervloer. Het was zaterdag en hij was niet gaan werken. Het kostte hem een hele tijd om me weer bij bewustzijn te krijgen. Toen ik mijn ogen opende herinnerde ik me niets meer. Niet alleen hoe ik gevallen was, maar ook mijn naam niet en ik herkende evenmin de meneer die me had wakker gemaakt. Hij dacht dat ik mijn hoofd had gestoten.

De dokter constateerde een zenuwinzinking.

Eerst lag ik in het ziekenhuis, niet zo lang, geloof ik, hoewel ik me er eigenlijk niet veel meer van herinner. Ik geloof dat ze me kalmerende middelen gaven. In mijn herinnering heb ik een beeld van een slangetje dat was verbonden met een fles. Het slangetje liep naar een naald die in mijn arm stak en daarop zat een pleister. Ik was ondervoed en uitgedroogd en overspannen, althans dat vertelde mijn vader me later toen hij me uit het ziekenhuis kwam ophalen. Zijn auto rook naar tabak en lavendel, van zijn aftershave, en tijdens de hele rit naar huis wisselden we geen woord.

Ik weet dat ik bijna de hele maand augustus in bed heb doorgebracht. Ik moest kennelijk steeds huilen en vergoot alle tranen die ik al veel eerder had moeten vergieten. 's Nachts werd ik gillend wakker met hysterische krampen. Ook dat vertelde mijn vader me, want ik herinner me niets meer van die maand. Mijn moeder moet bijna voortdurend naast me hebben gezeten, aan het hoofdeinde van het bed. Ik weet het niet meer. Er komen geen beelden bij me op. Mijn geest is me genadig geweest en heeft alles uitgewist en die dagen met een zwarte sluier van barmhartigheid bedekt.

Daarna stuurde mijn vader me naar een andere psychiater. Deze keer was het een jonge vrouw, tamelijk knap, met een rustige melodieuze stem, die me een heleboel vragen stelde. Vragen waarop ik de antwoorden voorzichtig overwoog voor ik besloot iets te zeggen om haar niet te veel compromitterende informatie te geven. Op die manier kon ik, zeker in het begin, terechtkomen op zaken als poëzie en schilderkunst. Maar na twee of drie weken dacht ik dat het me verdorie ook niets kon schelen wat ze aan mijn ouders vertelde en begon ik openhartig te worden. Vanzelfsprekend praatte ik nooit over die laatste week in juli, niet over onze drugshandeltjes en ook niet over de moord die ik misschien had begaan. Maar ik had het over mijn moeder en mijn vader en de stroperige verstikkende sfeer bij ons thuis en over de onbedwingbare jaloezie die ik voelde als ik zag dat niet alle gezinnen zo waren, dat er bij anderen gewoon werd gepraat en dat ze zelfs van elkaar hielden. Nee, ik haatte mijn ouders niet. Wat kon mijn vader eraan doen dat hij opgescheept zat met een slecht opgevoed kind dat hij nauwelijks kende en dat hij ook niet mocht leren kennen? Wat kon mijn moeder eraan doen dat ze van de ene op de andere dag in een groot appartement zat opgesloten met een man die er nooit was en haar totaal negeerde? Niemand had haar geleerd voor zichzelf te zorgen, daar was ze niet op voorbereid. Nee, het gaat niet om schuld, alleen om oorzaken. En je probeert je verdriet te begraven, maar dat verdriet dringt door de aarde onder je voeten heen en vergiftigt geleidelijk het water dat je drinkt en vervuilt de lucht die je inademt zonder dat je zelf in de gaten hebt waarom je je zo beroerd voelt.

Het stof in het centrum van de Melkweg is als een nevel, ondoorzichtig in het volle licht en ondoordringbaar voor astronomen die het binnenste ervan met optische telescopen willen onderzoeken. Daarom weten we minder van het centrum van ons eigen melkwegstelsel dan van die van andere die veel verder weg liggen. Daarom is het ook veel gemakkelijker de valkuilen die bij andere gezinnen of andere stellen aan de orde zijn te begrijpen dan die van onszelf.

Er komen miljoenen redenen bij me op waarom ik gek werd.

Maar de belangrijkste zijn de redenen die niet bij me opkomen, die begraven zijn.

Op een avond kwam mijn vader vroeger dan gewoonlijk van zijn werk thuis en stelde me voor ergens iets te gaan drinken. Het ongewone van het voorstel – mijn vader had nog nooit van zijn leven een lang gesprek met mij alleen gehad – gaf me het gevoel dat er iets belangrijks ging gebeuren.

Hij nam me mee naar een bar op het Plaza de las Salesas, een schemerige ruimte waar zachte jazzmuziek werd gedraaid, gevarieerd zonder schelle klanken en waar een paar stellen van middelbare leeftijd aan tafeltjes zaten. Ik wilde maar liever niet raden of mijn vader dikwijls een afzakkertje nam in die bar en ook niet met wie. Hij bestelde een whisky en ik een tonic, omdat de psychiater me had gewaarschuwd dat ik geen alcohol mocht drinken omdat ik anxiolytica slikte. We gingen aan een tafeltje in een hoek zitten en ik vroeg me af hoe de kelners ons zouden zien. Zouden ze denken dat ik zijn dochter was of zouden ze me voor een jeugdig vriendinnetje houden? Mijn vader zag er nog steeds best aantrekkelijk uit voor zijn leeftijd. Mijn moeder zei altijd dat hij heel erg knap was geweest toen hij jong was en hij had nog steeds iets van zijn vroegere uitstraling: zijn Griekse neus bijvoorbeeld en zijn blauwe ogen, een gelijkmatig blauw, veel lichter dan de mijne. Hij kleedde zich goed, rook lekker en ik begon de reden van zijn afwezigheid te begrijpen. In feite had ik het altijd geweten maar het was me nooit zo duidelijk geweest.

Hij praatte heel rustig tegen me en ik was hem erg dankbaar dat hij me als een volwassene behandelde, zonder paternalistisch te zijn.

'Beatriz,' zei hij, 'ik heb met je arts gesproken. Ze vindt je heel intelligent, bijna hoogbegaafd, hoewel we dat eigenlijk al wisten.'

Het eerste nieuws. Ik had altijd de indruk gehad dat ze me voor een idioot versleten.

Hij vervolgde. We hadden niet de gelegenheid gehad om over het onderwerp te praten maar er werd toch van uitgegaan dat ik bezig moest zijn met mijn inschrijving aan de universiteit. Het was voor mijn vader duidelijk dat ik er door de omstandigheden zelfs niet bij stil had gestaan. En dat was ook zo. Het afgelopen jaar had ik gespeeld met de gedachte om rechten of economie te gaan studeren, maar dat leek me nu een mogelijkheid die heel ver van me af stond. Hoe zou ik aan studeren kunnen denken als ik nog geen drie zinnen achter elkaar kon lezen? Ik knikte dus alleen en hij ging door met zijn verhaal. De dokter dacht ook niet dat het verstandig was om al dit jaar met een universitaire studie te beginnen en vond het beter om de beslissing een jaar op te schuiven. Ze had mijn vader gezegd dat de invloed van mijn moeder niet goed voor me was, dat mijn emotionele evenwicht te lijden had door de sfeer in het gezin en ze had geadviseerd me te laten opnemen in een privé-kliniek voor een intensieve therapie. Ik hield mijn adem in: ik wilde absoluut niet naar een kliniek. Maar dat leek mijn vader allemaal onzin (ik haalde opgelucht adem toen ik dat hoorde) en hoewel hij het met de dokter eens was dat ik niet in de buurt van mijn moeder moest blijven, zou hij niet toestaan, zei hij, dat zijn eigen dochter in een gekkenhuis werd opgenomen waar artsen haar zouden volstoppen met pillen zoals ze ook bij zijn vrouw hadden gedaan. Hij had eraan gedacht me een jaar naar het buitenland te sturen om Engels te leren, zoals zoveel van zijn collega's met hun kinderen deden. En daarna, als ik terugkwam, zouden we wel zien of ik naar de universiteit wilde of niet. Hij wilde weten of ik me sterk genoeg voelde om een jaar eenzaamheid aan te kunnen. Ik zei van wel, natuurlijk. Ik brandde van verlangen om weg te komen. Weg uit Spanje, niet elke dag op elke hoek de kans te lopen dat een verwend jongetje zich op me zou storten om me een jaap over mijn gezicht te geven. En nog iets anders: ik zou niet in dezelfde stad rondlopen als Monica. Ik wilde haar niet meer zien. Telkens als ik aan haar dacht ging er een pijnscheut door me heen.

Ik vermoedde dat mijn vader het allemaal deed omdat hij van me af wilde zijn en dat kon ik hem niet kwalijk nemen, want iedereen met een beetje gezond verstand had gerild bij de gedachte om onder één dak te wonen met twee hysterische gekken die de hele dag met elkaar overhoop lagen. En omdat hij niet van mijn moeder af kon leek het hem beter mij de laan uit te sturen. Maar misschien was het waar dat hij toch ergens bezorgd om me was, dat hij iets wilde doen om mijn leven op orde te brengen. Uiteindelijk was ik zijn dochter, droeg ik zijn achternaam en had ik een aantal eigenschappen van hem in mijn genen. Ik probeerde na te gaan of we ooit van elkaar hadden gehouden, of er ooit iets van een vaderdochterrelatie was geweest. Het enige wat in het begin bij me opkwam wat ons samenwonen betreft was de grootst mogelijke onverschilligheid over en weer met zo nu en dan wat episodes van geweld. Maar als ik dieper in mijn geheugen dook op zoek naar verborgen schatten herinnerde ik me toch ook andere momenten, kwamen er plotselinge flarden uit mijn jeugd naar boven.

El Escorial, een zomer. De tuin van ons vakantiepark. Ik weet niet hoe oud ik ben. Ik heb een bosje wilde bloemen geplukt en ren naar mijn vader om het hem te geven. Hij bedankt me uitgebreid alsof het om een groot cadeau gaat. Het gaat door me heen dat ik veel van mijn vader gehouden moet hebben als ik hem dat zo graag wilde geven.

Een kerstvakantie. Mijn vader gaf me een adventskalender waarop de weken voor Kerstmis tot aan kerstavond stonden aangegeven. Elke dag had een allegorisch tekeningetje op een raampje en als je dat opendeed kwam er een chocolaatje uit in de vorm van een kerstkonijntje. Ik ben nooit voor de verleiding bezweken om zo'n chocolaatje voortijdig op te eten, ik at nooit het konijntje van de volgende dag op en ik heb die kalender nog tot lang na Kerstmis bewaard toen hij allang leeg en zinloos was geworden.

School. Om de een of andere reden kon mijn moeder me een tijd lang niet komen ophalen (ze moet ziek zijn geweest, denk ik) en kwam mijn vader me vaak 's middags ophalen. Hij had toen een baard, een witte baard, en mijn klasgenootjes vergeleken hem met de grootvader van Heidi. Ik vond het vervelend dat ze dachten dat hij mijn opa was, maar tegelijkertijd was ik heel trots op hem.

Onmogelijk te achterhalen van welke leeftijden deze herinneringen stamden. Onmogelijk precies aan te geven op welk moment die fragiele band tussen ons scheurde. Onmogelijk vast te stellen wanneer ik partij begon te trekken voor mijn moeder en hem begon te haten. Onmogelijk na te gaan in hoeverre ik van hem hield, maar een kiem van verdriet in mijn herinnering doet me vermoeden dat ik wel heel veel van hem hield toen ik klein was, op die absolute manier waarop kinderen hun ouders aanbidden. Ik dacht dat ik dat gevoel volledig had uitgewist, maar er bestond nog een spoortje genegenheid in een of ander hoekje van mijn onderbewustzijn dat me ondanks alles dankbaar stemde en misschien bood hij me die uitweg niet omdat hij zo graag van me af wilde zijn, maar werd hij gedreven door eenzelfde spoor van genegenheid.

Wat onbelangrijk is dat nu allemaal...! Wij hadden nu eenmaal alle schepen achter ons verbrand en zouden nooit meer nader tot elkaar komen. Er was een enorme afstand tussen ons ontstaan. Natuurlijk had ik liever een vader en een moeder gehad die van me hielden, een vast referentiepunt waarop ik had kunnen vertrouwen, een bron van genegenheid die altijd beschikbaar was. Maar ik had ook in Bosnië, Oeganda of Zaïre geboren kunnen zijn en dan had ik nog veel slechtere ervaringen gehad. Toeval speelt in elk verhaal een belangrijke rol. Elke evolutie wordt gekenmerkt door enorme toevalligheden. De botsing van een kosmische straal met een ander gen, het ontstaan van een mutatie... nanoseconden met ingrijpende gevolgen, die misschien in het begin niet zo merkbaar zijn, maar doorslaggevend op de langere termijn. Naarmate de kritische gebeurtenissen in een eerder stadium plaatsvinden, is hun invloed op het heden des te sterker. En dit axioma gaat op voor de geschiedenis, voor de biologie en voor de astronomie... Voor ons eigen leven.

We komen al gedetermineerd door bepaalde materiële en emotionele factoren ter wereld. Wij hadden in een ander gezin, in een ander land geboren kunnen worden. We hadden meer of minder rijk kunnen zijn, meer of minder geliefd. De plek waar we zijn terechtgekomen, de mensen die ons hebben opgevoed, het onderwijs dat we hebben gehad, het zelfbeeld dat ons is bijgebracht, de liefde die we hebben gekregen... Dat telt allemaal mee.

Maar ik ben toch geneigd te geloven, ik wil geloven, dat al worden we met bepaalde kaarten geboren, het aan onszelf ligt hoe we ermee spelen.

Een straling, door wetenschappers de Kosmische Achtergrondstraling gedoopt, vormt de oorsprong van het leven en draagt sporen van donkere materie en schitterende materie in zich. Ze overspoelt het heelal, doordrenkt het helemaal, maar is niet afhankelijk van enig object in het bijzonder. Uiteindelijk zijn we allemaal deel van een veel groter geheel dat ons omringt, allemaal dragen we in ons binnenste chaos en orde, schepping en vernietiging met ons mee. Allemaal zijn we tegelijkertijd slachtoffer van ons eigen leven maar er ook voor verantwoordelijk. Er staan allerlei wegen ten goede en ten kwade voor ons open op onze passen in de werkelijkheid. Maar we zijn niet allemaal even slim om dat te begrijpen en niet even flink om onze route uit te stippelen.

Het heeft geen zin om te veel stil te staan bij al die onbeantwoorde liefdes uit mijn jeugd, die me hebben verhinderd – vermoed ik – op volwassen leeftijd liefde te geven en te ontvangen. Ik weet best dat er mensen met dezelfde ervaringen zijn die daar beter in zijn geslaagd. Ralph misschien. Caitlin bijvoorbeeld. Haar moeder kan niet veel van haar hebben gehouden, anders had ze haar niet zonder meer laten gaan. Ze sprak niet vaak over haar jeugd, over haar leven in Stirling, en ik durfde er ook niet naar te vragen omdat ik voelde dat ze een muur had opgetrokken om haar verleden af te schermen, en zij wilde niet dat daar ook maar de kleinste bres in werd geslagen. Maar door bepaalde details die mij tijdens ons samenwonen waren opgevallen vermoedde ik allerlei vreselijke dingen... Ze praatte niet één keer over haar moeder in de tijd dat we samenwoonden en ook niet over haar zuster. Ik kwam ook nooit te weten hoe haar stiefvader heette, omdat ze het altijd over hem had als 'die bastaard'. Het feit dat Caitlin automatisch naar een ander net overschakelde als er een gewelddadige scène op de televisie verscheen, van wat voor soort dan ook, of haar overdreven verontwaardiging als ze in de krant een bericht las over seksueel misbruik van minderjarigen... Ze las dat steeds opnieuw en gaf eindeloos commentaar terwijl ze een morbide belangstelling toonde die ik verdacht vond. En dan haar littekens. Ze had er veel, op haar rug en op haar benen, en ze weigerde gewoonweg erover praten. Nou ja, twee keer twee is vier, en ook al respecteer je het recht op privacy van je vriendin en kies je ervoor om geen vragen te stellen, dat neemt niet weg dat je de antwoorden vermoedt. Ik wil niet voor de gemakkelijke verleiding bezwijken om te veronderstellen dat als zij zo categorisch seksuele relaties met mannen weigerde, dat een reactie was op vroegere gedwongen ervaringen, en evenmin dat haar overdreven emotionele aanhankelijkheid kwam door een gebrek aan liefde. Ik weet wel dat ze me na aan het hart lag, dat ik me onweerstaanbaar tot haar aangetrokken voelde omdat we in hetzelfde schuitje zaten, juist omdat ik wist dat ze op de een of andere manier in de steek was gelaten. Waarschijnlijk was ik niet bij haar geweest als ze uit een gelukkig gezin was gekomen. Op dezelfde manier als ik me aangetrokken voelde tot Ralph en Monica omdat zij nou niet direct sociaal en conventioneel waren of wat je noemt blij met hun leven. Het voornaamste was dat Caitlin doorging en zich er bovendien op liet voorstaan dat ze een sterke vrouw was. Zij vond dat je nooit achterom moest kijken. De enige keer dat we over dit onderwerp praatten en ik zei dat ik het miste dat ik geen broers en zussen had, of begrijpende ouders of een normaler gezinsleven, vertelde ze me een verhaal dat ze als kind altijd op de zondagsschool in Sterling te horen kreeg: 'Heel lang geleden gebruikten de mensen werktuigen van steen die snel braken, na eeuwen vervingen ze die door ijzeren gebruiksvoorwerpen die veel minder breekbaar waren, maar wel het nadeel hadden dat ze snel roestten. Toen kwam een smid op het goede idee om een legering van metalen te maken die hij staal noemde. Maar voor het bereiden van staal was een bewerking met verschillende elementen nodig: eerst vuur om het te smelten, dan water en lucht om het te harden en ten slotte steen om het te smeden. En daarna krijg je een stalen zwaard, het sterkste van alle wapens.'

'En ik veronderstel,' zei ik ironisch 'dat de moraal van het verhaal is dat je alleen sterk wordt als je allerlei bewerkingen hebt ondergaan.'

'Sterk niet. Sterk waren steen en ijzer al,' antwoordde ze beslist. 'Flexibel. Dat is het verschil. Je kunt niet overleven als je dat niet bent.'

Het lijkt pas gisteren dat ik uit Edinburgh ben vertrokken. Het werd onverwacht voorjaar, de stad ontwaakte op een dag in bruidstooi en was bedekt met een deken van witte bloemen. De parken schitterden in het licht. Het was nog wel fris, maar het was geen bezoeking meer om buiten te lopen, een paar truien waren genoeg. Mijn stemming ging erop vooruit en soms werd ik wakker en neuriede popliedjes die ik op de radio had gehoord of een liedje van Björk (de platonische liefde van Cat) dat ik niet meer uit mijn hoofd kreeg: *Violently happy cause I love you...* Maar de examens kwamen eraan en het vooruitzicht op alle werkstukken die ik moest inleveren en alle gegevens en feiten die ik uit mijn hoofd moest leren overschaduwden in mijn ogen het schitterende panorama van Edinburgh in de lente. Ik wilde me liever concentreren op mijn studie om niet te hoeven nadenken over een beslissing die ik binnenkort moest nemen: als ik was afgestudeerd, wat moest ik dan met mijn leven gaan doen?

Ralph had het ook heel druk met zijn proefschrift over Rembrandt. Ik zag hem elke dag op de universiteit en hoorde zijn nijdige commentaren aan over de onbekwaamheid van degenen die verantwoordelijk waren voor de bibliotheek en die hem de documentatie die hij zocht niet konden geven. Ik keek naar de haartjes op zijn knokkels en mijn hart ging sneller kloppen als ik dacht aan zijn harige bovenlichaam en hoe ik niet zo lang geleden tegen zijn borst in slaap was gevallen.

Caitlin had, met haar katten- en hekseninstinct en haar helderziende gaven die andere stervelingen niet hadden, op een of andere manier wel gemerkt dat er wat was veranderd in mijn leven doordat er een eind aan mijn kortstondige affaire met Ralph was gekomen. Misschien rook ik 's nachts wel niet meer naar die zurige melklucht na seks, wie weet, of misschien was mijn aura van kleur veranderd en was die niet langer vermiljoen maar ivoorkleurig. Caitlin had die stugge bezorgde uitdrukking verbannen die ze op haar gezicht had toen dat met Ralph aan de gang was, maar nu verlichtte een stralende lach haar poezengezichtje dat paste bij de witte margrieten in de Meadows. Ze dreutelde met een zachte lome uitdrukking door het huis, maakte allerlei exotische gerechten voor me klaar om 'aan te sterken' en deed haar best (dat kon ik merken) te lachen en lief te zijn. Soms ging ze op de enorme Marokkaanse poef in de woonkamer zitten met haar benen opgetrokken als een slangenmens en keek lange tijd naar me terwijl ik enorme stapels fotokopieën aan het ordenen was.

Ik studeerde onafgebroken, zowel op de universiteit als thuis. 's Nachts zat ik alleen met mijn boeken en mijn aantekeningen, maakte notities en onderstreepte zinnen met markeerstiften in drie kleuren: roze, oranje en groen. Ik werd duizelig van de feiten, opdrachten en data en probeerde niet te denken aan dingen die niet echt nodig waren. Ik was verdoofd door de gedrukte zinnen.

Op een van die avonden kreeg ik onverwachts bezoek. Om negen uur 's avonds ging de bel, wat ongebruikelijk was, want normaal gesproken kwam er geen bezoek thuis als Cat aan het werk was. Ik was geneigd niet open te doen omdat ik ervan uitging dat het een vergissing was, maar het gebel bleef aanhouden, zodat ik wel moest gaan kijken wie de onverwachte bezoeker was. Ik stond stomverbaasd toen ik de deur opendeed en recht in het muizengezicht van Barry keek. Hij stond tegen de deurpost geleund en zijn kleine hoekige gelaatstrekken leken in het zwakke licht nog scherper. Hij zei dat hij langs was gekomen om te zien of Cat er was, wat mij vreemd voorkwam omdat hij donders goed wist dat Cat die avond werkte. Ik bood hem een biertje aan, hij knikte en ging op een van de keukenstoelen zitten. Ik deed de koelkast open, gooide hem een blikje Heineken toe dat hij opving en ging tegenover hem zitten. Hij haalde papier en een chineesje te voorschijn en begon een joint te draaien terwijl hij met zijn glinsterende knaagdierenoogjes dwars door me heen keek.

'Ik zie dat je serieus bezig bent,' zei hij terwijl hij met z'n hoofd op de stapel papieren op tafel wees.

'Ik zal wel moeten als ik wil slagen.'

'Slagen... Wil je dat? Wil je dat echt?'

'Natuurlijk. Dat weet je heel goed. Ik ben al drie jaar bezig voor dat stomme papiertje.'

'Het verbaast me hoe mensen zichzelf ervan weten te overtuigen iets te willen wat ze eigenlijk niet willen. Haardrogers, video, hypotheken, huwelijk... *Degrees.* Wat studeer je eigenlijk? Literatuur toch?'

'Engelse literatuur.'

'Engelse literatuur... Belachelijk. Ten eerste begrijp ik niet hoe iemand literatuur kan studeren: je leest boeken of je leest ze niet, punt uit. Die *bestudeer* je niet. Wat mij betreft, ik heb nooit iets begrepen van literatuurkritiek. Als iemand je een boek moet gaan uitleggen, betekent het dat je er bij het lezen niets van hebt begrepen. Dat is slecht.'

'Dat valt te betwijfelen...' sprak ik hem tegen, 'een tekst begrijp je niet zonder bepalende omstandigheden: samenleving, geschiedenis, psychologie, mate van vrijheid...'

'Amme reet. Een tekst moet je vanzelf kunnen begrijpen of iedere lezer zou het op zijn eigen manier moeten begrijpen. Maar als je een tekst een bepaalde context geeft, een uitleg, betekent het dat er een grens wordt gesteld, er een eindbetekenis aan wordt gegeven en iets wordt afgesloten. Dat wil zeggen dat als de heilige kritiek haar mening heeft gegeven, de tekst is verklaard. De criticus heeft gewonnen en de lezer is bedwongen en heeft niet de kans gekregen een eigen mening te vormen. Neem *Ulysses* bijvoorbeeld. Niemand kan mij ooit wijsmaken dat die flauwekul zonder kop of staart een meesterwerk is...'

'Niemand probeert je daarvan te overtuigen. Voor het geval je het niet wist, een groot deel van de feministische critici vindt dat *Ulysses* is overgewaardeerd...'

'Overgewaardeerd? Praat me er niet van... Wat dat betreft waren de Ieren slim, dat moet ik toegeven. Wij hebben iets dergelijks geprobeerd met Burns en McDiarmis, alleen is het ons niet zo goed gelukt. En dan komen de Ieren met dat onbegrijpelijke boekje en vier critici die beweren dat het het meesterwerk van de eeuw is, dat Joyce een monologue intérieur heeft ontdekt blablabla... En iedereen gelooft dat, iedereen accepteert het criterium van de autoriteit, zoals ze de woorden van de overheid accepteren of geloven wat ze op de televisie zien. De literaire kritiek is alleen maar een extra vorm van controle van het Systeem.'

'Je maakt het wel heel eenvoudig Barry,' wierp ik tegen, maar toen hield ik op en probeerde niet met argumenten te komen omdat ik geloofde dat Barry's standpunt in zekere zin wel waar was. 'En bovendien vind ik *Ulysses* een mooi boek. Nou ja, wat doet het ertoe... In ieder geval ga ik mijn studie, hoe belachelijk die ook lijkt, er nu niet aan geven nu ik mijn diploma om zo te zeggen al bijna in handen heb.'

'Doe niet zo naïef. Waar heb je dat diploma voor nodig? Om bij McDonald's te werken? Om van de honger om te komen zoals Aylsa?'

‘Is Aylsa naar de universiteit geweest?’ vroeg ik. ‘Dat had ik niet gedacht.’

‘Toch wel, schatje. Onze geliefde of niet zo geliefde Aylsa is op de universiteit geweest, voor het geval je dat nog niet wist. Ze is eeuwen geleden afgestudeerd in de filosofie, als ik me niet vergis. Ik ben ook naar de universiteit geweest, moet je weten. En kijk wat er van mij is terechtgekomen.’

‘Ik dacht dat je niet werkte omdat je daar geen zin in had.’

‘Vergis je niet. Ik wilde tandarts worden, maar ik had niet genoeg geld om een praktijk te beginnen. Dus ben ik met een schijtloontje als verpleger in het ziekenhuis van Glasgow terechtgekomen. Elke avond werden er een paar zuiplappen binnengebracht die een klap met een fles op hun kop hadden gehad, of junks die bijna de pijp uitgingen omdat ze een strychnineshot hadden genomen. Ik weet niet hoeveel koppen ik heb dichtgenaaid of hoeveel kots ik heb opgeruimd. Toen mijn contract was afgelopen dacht ik dat ik hooguit twee of drie maanden werkloos zou zijn. En zo zie je maar. De universiteit is geen garantie. Onthoud dat maar goed. Absoluut niet.’

‘Maar zo te zien gaat het je niet slecht.’

‘Nee het gaat niet slecht. Ik verdien veel geld. Maar ik riskeer ook veel. Die drugshandel is niet zo eenvoudig als de mensen wel denken, echt niet.’

Dat moet je mij nodig vertellen, dacht ik bij mezelf. Maar ik hield mijn mond.

‘Nee, dat kan echt niet iedereen. Succes hangt van een heleboel factoren af, realiseer je dat goed, en niet van die waar je het eerst aan denkt. Het gaat er niet om de beste stuff te leveren, nee, of de snelste service te bieden, of het efficiëntst te zijn, het gaat er zelfs niet om het spul dat je verkoopt niet zelf te gebruiken, hoewel dat natuurlijk wel belangrijk is. Je moet bijvoorbeeld een goede psycholoog zijn. Bij de eerste blik weten hoe iemand in elkaar zit. Zijn gebaren, blikken en manier van kleden weten te interpreteren. Ik kan bijvoorbeeld een politieagent op kilometers afstand ruiken. En ik weet het ook wanneer iemand zo happig is dat hij vijf keer de prijs zou betalen voor de stuff als ik het hem direct lever.’

Dit betoog kwam me bekend voor, het leek of ik het al eerder had gehoord en ik moest voor het eerst sinds jaren aan Coco denken... Hoe zou het met hem zijn? Barry bood me een joint aan. Ik weigerde met een hoofdknikje.

'Toen ik jou voor het eerst zag bijvoorbeeld,' ging hij door, 'dacht ik: dat is nog eens een slimme meid. Je zei niets. Je liep achter Cat aan en nam me van boven tot onder op. Je duwde je heupen arrogant naar voren en bleef staan. Oké, ik vond het prettig dat je bleef zwijgen omdat de meeste mensen een heleboel belachelijke vragen stellen om de stilte die hen benauwt op te vullen. Ze zeggen dat je asociaal bent, maar ik niet. Vanaf het eerste moment wist ik dat je slim was, en dapper.'

Hij keek me aan, ik geloof dat hij een antwoord verwachtte, maar ik bleef zwijgen. Hij nam dus maar een lange trek van zijn joint waardoor de eetkamer vol rook kwam te staan.

'Een ander essentieel detail is de factor geluk. Ik heb geluk. Ik heb geluk dat ik je hier vanavond aantref. Het is vandaag tenslotte vrijdag en half Edinburgh is zich zoals iedere vrijdagavond aan het bezatten. Je had ook niet thuis kunnen zijn. Je had kunnen gaan dansen. Maar jij bent een slim meisje en bent thuisgebleven om te studeren. Maar soms lijkt het of je intelligentie nergens voor dient,' ging hij door. 'Neem Cat bijvoorbeeld. Ik verzeker je dat een groot deel van die helft van dansend Edinburgh er alles voor over zou hebben om met haar naar bed te gaan. Mannen en vrouwen. En jij die dat geluk hebt, kan dat verdomme niet waarderen. Ik weet niet of je beseft wat een pijn je haar doet... Want zij is een heel speciaal iemand, heel gevoelig... Toen ik met haar ging...'

Hij onderbrak zichzelf opnieuw en keek me onderzoekend aan alsof hij wilde zien of die bekentenis mij inderdaad verbaasde. Ik bleef zwijgen.

'Want ik ging met haar. Dat was toen ze naar Edinburgh kwam... Caitlin had toen heel lang haar, dat weet ik nog... Ze was heel knap, bijna nog knapper dan nu...'

Hij hield op en bleef een paar seconden in de verte staren, alsof hij dat beeld weer opriep.

'Dat wist je niet, hè? Nee, dat heeft ze je natuurlijk niet verteld. Ze is heel gesloten over zichzelf... Ze kan je de geschiedenis vertellen van al haar vriendinnen en of hun orgasmen clitoraal of vaginaal waren, maar ze zal nooit praten over dingen die echt belangrijk voor haar zijn, dat weet je. En jij bent zo arrogant dat het niet eens bij je is opgekomen dat die goeie ouwe Barry... Nee, wij zijn niet met elkaar naar bed geweest, als je daar misschien aan denkt, maar wij waren meer een stel dan een heleboel anderen die het wel met elkaar doen...'

Ik begreep heel goed wat hij daarmee wilde zeggen: wij deden het *wel.*

'Nou, het zit zo dat Caitlin, want niemand noemde haar toen Cat... Caitlin en ik woonden een paar maanden samen, toen ik pas uit Glasglow kwam. Zij was net uit Stirling gekomen en wist niet waar ze naartoe moest. Dus kwam ze bij mij wonen, in een *squat* vlakbij Leith Walk. We sliepen in één bed, maar neukten niet en geloof me, dat interesseerde me ook niet. Ik zat in die tijd midden in dat kloterige tantragedoe en was ervan overtuigd dat celibataire cycli goed voor de geest waren. Nou ja, iedereen heeft weleens zo'n bui, vermoed ik... Bovendien gebruikte ik toen zoveel heroïne dat ik niet eens zou hebben kunnen neuken als ik dat had gewild. Maar ik voelde me meer met haar verwant dan met de meeste vrouwen met wie ik wel naar bed ben geweest. Ik hield heel veel van haar en hou nog steeds van haar. Daarom vind ik het niet prettig wat je met haar doet. Als jij je verstandige hoofdje gebruikte zou je bij haar blijven. Dan zou je beseffen dat zij het beste is wat je kunt vinden.'

'En jij dan, die zoveel van haar houdt,' vroeg ik ten slotte. 'Waarom vind je dat ik bij haar moet blijven? Ben je niet bang dat ik haar pijn doe?'

'Nee, iemand zoals jij zou heel goed voor haar zijn,' antwoordde hij. 'Ze heeft een sterk iemand naast zich nodig.'

'Ik ben niet sterk,' zei ik. 'Ik heb een heel zwak karakter.'

'Je eigen zwakheden kennen is een teken van kracht,' bevestigde hij plechtig, terwijl hij een lange haal nam van zijn joint.

Hij schoof zijn stoel dichter naar de mijne toe en ik moest een plotselinge neiging om achteruit te gaan onderdrukken.

'Ik zou je dat niet zijn komen zeggen als ik het niet nodig vond. Je praat bijna nooit met me, maar ik weet dat je me wel respecteert. Dat merk ik. Ik geloof dat je op het punt staat een fout te begaan. Want jij houdt van Cat, dat weet ik zeker. Hoewel ik soms de indruk heb dat je dat zelf niet eens weet.'

Ik ontkende noch bevestigde dat. Hij kwam nog dichter met z'n stoel naar me toe, tot onze knieën elkaar raakten.

'Beatriz...'

Het verraste me dat hij me bij mijn naam noemde. Dat had hij tot nu toe nog nooit gedaan. Misschien kon hij hem wel niet uitspreken.

'Ik weet niet,' ging hij door, 'of je de geschiedenis kent van dat kleine dorpje aan de kust in de Highlands waar ze in de oorlog een verdedigingslinie om de haven hadden gevormd van twintig kanonneerboten die de opdracht hadden gekregen om elk schip dat in de buurt kwam aan te vallen. Dat afgelegen dorp lag in een dal omgeven door bergen en was praktisch onbereikbaar over land. Het was zo'n verrekt onbetekenend dorpje dat de admiraliteit vergat er een telegram naartoe te sturen met het bericht dat de oorlog was afgelopen. Zodoende bleef het dorp jarenlang van de buitenwereld afgesloten en werd elk schip dat naderbij probeerde te komen aangevallen...'

'Heel goed... Maar wat wil je daarmee zeggen?' viel ik hem arrogant in de rede.

'Dat jouw oorlog is afgelopen en dat het tijd wordt dat je de strijd opgeeft.'

En plotseling, alsof hij besefte dat dit de juiste en geschiktste zin was om zijn verhaal dat hem naar ons huis had gebracht mee af te sluiten, stond hij op en zei dat hij moest gaan. Ik was opgelucht, want zijn gedrag was zo vreemd dat ik vermoedde dat hij high was en ik vond het eng om alleen te blijven met hem en zijn onvoorspelbare gedrag. Ik liep met hem naar de deur als de ideale gastvrouw. Hij stond al met zijn voet op de mat toen hij stopte, op het raamkozijn leunde en me weer met zo'n vreemde strakke blik aankeek. Ik werd er zenuwachtig van maar kon toch niet verhinderen dat ik uit nieuwsgierigheid als vastgenageld bleef staan. Opeens kwam hij snel met zijn lippen naar mijn gezicht en kreeg ik een onverwachte zoen op mijn wang. Onverwacht om allerlei redenen: omdat het in deze situatie niet gebruikelijk was, omdat de zoen in Schotland niet zoals in Spanje bij een formeel afscheid hoort en alleen geliefden en kinderen worden gezoend en omdat van alle mensen die ik in Edinburgh kende Barry wel de laatste was van wie ik zou verwachten dat hij me zou zoenen. Toen kwam hij heel langzaam met zijn hoofd naar voren tot zijn lippen op gelijke hoogte met de mijne waren en bood ze me aan. Ik gaf daar gehoor aan en drukte een bescheiden zoen op zijn mondhoek. Wij bleven elkaar oppervlakkig zoenen, bescheiden als twee speelse kinderen en het duurde even voor onze tongen ook meededen. Toen volgde er een vurige omhelzing en voelden we elkaars lichaamswarmte. Allebei wisten we dat we niet verder zouden gaan en niet zouden gaan seksen. Allebei wisten we dat we Cat aan het zoenen waren.

4 Licht van een dode ster

Ik zou graag geloven dat er iets waar is van het aforisme AMOR VINCIT OMNIA. Maar als ik iets heb geleerd in dit korte en trieste leven, is het dat dit cliché een leugen is. En hij die het gelooft, een dwaas.

DONNA TARTT, *De verborgen geschiedenis*

Als ik het nummer bel dat Charo me heeft gegeven en naar Monica vraag krijg ik te horen dat ze geen telefoontjes mogen doorverbinden naar de patiënten, alleen van directe familieleden of in geval van nood, maar dat er op zaterdag- en zondagmiddag bezoektijd is. Ik zeg dat ik van plan ben Monica te bezoeken en ze leggen me uit hoe ik er kan komen. Ik moet een bus nemen en uitstappen in een dorp vijftig kilometer ten noorden van Madrid. De boerderij ligt buiten het dorp en vanaf de bushalte moet ik een half uur de weg volgen. Het kan niet missen, maar als ik er niet uitkom kan iedere dorpsbewoner me de weg wijzen. Ik vraag of ze Monica willen zeggen dat ik kom, want ik wil haar niet overvallen met mijn bezoek.

De bus heeft gelukkig airconditioning en ondanks de hobbels is de reis best meegevallen. Als ik uitstap op de stoffige weg slaat de hitte me in mijn gezicht. Het hele landschap om mij heen is witgloeiend en de zon die weerkaatst tegen de stenen muren verblindt me en doet pijn aan mijn ogen. Deze bloedhete lucht beneemt me de adem en even komt het bij me op dat ik zo'n wandeling niet volhoud zonder flauw te vallen.

Maar ik val niet flauw en hoef maar twee keer de weg te vragen om het te vinden. De boerderij blijkt een oud huis te zijn met een leistenen dak omgeven door een stenen muur. Achter het huis ligt een enorme tuin en tussen het gelige gras vang ik een glimp op van een schittering, wat op een zwembad of een waterbassin zou kunnen wijzen. Het is een landhuis zoals er zoveel zijn in de bergen rond Madrid en lijkt op de chalets die rijke vrienden van mijn ouders in El Escorial hebben. Een groepje jongens en meisjes zit op de trappen van de ingang in de zon. Allemaal hebben ze jogging- of spijkerbroeken en T-shirts aan en dezelfde akelig uniforme uitdrukking op hun gezicht met dezelfde lege ogen en dezelfde matte uitstraling, alsof ze pas uit bed komen of onder de kalmeringsmiddelen zitten. Ik loop erheen en vraag hun met mijn vriendelijkste glimlach of zij Monica kennen. Ze kijken elkaar aan voordat er een antwoord komt en ten slotte wijst een van de meisjes op de deur boven aan de trap. Vraag het daar maar, zegt ze.

Er staat een meisje, ook in spijkerbroek en T-shirt, tegen de deur geleund. Toch zie ik meteen dat zij geen patiënte is. Ten eerste moet zij rond de vijfendertig zijn; ten tweede hangt er een mobiele telefoon aan haar riem; en ten derde heeft zij in duidelijke tegenstelling tot het groepje beneden een schrandere blik in haar ogen waarmee ze me recht aankijkt. Er verschijnt meteen een glimlach die ik alleen maar als professioneel kan omschrijven. Om niet onbeleefd te zijn steek ik heel netjes mijn hand uit en stel me voor: ik ben Beatriz de Haya, ik heb gisteren gebeld om te zeggen dat ik zou komen. Ik kom voor Monica Ruiz Bonet. Zij antwoordt met dezelfde ondoorgrondelijke glimlach dat Monica binnen een paar minuten naar beneden komt en geeft me een compliment omdat ik de eerste bezoeker ben. De kinderen die ik op de trap heb zien zitten, wachten op de komst van hun familie en vrienden, vertelt ze.

Ik ga op de trap zitten op veilige afstand van het groepje. Op zulke momenten zou ik graag willen roken om dit afschuwelijke wachten te overbruggen. Na een paar minuten voel ik dat er iemand achter me staat. Nog voordat ik mijn hoofd omdraai weet ik zonder te kijken dat het Monica is. Ik kom overeind en draai me om.

Ik heb moeite haar te herkennen. Ik had verwacht dat een heroïnegebruikster mager zou zijn met ingevallen wangen, maar tot mijn verbazing staat er een mollig meisje voor me met een pafferig gezicht. Ik veronderstel dat ze er zo opgeblazen uitziet door een hoge dosis kalmeringsmiddelen. Haar onverzorgde droge haar is slecht geknipt en hangt als raffia voor haar bolle gezicht. Haar ogen, die doffer staan dan vroeger, liggen diep in hun kassen: de oude glans in haar blik moet in haar platgespoten aderen zijn gedoofd. Er is niets meer over van haar aparte verschijning, van haar vroegere chic.

Monica neemt me op van top tot teen en ik krijg een brede lach van herkenning die echt gemeend lijkt. 'Bea... Dat is lang geleden... Wat leuk dat je bent gekomen...' Ze geeft me schuchter een arm en stelt voor om wat door de tuin te lopen. Ze vraagt wat er van me is geworden en ik vertel haar in het kort over mijn jaren in Edinburgh, de studie die ik heb afgesloten en mijn dagelijkse bestaan van studeren en kou. Ik vertel niets over Cat.

Ze neemt me mee over het terrein van de boerderij en laat me een kippenhok zien met een paar rachitische kippen en hun haan, een moestuin waar kroppen sla, tomaten, aardappelen en een paar enorme pompoenen groeien, zo groot dat ze wel genetisch gemanipuleerd lijken. Je kunt ze eten, vertelt ze, maar ze zijn niet zo lekker als de kleinere, vandaar dat ik ze nooit in de winkel heb gezien. Er lopen ook een paar varkens rond, maar daar komen we niet dichtbij. Ik probeer voortdurend mijn afkeer van de stank op de boerderij te onderdrukken, vooral in het kippenhok. Ik moet eraan denken dat Cat in zo'n omgeving is opgegroeid en ik vraag of er ook stallen zijn. 'Eentje,' antwoordt ze. 'Daar kunnen we straks naartoe gaan als je wilt. We hebben alleen een koe. Geen paarden of ezels, want daar hebben we niets aan. Dit is maar een kleine boerderij. Meer symbolisch eigenlijk.'

We gaan op een houten bank zitten. Aan onze voeten groeien een paar armetierige bloemen. Ik vraag haar hoe ze hier is terechtgekomen en zij zegt dat het een te lang verhaal is maar dat ze het in het kort zal vertellen. Het verhaal verschilt niet veel van dat wat Charo me heeft verteld. Hoe ze in het begin het brave verwende meisje probeerde te spelen en hoe ze zich vreselijk verveelde en hoe ze na zeven maanden uitgaan met Javier, skiën in de Alpen, weekeinden in de Algarve of paardrijden in La Dehesa, dineren bij La Dorada, naar films met Demi Moore in de hoofdrol, concerten van Eric Clapton en Joe Cocker, kortom na alles gedaan te hebben wat verwacht wordt van de vriendin van een jonge briljante zakenman, ze ten slotte naar Coco was teruggegaan die niet in dat hotel het loodje had gelegd, maar anderhalf jaar later de pijp uit was gegaan aan een fataal shot, iets onzinnigs omdat Coco toen al maanden niet meer spoot en dat shot min of meer als grap had genomen, om het te vieren zoals hij zei. Vanaf die tijd was alles in duizelingwekkende vaart bergafwaarts gegaan, het leven bestond uit drugs kopen en high worden en weer opnieuw beginnen. In het begin had ze het niet zo moeilijk omdat ze genoeg geld had, maar later kreeg ze geldgebrek en kostte het haar elke ochtend meer moeite om op te staan tot ze op een dag niet eens meer wist wie ze was, met wie ze sliep en waar ze wakker werd. Maar dat is gelukkig allemaal verleden tijd, zegt ze, want het werken in deze gemeenschap geeft haar een vreemde voldoening en ze beschrijft haar dagelijkse werk – de moestuin wieden, de beesten voeren, de slaapkamers schoonmaken, helpen in de keuken – heel gewoon zonder een spoortje ironie. Ze beschrijft deze ervaringen met een enthousiasme alsof ze visioenen ziet en haar stem doet denken aan een religieuze bekering. Een stupide lach glijdt over haar bolle wangen. Dit hele verhaal zou alledaags en voorspelbaar zijn geweest, belachelijk zelfs, als een script voor een zaterdagavondsoap, wanneer het niet over mijn beste vriendin zou zijn gegaan, dezelfde die nu voor mijn neus alleen maar banaliteiten opnoemt, het heeft over dienstbaarheid en de zoektocht naar zichzelf en de vreugde die dat geeft op dezelfde toon als waarmee de nonnen ons indertijd vertelden over de verhevenheid van het christelijke leven. Haar oude charme als *raconteuse* heeft ze definitief verloren. Het valt mij op dat ze bij het praten diepe rimpels bij haar slapen krijgt waardoor haar huid eruitziet als gebarsten en verdorde grond, als een woest terrein waar niets meer groeit. Ik pak een van haar handen in de mijne en die voelt eeltig en ruw aan. Hoe meer ik naar haar kijk en terugdenk aan de fascinerende persoonlijkheid die ze eens was, hoe meer moeite het me kost te begrijpen dat ze een soort dikke boerin met ruwe handen is geworden. Ik begrijp dat het absurd is om de tijd terug te draaien en te proberen het verlorene te achterhalen in de onpeilbare diepte van de herinnering, want het leven gaat door en het lot gooit zijn ondoorzichtige netten uit en dat wat wij zochten heeft een ontwikkeling doorgemaakt en zal nooit meer zijn wat het eens was, alleen in de herinnering.

De uren zijn voorbijgevlogen, langzaam valt de schemering en er blijven alleen nog een paar zwakke zonnestraaltjes tussen de laagste takken van de bomen hangen. In de verte zie ik het silhouet van de dokter, of wat ze ook is, met wie ik eerder heb gesproken. Ze komt naar ons toe en zegt me koel en zakelijk dat het bezoekuur is afgelopen en dat ik moet opschieten als ik de laatste bus naar Madrid nog wil halen. Monica staat gehoorzaam van de bank op en pakt mijn hand, zodat ik dat ook doe. Ze omhelst me ten afscheid en geeft me een prentbriefkaartenlach. 'Tot gauw, Betty,' zegt ze en ze laat me beloven dat ik haar snel weer eens kom opzoeken, maar eerlijk gezegd weet ik niet of ik dat kan opbrengen; en ik laat haar daar achter, verzonken in haar mystieke gedachten.

Ze noemde me alleen Betty als ze heel teder was. Dat was ik al bijna vergeten.

Ik voelde dat ze verder van me af stond dan ooit, onbereikbaar was, als een ververwijderde ster, op miljoenen lichtjaren. Het is raar gesteld met het licht van de verste sterren: als het ons bereikt, kan het al miljarden jaren onderweg zijn en dan zien we de ster zoals die millennia geleden was. Het is als een reis in de tijd en het vreemde is dat we het licht van een ster kunnen zien die al eeuwen geleden is gedoofd, misschien zelfs wel voor er dinosaurussen op Aarde waren. Als ik afscheid neem van Monica begrijp ik dat alle liefde die ik vier eindeloze jaren heb gekoesterd niet meer is geweest dan het licht van een dood hemellichaam.

Ik heb aan een stuk door geslapen en gedroomd van katten met vachten in allerlei kleuren: grijze Perzische katten met gele ogen, zwart-witte straatkatten, katjes die op bolletjes katoen leken en enorme dikke en vechtlustige straatkatten; langharige katten, kortharige katten, katten van allerlei rassen. Als ik wakker word denk ik dat Cat misschien heeft geprobeerd me een boodschap te sturen, maar dan bedenk ik dat het logischer is dat ik mezelf een boodschap stuur.

Dus draai ik het nummer van wat mijn huis in Edinburgh was, hoewel ik weet dat Cat waarschijnlijk ligt te slapen. Ik hoor een geaffecteerd, zoetsappig en kinderlijk stemmetje aan de andere kant van de lijn. Als ik over mijn aanvankelijke verbazing heen ben herken ik Aylsa's stem en vraag naar Cat. Cat ligt te slapen, zegt ze en ik weet niet of ik haar wel wakker moet maken. Ze wordt nerveus en aan het eind van de zin gaat haar gemaakte toontje over in een zenuwachtig gestamel. Door de arrogante ondertoon in haar stem vraag ik me af wat Aylsa voor de donder in *mijn* huis doet zo vroeg in de morgen. Maar dan verbeter ik mezelf in gedachten: *dit hier* is mijn huis en niet dat daarginds. Heel beheerst zeg ik tegen Aylsa om aan Cat door te geven dat ik heb gebeld en een goede reis heb gehad. Maar nauwelijks heb ik dat gezegd of ik besef dat het te laat is om door te geven dat ik een goede reis heb gehad omdat ik de dag na aankomst had moeten bellen en niet bijna tien dagen later. Caitlin heeft mij echter evenmin gebeld terwijl ze dit nummer toch heeft. Is het niet vreemd dat ik haar stem tot nu toe niet heb gemist? Misschien heeft Cat me niet gebeld uit trots of misschien had ze het te druk om haar leven opnieuw in te richten met de eigenaresse van dat stemmetje die mij antwoordt dat het oké is, dat ze Cat zal zeggen dat ik heb gebeld en die de verbinding meteen verbreekt zonder mij zelfs gelegenheid te geven gedag te zeggen. Aylsa, klein kreng, wat had je weinig tijd nodig om mijn plaats in bed in te nemen en waarom nam je dat toontje van beledigde onschuld tegen me aan door de telefoon. Ik leg de hoorn op zijn plastic haak en maak mezelf wijs dat het feit dat Aylsa in mijn huis heeft geslapen (en ik blijf aan Cats huis als dat van mij denken) nog niet hoeft te betekenen dat ze met Cat heeft geslapen; misschien is ze wel gebleven om haar gezelschap te houden en haar te helpen om haar pas verworven eenzaamheid te doorstaan. En als ze wel met Cat geslapen zou hebben, waar maak ik me dan druk om? Ik, die zoveel nachten met Cat heb geslapen terwijl ik Ralphs geur nog op mijn huid had. Ik, die toen ik wegging duidelijk zei dat ik nog niet goed wist of ik terug zou komen en daarmee een relatie van drieënhalf jaar overboord gooide. Ik, die al mijn twijfels en onzekerheden stelde tegenover Cats edelmoedigheid. Ik, die nooit het woord liefde heb gebruikt, in geen enkele alinea die ik over haar heb geschreven.

Ik heb echt niet het recht om jaloers te zijn.

Er zijn miljoenen paren op de wereld die hun relatie met veel inzet en kleine compromissen hebben opgebouwd. Er zijn miljoenen mensen die van hun partner geen honderd procent eensgezindheid en dezelfde voorkeuren verlangen. Het streven naar perfectie is dodelijk voor de liefde, de dorst naar het absolute, de angst voor gewoonte, het eeuwige verlangen naar het onmogelijke, de voortdurende weigering onszelf te accepteren zoals we zijn en anderen te accepteren zoals zij zijn. Als iemand zichzelf niet begrijpt kan hij onmogelijk begrijpen dat anderen van hem houden en dus kan hij ook degenen die van hem houden niet respecteren. En de tijd biedt ons maar twee mogelijkheden: of we accepteren wat we zijn of we geven het op; en als we het niet opgeven, als we besluiten op deze minuscule planeet te blijven en genoegen te nemen met ons nog minusculere leventje, kunnen we deze schikking beschouwen als een nederlaag of als een overwinning. Ik verlang niet meer naar brandende liefdes nu het vuur voor Monica is gedoofd. Ik hoop alleen uit de as herboren te worden en te genieten van een zekere hartstochtelijke gloed, de warmte die steeds weer oplaait door vertrouwde gebaren, jarenlange ervaring, bekende warmte van lippen en rust die zo vaak te lezen staat in ogen die niet langer heftig verlangen of begeerte uitdrukken; een mildheid die samenhangt met routine, met de geaccepteerde last van die genegenheid, terwijl de vermoeidheid en de wonderlijke onverschilligheid voor wat we hebben gedaan langzaam wegstroomt. Vrede uiteindelijk. Of liefde.

Ik denk dat ik haar later als ze wakker is nog eens bel om haar uit te nodigen mij in Madrid te komen opzoeken. Ik zal haar voorstellen om een week vakantie op te nemen van de maand die haar baas haar al tijden schuldig is. Ik zal een vliegticket naar Edinburgh naar haar sturen, een bos bloemen, een gouden ring. Misschien is het wel te laat om haar ook maar iets te sturen. Ik voel dat ik zelfs niet het recht heb om iets van haar te verwachten en ik kan haar ook niets beloven. En nu ik erover nadenk weet ik niet welke argumenten ik zou moeten aanvoeren om haar te vragen naar mij toe te komen. Misschien ben ik het wel niet waard dat Cat naar mijn huis komt.

Maar één woord van haar is genoeg om me te genezen.

You want a reason: I'll give you reasons don't change your ideals with every season, just look inside yourself for information and make your own life a celebration, you've got the power, power to be strong, an education that should be lifelong, don't be a victim of expectations, just make your life a celebration.

THE BELOVED, *Conscience*

Dank:

Voor de hulp om beter te schrijven: Pedro López Murcia, Miguel Zamora en Pedro Manuel Villora.

Voor bijdragen, suggesties, correcties en niets-ontziende kritiek: Laura Freixas, Ana Cuatrecasas, Joaquín Arnaiz, Carlota Guerrero en Carlos el Lento.

Voor de verzorging in de zomer: Amorós Mayoral hermanos

Maar ik wil vooral al mijn vrienden en vriendinnen bedanken, die onmisbaar zijn.

Mian Mian ~ *Candy*

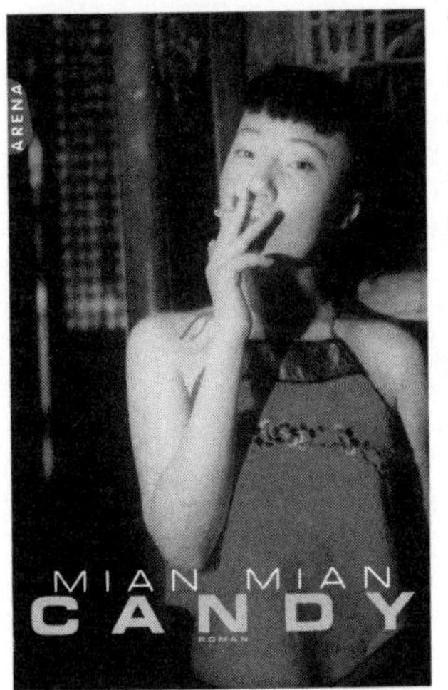

Candy is een fascinerend semi-autobiografisch verhaal over een jonge vrouw die haar plek probeert te vinden in het nieuwe China, zonder ten onder te gaan aan haar pas verworven vrijheid. De Chinese schrijfster Mian Mian is een van de opzienbarendste hedendaagse schrijvers in China. Haar debuutroman *Candy* werd door de Chinese regering verboden.

ISBN 90 6974 412 0

Prijs € 17,95 / *f* 39,56 / 724 fr.

Jenny McPhee ~ *Nora*

Nora is een komische en meeslepende roman over tabloidjournaliste Marie Brown, die gefascineerd is door de uitzonderlijk mooie B-actrice Nora Mars. Wanneer Nora in coma raakt, gaat Marie op zoek naar de schandalen achter Nora's succes, met verstrekkende gevolgen. Jenny McPhee schreef met *Nora* een onweerstaanbare, verfrissende roman over B-films, tabloidjournalistiek, natuurkundige theorieën en het vinden van de ware liefde, die je in één ruk uitleest.

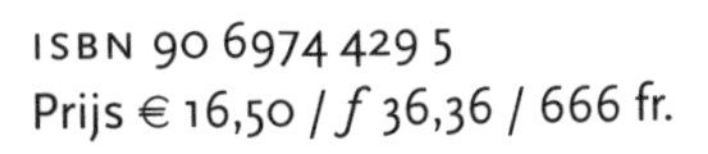

ISBN 90 6974 429 5

Prijs € 16,50 / *f* 36,36 / 666 fr.